増補改訂版

はじめての TOEIC® L&R テスト 全パート総合対策

塚田幸光

ask

はじめに

本書は、こんな人のための本です。

◆《TOEIC L&Rテストをはじめて受験する人》

◆《600点クリアを目指す人》

◆《何から勉強を始めていいのかわからない人》

ここが変わった！　旧版との違い

2011年の発売以来、『はじめてのTOEIC® L&Rテスト　全パート総合対策』は、35万人を超える学習者にご愛顧いただきました。本書はその増補改訂版です。

TOEICの最新傾向を踏まえるとともに、読者の方々の声を反映して以下の点を補強した、超充実のパワーアップ版です！

動画でもTOEICの解き方が身につく！

すべての《攻略問題》に対し、**無料のオンライン《講義動画》**をつけました（計27本）。QRコードから簡単にアクセスできます。
攻略ポイントの復習だけでなく、解き方の流れや、プラスアルファの情報まで、実際の講義のようにわかりやすく解説しています。

完全模試で、本番に備える！

最新傾向に即した本番形式の**《完全模試》200問**を別冊に追加しました。
解説は、オンラインでスマホやパソコンから見られます。
なんと、**200問全問に《音声解説》**もつけています！

わかりやすい解説と見やすいデザインで、やる気アップ！

みなさんが取り組みやすいように、さらに**丁寧な解説を心がけ、加筆修正しました。また、紙面デザインもさらに見やすく**生まれ変わりました。

英語力も底上げできる！

リスニング・リーディング力を強化できるコラムを充実させました。
TOEIC力だけでなく、英語力の基礎力もアップできますよ。

これ1冊ですべて教えます！

本書は、申込方法などの受験ガイド、パートごとの特徴や攻略テクニック、豊富な練習問題と本番そっくりな模試、頻出単語など、TOEICのすべてを網羅する内容になっています。TOEIC L&R テストの「はじめての1冊」として、まずはお試しください。これ1冊ですべて教えます！

短時間で効率よくスコアアップ！

TOEICは、かなりハードなテストです。対策をするにも相当時間がかかります。ですが、十分な時間をかけて、試験対策ができる読者は少ないのではないでしょうか？

「1日1時間勉強するのもキツイ」というのが、みなさんの本音だと思います。仕事の山と格闘する社会人、試験や就活に追われる大学生。総じて時間はないはずです。

本書は「効率」と「時短」がキーワードです。いかに効率よく、短時間でスコアアップができるか。それには、本書のような、TOEIC L&Rテストのエッセンスがぎっしり詰まった「総合対策本」から始めるのがベストです！ 攻略法を効率よく身につけましょう。

また、別冊に本番形式の模試がついていますので、最後に、試験前の力試しもできます。

パターンとテクニックを把握せよ！

大事なことは、スコアが取れるように問題を「見る」「聞く」ことです。本書を読めば、各問題の攻略ポイントが見抜けるようになり、効率よくスコアアップしていけます。スコアが上がれば、学習のモチベーションも上がります。学習を継続することで、TOEIC力だけでなく英語力も向上して準備万端。あとは、テスト本番を残すのみ！ それでは一緒に、600点を目指しましょう。

塚田　幸光

もくじ

第3部 リーディング問題を攻略

本書の構成と学習の進め方

本書では、最短14日で全パートの学習を終えられるようになっています。
(1パートを2日間で学習×7パート＝14日間)
試験前には、完全模試にチャレンジしましょう。

各パート1日目にすること

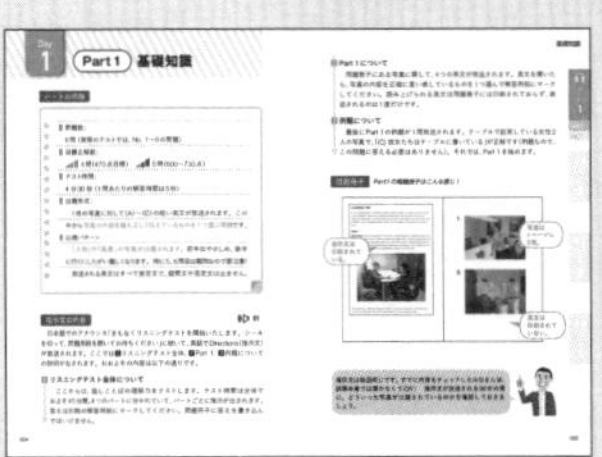

基礎知識

「問題数」や「目標正解数」、「テスト時間」など、各パートの形式を理解します。

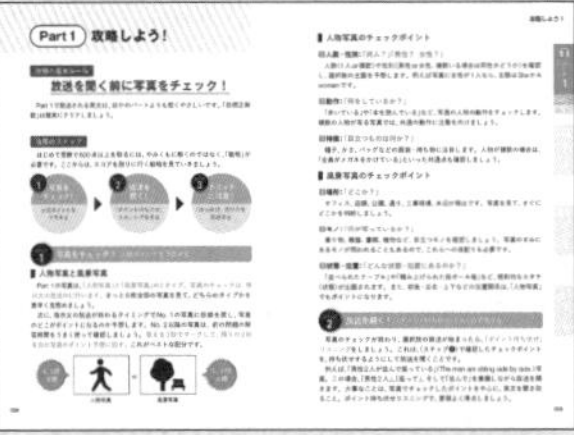

攻略しよう！

「攻略の基本ルール」や「出題パターン」など、攻略するためのアウトラインを学習します。

攻略問題

《基礎知識》と《攻略しよう！》で学んだことを意識して、本番形式の問題に答えてみましょう。あまり正解できなくても、心配することはありません。ここでは、TOEIC形式の問題を実際に体験することが目的です。

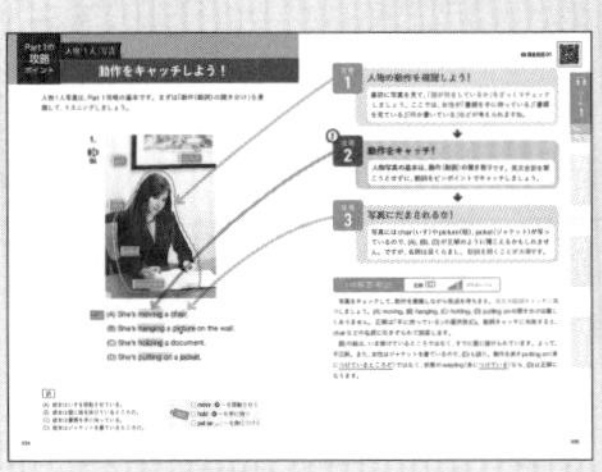

攻略ポイント

《攻略問題》を使って、問題のタイプごとに「攻略法」を詳しく見ていきます。

各パート２日目にすること

実戦問題

学習の総仕上げに、《実戦問題》にチャレンジします。できなかったパターンの問題は、《攻略ポイント》に戻って復習しておきましょう。

問題

解答・解説

スコアに差が出る頻出フレーズ50

スコアアップを狙うには、攻略法に加え、「語彙力の強化」も必要です。ここではパートごとに、よく出るフレーズをまとめて紹介しています。見て意味がわかるだけでなく、付属の音声を使って、聞いても意味が言えるようにしておきましょう。

試験前にすること

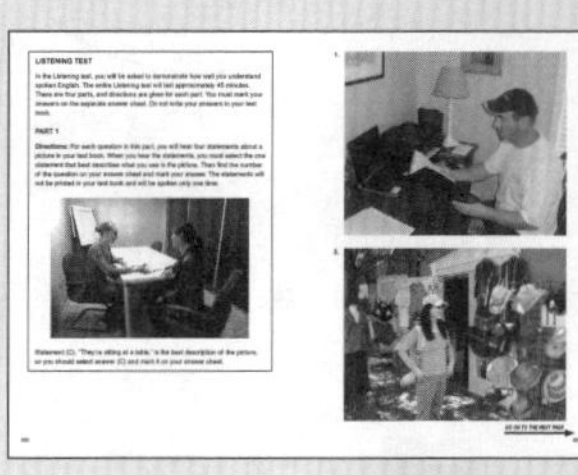

別冊 完全模試TEST

試験本番前に、ぜひ200問の完全模試にチャレンジしましょう。ペース配分や、解答マークのタイミングなどを把握するだけでもだいぶ違います。解説はオンラインで見ることができ、200問全てに音声解説もついています。

攻略ポイントがひと目でわかる！

問題の「どこ」を見れば正解できるのか？ 放送の「どこ」が聞ければ正解できるのか？ 本書では矢印や色の使い分けでポイントを視覚化し、問題を「見て」攻略していきます。

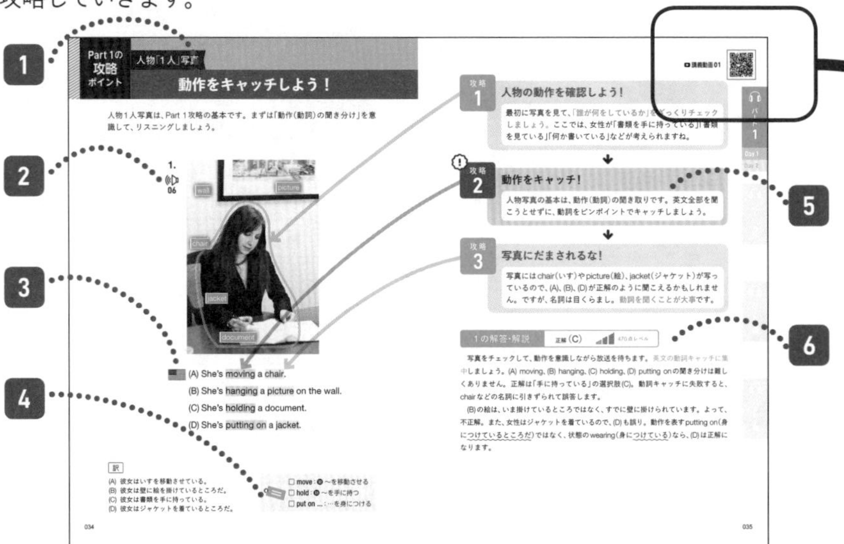
1
2
3
4
5
6

Part 1の攻略ポイント 人物「1人」写真

動作をキャッチしよう！

人物1人写真は、Part 1攻略の基本です。まずは「動作(動詞)の聞き分け」を意識して、リスニングしましょう。

1.
06

(A) She's moving a chair.
(B) She's hanging a picture on the wall.
(C) She's holding a document.
(D) She's putting on a jacket.

訳
(A) 彼女はいすを移動させている。
(B) 彼女は壁に絵を掛けているところだ。
(C) 彼女は書類を手に持っている。
(D) 彼女はジャケットを着ているところだ。

□ move：動 ～を移動させる
□ hold：動 ～を手に持つ
□ put on ...：…を身につける

034

講義動画01

攻略1 人物の動作を確認しよう！
最初に写真を見て、「誰が何をしているか」をざっくりチェックしましょう。ここでは、女性が「書類を手に持っている」「書類を見ている」「何か書いている」などが考えられますね。

攻略2 動作をキャッチ！
人物写真の基本は、動作(動詞)の聞き取りです。英文全部を聞こうとせずに、動詞をピンポイントでキャッチしましょう。

攻略3 写真にだまされるな！
写真にはchair(いす)やpicture(絵)、jacket(ジャケット)が写っているので、(A)、(B)、(D)が正解のように聞こえるかもしれません。ですが、名詞は目くらまし。動詞を聞くことが大事です。

1の解答・解説　正解 (C)　470点レベル

写真をチェックして、動作を意識しながら放送を待ちます。英文の動詞キャッチに集中しましょう。(A) moving、(B) hanging、(C) holding、(D) putting onの聞き分けは難しくありません。正解は「手に持っている」の選択肢(C)。動詞キャッチに失敗すると、chairなどの名詞に引きずられて誤答します。

(B)の絵は、いま掛けているところではなく、すでに壁に掛けられています。よって、不正解。また、女性はジャケットを着ているので、(D)も誤り。動作を表すputting on(身につけているところだ)ではなく、状態のwearing(身につけている)なら、(D)は正解になります。

パート1
Day 1
Day 2

035

1 最重要テクニック
2 音声ナンバー
3 ナレーターの国籍
4 重要語句
5 攻略ポイント
6 解答・解説

赤の攻略ポイントが最重要！

本書で使われるマーク

品詞

動：動詞　名：名詞　形：形容詞　副：副詞　前：前置詞　接：接続詞　代：代名詞

ナレーターの国籍

：アメリカ　：イギリス　：カナダ　：オーストラリア

問題の難易度

470点　600点　730点
(それぞれのスコアレベルで正解しておきたい問題)

無料オンライン講義動画

すべての攻略問題に対し、講義動画を用意しています。
攻略ポイントページ右上のQR コードから､それぞれの動画にアクセスできます。

QR コードでアクセス

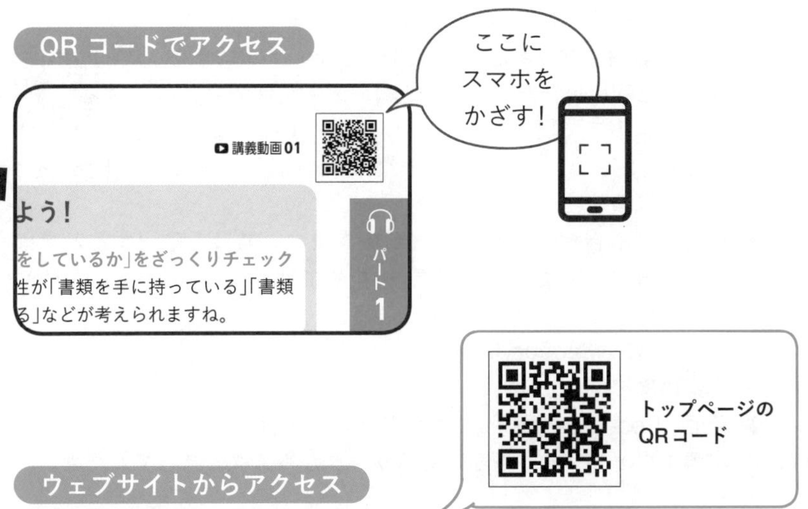

ウェブサイトからアクセス

パソコンでご覧になりたい場合や､QR コードが読み取れない場合は､下記ページに講義動画の一覧を用意しております。

https://www.ask-books.com/youtube/94343/

講義動画のイメージ

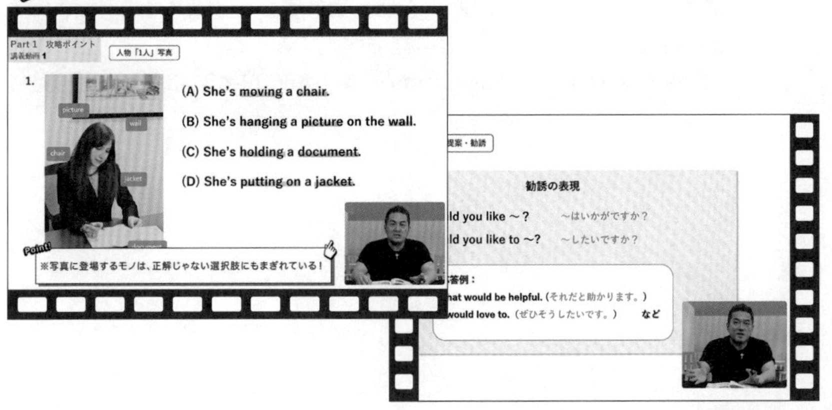

Part 1 攻略ポイント
講義動画 1
人物「1人」写真
1.
(A) She's moving a chair.
(B) She's hanging a picture on the wall.
(C) She's holding a document.
(D) She's putting on a jacket.
Point!
※写真に登場するモノは、正解じゃない選択肢にもまぎれている！
提案・勧誘
勧誘の表現
ld you like ～?
～はいかがですか？
ld you like to ～?
～したいですか？
答例：
hat would be helpful. (それだと助かります。)
would love to. (ぜひそうしたいです。)
など

無料ダウンロード音声

本書の音声はスマートフォンやパソコンで聞くことができます。リスニング音声に加え、**リーディング（Part 5〜7）の《攻略問題》と《実戦問題》の英文音声も無料で提供しています。**

スマートフォン・タブレット

① **AI英語教材アプリabceed**（株式会社Globee 提供）

▶ 無料でご利用いただけ、ダウンロードも可能です。
アプリストアで「abceed」をダウンロード後、本書を検索してください。音声の再生だけでなく、問題のマークシート採点や、学習の進捗管理が可能です。

▶ 再生速度も自由に変えることができます。発音を確認するときは「低速」再生、試験直前には「高速」再生で耳慣らしするなど、目的やレベルに合わせて使い分けましょう。
https://www.abceed.com/

② **音楽再生アプリ**

▶ Apple PodcastやSpotifyでもお聞きいただけます。
本書用ウェブサイト下部にあるリンクからアクセスしてください。

パソコン

▶ 以下のサイトにアクセスしてください。サイト下部にある〈zip形式〉をクリックすると、ダウンロードが始まります。

▶ お使いのパソコンの音楽再生ソフトに保存していただくと、「連続再生」や「ループ再生」が出来て便利です。音声ファイルはMP3形式のため、ミュージックプレイヤーやスマートフォンに同期させて再生することも可能です。
https://www.ask-books.com/978-4-86639-434-3/

第1部 攻略の準備をする

TOEIC® L & R テストを知ろう!

受験ガイダンス

まずは、テスト攻略の準備から。
「トーイックってどんなテスト?」、「どこで受けられるの?」、
「受験料はいくら?」といった素朴な疑問に答えることで、
TOEIC® L&Rテストの全体像が理解できるように、
みなさんをガイドしていきます。

TOEIC® テストの基礎知識

A 英語のコミュニケーション能力を測るテスト。

TOEIC（トーイック）の正式名称は、Test of English for International Communication。「英語圏で日常生活を送れるか」、「英語でビジネスを行えるか」といった、英語を使ったコミュニケーション能力を測るテストです。日本だけでなく、韓国や台湾など世界約160カ国で実施されています。

Q 誰が作っているの?

A アメリカのETSが制作しています。

ETSは世界最大のテスト開発機関で、アメリカで実施されている公共テストの大半を開発しています。日本でのテストの実施・運営は、（一財）国際ビジネスコミュニケーション協会が行っています。

Q 「公開テスト」ってなに?

A 個人で申し込み、指定された会場で受験する制度です。

また、企業や学校が団体で申し込み、社内・学内で受験する「IPテスト」（団体特別受験制度）という受験方法があります。オフィシャルなのは「公開テスト」のスコアですが、最近は「IPテスト」のスコアも進学・就職などで利用されています。

Q テストの形式は?

A リスニング問題100問、リーディング問題100問の合計200問のテストです。

テストは英文のみで構成されており、日本語は出てきません。また、解答には「マークシート」が採用されています。

Q いろいろと種類があるようだけど…？

TOEICと名のつくテストは全部で3種類。

最もポピュラーな①TOEIC L & R（Listening & Reading）テスト。英語を話す・書く能力を測定する②TOEIC S & W（Speaking & Writing）テスト、②のうち話す能力だけを測定する③TOEIC Speakingテストがあります。

Q どんな人が受験しているの?

受験者の多くは、大学生やビジネスパーソン。

男女比はほぼ半々。「公開テスト」と「IPテスト」を合わせると、2018年度には日本で245万人が受験しました。
大学では推薦入試や単位認定に、また、企業では昇進・昇格の条件や海外赴任の基準に、TOEICのスコアは活用されています。近年、就職での応募条件として、ハイスコアを求める企業も増えてきました。

結果はどう評価される?

10～990点の間の5点刻みのスコアで評価されます。

大学・高校入試のような合否判定ではありません。
取得したスコアが履歴書やエントリーシートに書く資格になります。
資格欄に記入する際は、「2021年12月　TOEIC L & R公開テスト650点取得」のように、受験月やテストの名称まで正確に記入しましょう。
日本での公開テストの平均スコアは、2019年度で588点。まずは、600点越えを目指しましょう。

Part 1〜4がリスニング問題。英文は、アメリカ、イギリス、カナダ、オーストラリアの4種類の発音で読み上げられます。

リスニング・セクション（約45分・合計100問）

Part 1	**写真描写問題**	
	問題数：6問 時間：4分30秒 難易度：★☆☆	問題用紙には、1問につき1枚の写真が印刷されている。放送される4つの英文の中から、その写真の状況を正しく描写しているものを選ぶ。 ➡ くわしくは24ページ以降をチェック！
Part 2	**応答問題**	
	問題数：25問 時間：8分 難易度：★★☆	まず、質問などの短いセリフが放送される。続いて、その発言に対する応答が3つ放送されるので、受け答えとして正しいものを選ぶ。 ➡ くわしくは50ページ以降をチェック！
Part 3	**会話問題**	
	問題数：39問 時間：約18分 難易度：★★★	2人、または3人の会話を聞く。続いて、その内容に関する3つの設問に答える。 ➡ くわしくは84ページ以降をチェック！
Part 4	**説明文問題**	
	問題数：30問 時間：約15分 難易度：★★★	1人の人物が読み上げる「アナウンス」や「会議中の発言」を聞く。続いて、その内容に関する3つの設問に答える。 ➡ くわしくは134ページ以降をチェック！

Part 5～7がリーディング問題。時間との勝負になるセクションです。
75分の時間をうまく配分し、全問解き終えることを目標にしましょう。

リーディング・セクション（75分・合計100問）

Part 5

短文穴埋め問題

問題数：30問
時間：約10分
難易度：★★☆

文法力と語彙力が試される。短い英文の中に空所が１つある。その空所に入る語句を4つの選択肢の中から選ぶ。

➡ くわしくは176ページ以降をチェック！

Part 6

長文穴埋め問題

問題数：16問
時間：約10分
難易度：★★☆

文法力・語彙力に加え、読解力が試される。長い英文の中に空所が4つある。その空所に入る語句や1文を4つの選択肢の中から選ぶ。

➡ くわしくは212ページ以降をチェック！

Part 7

読解問題

問題数：54問
時間：約55分
難易度：★★★

リーディング全般の能力が試される。「ビジネスメール」や「広告」などを読み、その内容に関する設問に答える。1つの文書を読んで答える問題のほかに、複数の文書を読んで答える問題もある。

➡ くわしくは244ページ以降をチェック！

受験の準備をしよう！

Q いつ受験できるの？

A 基本的に毎月1回（年12回）実施されています。*

お住まいの地域によっては、年3〜4回のところもあるので、公式サイトでスケジュールを確認しておきましょう。

Q どこで受験できるの？

A 全国80都市で受験でき、主に大学・短大・高校などが試験会場になります。

東京や大阪、福岡などの「都市」は指定できますが、「試験会場」を指定することはできません。申し込み時に記入した郵便番号などによって、最寄りの会場に振り分けられます。締め切りギリギリに申し込むと、自宅から遠い会場を指定されてしまうことも。余裕を持って早めに申し込みましょう。

Q テストが始まる時間は？

A 日曜日の10:20（午前実施）／15:00（午後実施）から始まり、12:20／17:00に終わります。*

ごはんを食べすぎると、テストに集中できません。直前の食事は抜くか、チョコレートやゼリー飲料などで軽めに済ませましょう。また、テスト中にはトイレタイムがないので、水分の取りすぎも禁物です。

Q どうやって申し込むの？

A 申し込み方法は1つだけ。インターネット申し込みです。

試験当日から数えて40日くらい前に締め切られてしまうので、早めに申し込み手続きを済ませましょう。

はじめて申し込む場合は、TOEIC公式サイト（https://www.iibc-global.org/toeic.html）からL＆Rテストの申し込みページに移動し、TOEIC SQUAREへの会員登録（無料）を行います。会員登録フォームに必要事項を入力し、「ログインID」と「パスワード」を取得してください。登録を終えたらログインし、受験を希望する日付のテストを選択します。受験料の支払いは、①クレジットカード（VISA、マスターカード、JCB)、②コンビニ（セブン-イレブン、ファミリーマート、ローソン、ミニストップ、セイコーマート)、③楽天ペイ（楽天ポイントが貯まる決済サービス）の中から選べます。

申し込みを済ませると、試験日の2週間くらい前に受験票（二つ折りのハガキ）が送られてきます。

受験料はいくら？

7,810円（消費税込）／2023年2月現在。

なおインターネットで申し込んだ方は、半年後から3カ月間に行われる公開テストを割引価格の7,150円で受験できます。

* 2024年現在、試験が午前と午後の２部制で実施されておりますが、今後変更される可能性があります。試験の最新情報に関しては、必ず公式サイトをご覧頂くか、下記にお問い合わせください。

（一財）国際ビジネスコミュニケーション協会

- IIBC試験運営センター
  〒100-0014　東京都千代田区永田町2-14-2　山王グランドビル
  TEL：03-5521-6033（土・日・祝日・年末年始を除く10:00～17:00）
- 名古屋事業所
  〒460-0003　名古屋市中区錦2-4-3　錦パークビル
- 大阪事業所
  〒541-0059　大阪市中央区博労町3-6-1　御堂筋エスジービル
- TOEIC® 公式サイト
  https://www.iibc-global.org/toeic.html

試験当日をシミュレーションしてみよう！

試験会場の雰囲気は、ほかの検定試験や大学受験と変わりありません。リラックスして友人と話している人も、ピリピリと緊張感を漂わせている人もいます。ここからは、みなさんが実力を存分に発揮できるように、会場での試験当日の流れを見ていきましょう。

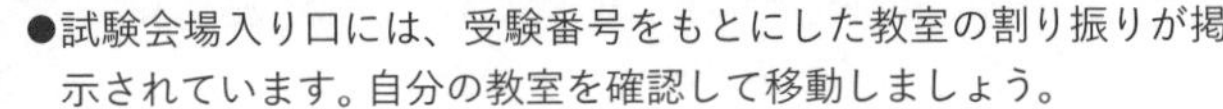

9:25〜

14:05〜

会場に到着 ➡ 教室前で受付

- 試験会場入り口には、受験番号をもとにした教室の割り振りが掲示されています。自分の教室を確認して移動しましょう。
- 受付は9:25（午前）／14:05（午後）から、各教室の前で行われます。「受験票」と「写真付きの身分証明書」を係員に見せてから教室に入りましょう。
- 受付は9:55（午前）／14:35（午後）まで。遅れると受験できなくなります。

〜9:55

〜14:35

教室に入室 ➡ テストの準備

- 席は自由に選べません。自分の受験番号が書かれたカードの置いてある席に座ってください。
- 席には、「解答用紙」と注意事項をまとめた「TOEIC公開テスト受験のしおり」が置かれています。時間に余裕があれば、ここで「解答用紙」に名前の記入やアンケートに回答しても構いません。
- 9:55／14:35までは自由時間です。これ以降は退室できないので、お手洗いにも行けなくなります。

9:51ごろ

14:31ごろ

試験官による案内

- 試験官が入室し（会場の大きさにより試験官の人数は異なります）、あいさつや受験案内を始めます。

9:55ごろ

14:35ごろ

自動アナウンスの放送

- 試験の注意事項に関するアナウンスが3分ほど放送されます。
- 筆記用具と腕時計以外のものはカバンにしまい、携帯電話をオフにするよう指示が出されます。
- アナウンス終了後、「解答用紙」への記入がまだの人は記入します。
- 最後に、リスニング問題の音テストがあります。CDラジカセなどから音声が流されるので、聞き取りづらい場合は試験官に申し出ましょう。

10:05ごろ

14:45ごろ

試験直前の確認

●試験官が受験者の席を回って、「受験票」を回収します。このとき、身分証明書との本人確認も行われます。

10:15ごろ

14:55ごろ

問題冊子の配布

●問題冊子が配布されるので、表紙に名前と受験番号を記入します。
●問題冊子はシールで閉じられています。試験開始の指示があるまで、開いてはいけません。

10:20

15:00

試験開始

●「間もなくリスニングテストを開始します」というアナウンスが流れます。
●問題冊子のシールをはがして、試験を始めましょう。リスニング・セクションのテスト時間は約45分間です。

11:05ごろ

15:45ごろ

リスニング問題終了

●リスニング・セクション（Part 4まで）の終了です。
●途中休憩や試験官からの指示はありません。リスニング問題を解き終えたら、直ちにリーディング問題（Part 5～）に進んでください。

12:20ごろ

17:00ごろ

試験終了 ➡ 解散

●テスト終了です。
●解答用紙だけでなく、問題冊子も回収されます。
●回収後は、試験官の指示にしたがって退室してください。

当日の持ち物リスト

- □ 受験票…試験当日までに証明写真をはり、署名欄に署名をしておきましょう。
- □ 本人確認書類…会場での本人確認のための写真つき身分証明書。運転免許証、学生証、パスポート、マイナンバーカード、外国人登録証明書など。
- □ 筆記用具…HBの鉛筆・シャープペンシル、消しゴム。
- □ 腕時計…教室に時計がない所もあります。また、時計の代わりに携帯電話は使えません。デジタル時計の場合は、前もってアラーム設定を解除しておいてください。

テストの注意点を教えて！

Q 問題冊子は持ち帰れるの?

A 持ち帰ることはできません。

カンニングや試験問題の漏えいを防ぐために、持ち出しは禁止されています。また、問題、解答ともに非公開なので、答え合わせもできません。

Q テスト中にメモを取ってもいいの?

A 問題用紙へのメモ書き、書き込みは禁止行為です。

また、解答用紙の余白部分への書き込みも禁止です。

Q そのほかの禁止ルールは?

A リスニングテスト中に、リーディングの問題を見ることが禁止されています。

"This is the end of the listening test. Turn to Part 5 in your test book."（これでリスニングテストは終わりです。問題冊子のPart 5を開いてください）の放送が聞こえてから、リーディングの問題を始めてください。

Q 結果はいつわかる?

A 試験後30日以内に郵送で届きます。

顔写真入りの「公式認定証」に、みなさんのスコアが記載されています。インターネットで申し込む方は、申し込み時に「テスト結果インターネット表示」を「利用する」にチェックしておくと、1週間ほど早く公式サイトでスコアが確認できます。

【受験スケジュールまとめ】

TOEIC® 教材を使いこなそう！

『公式問題集』って何？

本番のテストを開発したETSが制作する教材です。

問題が公表されないTOEIC L & Rテストでは、「過去問題集」がありません。その代わりとなるのが『公式問題集』です。テストが2回分（400問）収録されていて、価格は3,000円程度。付属CDのナレーターも本番と同じ人なので、テストに慣れるにはうってつけです。シリーズ化されているので、最新のものを購入するといいでしょう。

『公式問題集』は買うべき？

べきです。でも…。

基本的にはYes。ただし、はじめて受験する人や、スコアが600点未満の人は、まだ手を出さないほうがいいでしょう。というのも、『公式問題集』には、本書で取り上げているようなスコアアップのコツや問題分析が載っていないからです。傾向や対策を知らない状態で、いきなり実戦形式の問題集に挑んでも歯が立たず、遠回りをすることになってしまいます。
まずは本書を学習して、「TOEIC対策力」を上げます。その後、『公式問題集』にチャレンジして実戦力を養います。プロセスを踏んで学習することが大事です。

教材はたくさん必要？

当分は1冊を繰り返し勉強しましょう。

本書では、攻略法をたくさん載せています。これらを身につけ、使いこなせるようにするためにも、最低3周は繰り返してください。
さらにボキャブラリーを強化したい方は、僕が書いた『TOEIC®テスト全パート単語対策』（アスク出版）がオススメです。収録している単語の出るパートがわかったり、丁寧な解説がついていたりと、記憶に残りやすい工夫が満載です。

音声を使ったトレーニング方法

勉強時間を確保しよう！

「忙しくて勉強時間が確保できない！」 慌ただしい毎日を送る大学生やビジネスパーソンにとって、勉強時間を捻出するのは大変なことです。だからといって、休日にだけ机に向かうような勉強では、思うようにスコアは伸ばせません。ダイエットもTOEICも毎日コツコツが大切です。そこでお勧めしたいのが、通勤・通学の「移動時間」やお昼休みなどの「スキマ時間」の活用です。

音声で復習しよう！

本を使っての勉強となると荷物になったり、持って行くのを忘れたりといろいろ面倒。そこで、移動時間やスキマ時間には、音声を使った手軽なトレーニングをしましょう。

本書の無料特典を利用すれば、パソコンやスマホでリーディング問題も含めた、全パートの問題音声を聞くことができます。この音声を使って、解いたことのある問題を移動時間などに復習しましょう。

パート別・復習の仕方

リスニング	Part 1	選択肢(A)～(D)を聞いて、各英文が表す写真をイメージしてみましょう。
	Part 2	実際の形式どおり、質問や発言に対する適切な応答を、頭の中で選んでみましょう。
	Part 3 Part 4	会話や説明文を何度も聞いて、話の展開パターンを体に染み込ませましょう。慣れてきたら、選択肢を選ぶのではなく、設問に自分のことばで答えてみましょう。*
リーディング	Part 5 Part 6	音声では、空所内に正解が入った英文を読み上げます。何度も聞いて、問題パターンを体に染み込ませましょう。慣れてきたら、音声を聞いたあとに即座に復唱する、シャドーイングにも挑戦してみましょう。
	Part 7	何度も聞いて、文書ごとの展開パターンを体に染み込ませましょう。このパートでも、シャドーイングが効果的です。
スコアに差が出る頻出フレーズ		音声が聞こえたら、即座に日本語訳を頭の中で言ってみましょう。

＊「図表問題」は答えられなくても構いません。

全パートの音声があるよ！

第2部 リスニング問題を攻略

Part 1

写真描写問題

Day 1	月	日	分
Day 2	月	日	分

リスニング・セクション								リーディング・セクション					
Part 1		Part 2		Part 3		Part 4		Part 5		Part 6		Part 7	
Day 1	Day 2	Day 3	Day 4	Day 5	Day 6	Day 7	Day 8	Day 9	Day 10	Day 11	Day 12	Day 13	Day 14

学習した日付とかけた時間を記入しましょう！ 努力の結果を記録すると、モチベーションの維持につながりますよ。

Day 1

Part 1 基礎知識

パートの特徴

▌問題数:

6問（実際のテストでは、No. 1～6の問題）

▌目標正解数:

4問（470点目標）　5問（600～730点）

▌テスト時間:

4分30秒（1問あたりの解答時間は5秒）

▌出題形式:

1枚の写真に対して(A)～(D)の短い英文が放送されます。この中から写真の内容を最も正しく伝えているものを1つ選ぶ問題です。

▌出題パターン:

「人物」や「風景」の写真が出題されます。前半はやさしめ、後半に行くにしたがい難しくなります。特に5、6問目は難問なので要注意!

放送される英文はすべて肯定文で、疑問文や否定文は出ません。

指示文の内容

01

日本語でのアナウンス「まもなくリスニングテストを開始いたします。シールを切って、問題用紙を開いてお待ちください」に続いて、英語でDirections(指示文)が放送されます。ここでは❶リスニングテスト全体、❷Part 1、❸例題についての説明がなされます。おおよその内容は以下の通りです。

1 リスニングテスト全体について

ここからは、話しことばの理解力をテストします。テスト時間は全体でおよそ45分間。4つのパートに分かれていて、パートごとに指示が出されます。答えは別紙の解答用紙にマークしてください。問題冊子に答えを書き込んではいけません。

2 Part 1について

問題冊子にある写真に関して、4つの英文が放送されます。英文を聞いたら、写真の内容を正確に言い表しているものを1つ選んで解答用紙にマークしてください。読み上げられる英文は問題冊子には印刷されておらず、放送されるのは1度だけです。

3 例題について

最後にPart 1の例題が1問放送されます。テーブルで談笑している女性2人の写真で、「(C) 彼女たちはテーブルに着いている」が正解です(例題なので、この問題に答える必要はありません)。それでは、Part 1を始めます。

問題冊子 *Part1の問題冊子はこんな感じ！*

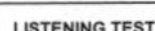

LISTENING TEST

In the Listening test, you will be asked to demonstrate how well you understand spoken English. The entire Listening test will last approximately 45 minutes. There are four parts, and directions are given for each part. You must mark your answers on the separate answer sheet. Do not write your answers in your test book.

PART 1

Directions: For each question in this part, you will hear four statements about a ...ur test book. When you hear the statements, you must select the one ...best describes what you see in the picture. Then find the number ...n your answer sheet and mark your answer. The statements will ...st book and will be spoken only one time.

指示文は
印刷されている。

Statement (C), "They're sitting at a table," is the best description of the picture, so you should select answer (C) and mark it on your answer sheet.

1.

写真は1ページに2枚。

2.

英文は
印刷されていない。

指示文は毎回同じです。すでに内容をチェックしたみなさんは、試験本番では聞かなくてOK！　指示文が放送される90秒の間に、どういった写真が出題されているのかを確認しておきましょう。

サンプル問題

02

次の写真を見て、以下の音声を聞きましょう。

問題音声

No. 1. Look at the picture marked No. 1 in your test book.

(A) She's walking around the office.
(B) She's talking on the phone.
(C) She's sitting next to the table.
(D) She's taking off the watch.

写真と一致する英文を選ぶ

訳

(A) 彼女はオフィスを歩き回っている。
(B) 彼女は電話で話している。➡正解
(C) 彼女はテーブルの隣に座っている。
(D) 彼女は腕時計を外しているところだ。

Part 1 解答までの流れ

放送	時間	すること
Directions（指示文）	90秒	**すべての写真をサッと確認！** "Now Part 1 will begin."と聞こえたら、No. 1の写真に視線を戻す。
1問目スタート No. 1. Look at the picture marked No. 1 in your test book.	5秒	スタート！ **目と耳に神経を集中！** No.1の写真を見ながら、放送を聞く。
選択肢音声 (A) She's walking around the office.	約2秒	**正解・不正解を判断！** 選択肢を聞いたら、すぐに正解・不正解を判断する。ただし、まだ解答用紙にマークはしない。
(B) She's talking on the phone.	約2秒	
(C) She's sitting next to the table.	約2秒	
(D) She's taking off the watch.	約2秒	
ポーズ（無音）	5秒	答えをマーク！ **5秒をフルに使わない。** 3秒で答えをマークし、残りの2秒で次の問題(No. 2)の写真をチェックする。
2問目スタート No. 2. Look at the picture marked No. 2 in your test book.	5秒	**また、目と耳に神経を集中！** No. 2の写真をしっかり見て、放送に集中する！

No. 6の問題までこの流れをくり返します。

Part 1 攻略しよう！

攻略の基本ルール

放送を聞く前に写真をチェック！

Part 1で放送される英文は、ほかのパートよりも短くやさしいです。「目標正解数」は確実にクリアしましょう。

攻略のステップ

はじめて受験で600点以上を取るには、やみくもに解くのではなく、「戦略」が必要です。ここからは、スコアを取りに行く戦略を見ていきましょう。

ステップ 1
写真をチェック！
出題ポイントを予想する
ステップ 2
放送を聞く！
「ポイント待ち伏せ」リスニングをする
ステップ 3
トリックに注意！
「ひっかけ」選択肢を回避する

ステップ 1 写真をチェック！ 出題ポイントを予想する

人物写真と風景写真

Part 1の写真は、「人物写真」と「風景写真」の2タイプ。写真のチェックは、指示文の放送中に行います。さっと6枚全部の写真を見て、どちらのタイプかを素早く見極めましょう。

次に、指示文の放送が終わるタイミングでNo. 1の写真に目線を戻し、写真のどこがポイントになるのか予想します。No. 2以降の写真は、前の問題の解答時間をうまく使って確認しましょう。答えを3秒でマークして、残りの2秒を次の写真のポイント予想に回す。これがベストな配分です。

4、5問出題

人物写真

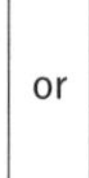

風景写真

1、2問出題

人物写真のチェックポイント

1 人数・性別：「何人？」「男性？ 女性？」

人数（1人or複数）や性別（男性or女性、複数いる場合は同性かどうか）を確認し、選択肢の主語を予想します。例えば写真に女性が1人なら、主語はSheかA womanです。

2 動作：「何をしているか？」

「歩いている」や「本を読んでいる」など、写真の人物の動作をチェックします。複数の人物が写る写真では、共通の動作に注意を向けましょう。

3 特徴：「目立つものは何か？」

帽子、かさ、バッグなどの服装・持ち物に注目します。人物が複数の場合は、「全員がメガネをかけている」といった共通点も確認しましょう。

風景写真のチェックポイント

1 場所：「どこか？」

オフィス、店舗、公園、通り、工事現場、水辺が頻出です。写真を見て、すぐにどこかを判断しましょう。

2 モノ：「何が写っているか？」

乗り物、機器、書類、植物など、目立つモノを確認しましょう。写真のすみにあるモノが問われることもあるので、これらへの目配りも必要です。

3 状態・位置：「どんな状態・位置にあるのか？」

「並べられたテーブル」や「積み上げられた段ボール箱」など、規則的なカタチ（状態）が出題されます。また、前後・左右・上下などの位置関係は、「人物写真」でもポイントになります。

ステップ2 放送を聞く！ 「ポイント待ち伏せ」リスニングをする

写真のチェックが終わり、選択肢の放送が始まったら、「ポイント待ち伏せ」リスニングをしましょう。これは、〈ステップ❶〉で確認したチェックポイントを、待ち伏せするようにして放送を聞くことです。

例えば、「男性2人が並んで座っている」（The men are sitting side by side.）写真。この場合、「男性2人」、「座って」、そして「並んで」を意識しながら放送を聞きます。大事なことは、写真でチェックしたポイントを中心に、英文を聞き取ること。ポイント待ち伏せリスニングで、要領よく得点しましょう。

トリックに注意！「ひっかけ」選択肢を回避する

Part 1には、受験者のミスを誘うトリックがあります。ですが、どんなトリックが出るのかを知っていれば、簡単に見破れますよ。

人物の言い換えトリック　03

「人物写真」の場合、ほとんどの選択肢はSheやA manなどで始まります。ですが、次のような表現で言い換えられることもあります。例えば店頭ならば、shop assistantやcustomerなどが考えられますね。

□ **shop assistant**	店員	□ **salesperson**	販売員
□ **cashier**	レジ係	□ **employee**	従業員
□ **customer**	顧客	□ **shopper**	買い物客
□ **diner**	食事客	□ **passenger**	乗客
□ **traveler**	旅行者	□ **tourist**	旅行者
□ **audience**	聴衆、観客	□ **spectator**	観客
□ **pedestrian**	歩行者	□ **worker**	作業員

モノの言い換えトリック　04

Part 1に限らず、TOEICは言い換え表現が大好物。例えば、写真に写るcar（車）が、選択肢ではvehicle（乗り物）に言い換えられることがあります。vehicleは乗り物全体を表す上位語、簡単に言うと「グループ名」です。

写真に写るモノ	上位語
car（車）、**bus**（バス）、**bike**（自転車）など	**vehicle**（乗り物）
camera（カメラ）、**projector**（プロジェクター）など	**equipment**（機器、備品）
smartphone（スマホ）、**copy machine**（コピー機）など	**device**（機器、装置）
guitar（ギター）、**microscope**（顕微鏡）など	**instrument**（楽器、器具）
table（テーブル）、**bed**（ベッド）、**chair**（いす）など	**furniture**（家具）
jacket（ジャケット）、**shirt**（シャツ）、**shoes**（くつ）など	**clothes**（服、衣類）
spoon（スプーン）、**fork**（フォーク）、**knife**（ナイフ）など	**utensil**（台所用品）
vegetable（野菜）、**fruit**（フルーツ）など	**produce**（農作物）

位置・状態のトリック

05

人物やモノの「位置・状態」は、必ず出題されます。特に、規則的なカタチは要チェックでしたね。

□ next to ...	…の隣に
□ side by side	横に並んで
□ face to face	向き合って
□ on the opposite side	反対側に
□ on display	陳列されて
□ in a row	1列に
□ in line	列をつくって
□ in a circle	輪になって
□ in front of ...	…の前に
□ in the middle of ...	…の真ん中に

ワンポイントアドバイス

○△×の消去法でスコアアップ！

TOEICのようなマークシート形式のテストでは、「消去法」が有効です。
例えば、Part 1などの4択問題の場合、正解がわからなくても、ほかの選択肢が誤りであると判断できれば、答えが1つに絞れますね。

例）
(A) Some boats are tied up to the deck. △
(B) There are some clouds in the sky. ×
(C) The fence is being painted. ×
(D) A man is walking on a beach. ×

後半が聞き取れなかったけど、ほかの選択肢が×だから、Aにマーク！

選択肢を聞いたら、すぐに頭の中で〈正解＝○、キープ＝△、間違い＝×〉のチェックをしましょう。×をつけた選択肢をカットしていけば、それだけ正解率がアップします。地味ですが、有効な戦略ですよ。

Part 1 攻略問題

それでは、Part 1の問題を実際に4問解いてみましょう。
次の写真の内容を伝える選択肢(A)～(D)を聞いて、最も適切なものを1つ選んで、解答用紙にマークしてください。

06~09

1.

2.

▶解答用紙は巻末にあります。
切り取るか、コピーして、Day 1以降も続けてご利用ください。

3.

4.

次のページからは、今回の問題を使って、Part 1の攻略ポイントを見ていきます。 To Be Continued

Part 1の攻略ポイント

人物「1人」写真

動作をキャッチしよう！

人物1人写真は、Part 1攻略の基本です。まずは「動作（動詞）の聞き分け」を意識して、リスニングしましょう。

1.

06

(A) She's moving a chair.

(B) She's hanging a picture on the wall.

(C) She's holding a document.

(D) She's putting on a jacket.

訳

(A) 彼女はいすを移動させている。
(B) 彼女は壁に絵を掛けているところだ。
(C) 彼女は書類を手に持っている。
(D) 彼女はジャケットを着ているところだ。

☐ **move**：動 ～を移動させる
☐ **hold**：動 ～を手に持つ
☐ **put on ...**：…を身につける

攻略 1

人物の動作を確認しよう！

最初に写真を見て、「誰が何をしているか」をざっくりチェックしましょう。ここでは、女性が「書類を手に持っている」「書類を見ている」「何か書いている」などが考えられますね。

攻略 2

動作をキャッチ！

人物写真の基本は、動作（動詞）の聞き取りです。英文全部を聞こうとせずに、動詞をピンポイントでキャッチしましょう。

攻略 3

写真にだまされるな！

写真にはchair（いす）やpicture（絵）、jacket（ジャケット）が写っているので、(A)、(B)、(D)が正解のように聞こえるかもしれません。ですが、名詞は目くらまし。**動詞を聞くことが大事**です。

1の解答・解説

正解 (C)　470点レベル

写真をチェックして、動作を意識しながら放送を待ちます。英文の動詞キャッチに集中しましょう。(A) moving、(B) hanging、(C) holding、(D) putting onの聞き分けは難しくありません。正解は「手に持っている」の選択肢(C)。動詞キャッチに失敗すると、chairなどの名詞に引きずられて誤答します。

(B)の絵は、いま掛けているところではなく、すでに壁に掛けられています。よって、不正解。また、女性はジャケットを着ているので、(D)も誤り。動作を表すputting on（身につけているところだ）ではなく、状態のwearing（身につけている）なら、(D)は正解になります。

Part 1の
攻略
ポイント

人物「複数」写真

人物の共通点を見抜け！

人物複数写真では、人物の「共通点」を探しましょう。共通の動作だけでなく、服装なども大事なチェックポイントです。

2.

07

(A) The men are loading equipment onto the truck.

(B) The men are parking a vehicle in the garage.

(C) The men are walking into a building.

(D) The men are kneeling on the ground.

訳

(A) 男性たちは機器をトラックに積み込んでいるところだ。
(B) 男性たちは車庫に車を止めているところだ。
(C) 男性たちは歩いて建物の中に入っていくところだ。
(D) 男性たちは地面にひざまずいている。

☐ **load ... onto** ～：…を～に積み込む
☐ **equipment**：名 機器、備品
☐ **vehicle**：名 乗り物、車両
☐ **kneel on ...**：…にひざまずく

攻略1 共通点をチェック！

人物複数写真では、**人物の「共通点」を見抜くことが重要です。**写真を見て、「一緒に何をしているか」や「共通する状態は何か」を確認しましょう。

攻略2 写真にないものは×！

写真にない単語は、不正解のサインです。例えば(B)のgarage(車庫)は、写真に写っていませんね。こうしたダミー単語の選択肢をカットして、正解率をアップしましょう。

攻略3 共通の動作を聞き取ろう！

人物複数写真では、**共通の動作をキャッチ**します。1人写真のときと同じように、全部を聞き取ろうとせず、動詞に集中してください。

2の解答・解説

正解 (A)　470点レベル

写真を見て、3人の共通点を見抜きましょう。彼らは「機械をトラックに積み込んで(loading)」いますね。動詞キャッチに集中すると、選択肢(A)がピタリ。ここでの注意点は、「モノの言い換えトリック」です。「機械」をmachineではなく、上位語のequipment(機器)に言い換えています。

(B) garageは、「写真にないものは×」のテクニックから不正解。止まっている車から、場所を「車庫」と勘違いさせるトリックです。(C) walkingや(D) kneelingは写真の動作と違うので、いずれも誤り。

人がいない写真でのbeingは×！

風景写真で最も使える攻略法です。このテクニックを使えば、今回の問題なら一瞬で正解候補を2つに絞り込めます。

3.

08

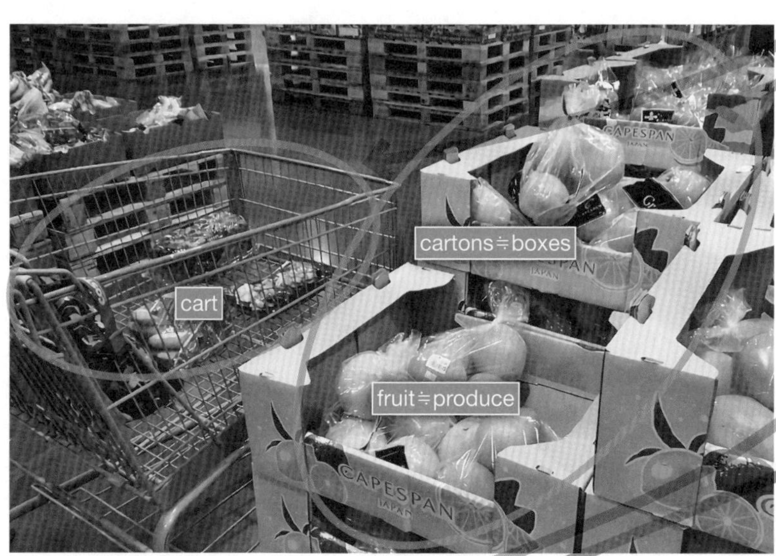

(A) Some produce is being bagged.

(B) Cartons are stacked in front of a store.

(C) Fruit is being placed on the shelves.

(D) A cart has been left beside some boxes.

訳

(A) 農作物が袋に入れられているところだ。
(B) 段ボール箱が店の前に積み重ねられている。
(C) フルーツが棚に並べられているところだ。
(D) カートが箱のそばに置かれている。

☐ **bag**：動 ～を袋に入れる
☐ **carton**：名 段ボール箱
☐ **stack**：動 ～を積み重ねる
☐ **in front of ...**：…の前に
☐ **beside ...**：…のそばに

攻略 1 位置関係をチェック!

風景写真では、モノの位置や状態を確認しましょう。位置を示すbesideなどの前置詞がヒント。放送を聞くときの耳印にしましょう。

攻略 2 言い換えトリックを見抜け!

選択肢では、写真で見たままの表現が使われるとは限りません。orangeをproduce(農作物)、bananaをfruit(フルーツ)というように、**抽象的な上位語に言い換え**られることがあります。

攻略 3 風景写真のbeingは×!

人のいない写真では、beingを使った選択肢はすべて×です。 例えば、選択肢(A)はThey're bagging some produce.の受け身の文。したがって、写真にTheyに当たる「人」がいないと、この文は正解になりません。

3の解答・解説

正解 (D)  600点レベル

写真を見ると、「カートの横に、果物の入った箱が積まれている」のがわかりますね。**モノの位置・状態チェックが大事**です。

攻略3のテクニックから、(A)と(C)は不正解。(C)はThey're placing fruit on the shelves.の受け身なので、「人」が写っていないといけません。「積み上げ」写真では*be* stackedが定番ですが、安易に(B)に飛びついてはダメ。in front of a store(店の前に)の部分が、写真と合いません。位置関係を意識して、前置詞フレーズbeside some boxes(箱のそばに)に反応できればOK。選択肢(D)が正解です。

風景写真②

規則的な「カタチ」に注目！

風景写真では、「位置・状態」がポイントになります。なかでも、「列」写真のような規則的なカタチは頻出です。

4.

09

(A) The road has been closed for construction.

(B) Bicycles have been arranged in a row.

(C) Some flags are being hung on poles.

(D) A tire is being taken off a motorbike.

訳

(A) 道路は工事で通行止めになっている。
(B) 自転車が1列に並べられている。
(C) いくつかの旗がポールに掛けられているところだ。
(D) タイヤがオートバイから取り外されているところだ。

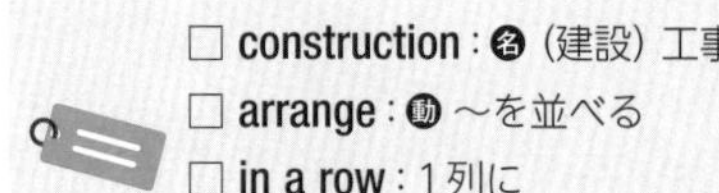

□ **construction** : 名 (建設) 工事
□ **arrange** : 動 ～を並べる
□ **in a row** : 1列に
□ **take off ...** : …を取り去る

攻略 1

キチッとした「カタチ」に注目！

自動車や机がずらりと並ぶ「列」写真では、in a rowやin lineのフレーズが出ます。段ボールなどが積まれた「積み上げ」写真では、*be* stackedや*be* piledが定番です。

攻略 2

主語がバラバラは難問！

(A) The road、(B) Bicycles、(C)…と聞いて、主語の違いに気づいたら要注意！ これは難問のサインです。主語と述語の関係をしっかり聞き、写真との一致を確認しましょう。

攻略 3

現在完了は現在形と考えよう！

現在完了〈have[has]＋過去分詞〉のリスニングは難。風景写真では「継続」(今まで、ずっと～している)の意味なので、「現在形」に変換するとラクですよ。選択肢(A)なら、The road is closed ～. です。

4の解答・解説

正解 (B)　600点レベル

「自転車がずらりと並んでいる」写真。バスや歩行者などもチラリと見えますが、一番目立つ自転車の「列」がポイントです。正解は、「列」表現の定番in a rowを使った選択肢(B)。現在完了＝現在形とシンプルに考えれば簡単です。

(A) construction(工事)と(D) motorbike(オートバイ)は、「写真にないものは×」のルールから不正解。(C)はare being hungの部分がダメ。旗はすでに掛かっていて、掛けられているところではありません。判断するにはあまりにも旗が小さすぎます。

Day 2

Part 1 実戦問題

Day 1で学習した攻略ポイントを使って、次の4問にチャレンジしてみましょう。

10~13

▶解答・解説は44ページ～

5.

6.

7.

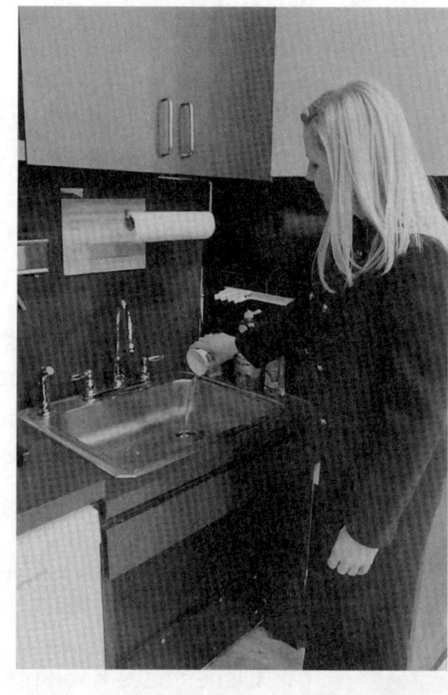

8.

解答・解説

実戦問題の解答・解説

問題と訳

5.
10

(A) The worker is pushing a wheelbarrow.
(B) The worker is performing some roadwork.
(C) The worker is picking up safety cones.
(D) The worker is getting out of a car.

(A) 作業員は手押し車を押している。
(B) 作業員は道路工事をしている。
(C) 作業員はカラーコーンを片付けている。
(D) 作業員は車から降りているところだ。

6.
11

(A) A man is pointing at a whiteboard.
(B) All of the chairs are occupied.
(C) They're sitting at one end of the table.
(D) There is a display screen by the window.

(A) 男性はホワイトボードを指さしている。
(B) 席はすべて埋まっている。
(C) 彼らはテーブルの一方の端に座っている。
(D) ディスプレー画面が窓の近くにある。

7.
12

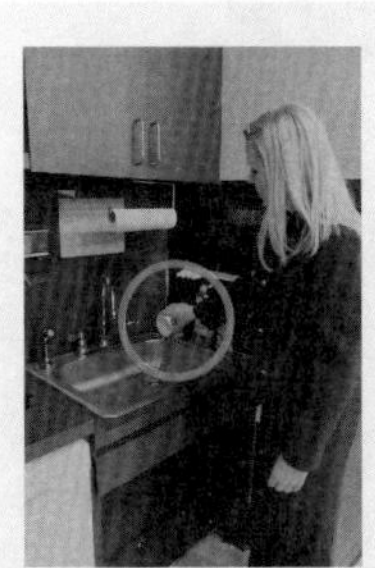

(A) Dishes have been placed in the sink.
(B) A cup is being emptied.
(C) A cabinet door has been left open.
(D) A faucet is being installed.

(A) お皿がシンクに置かれている。
(B) コップの中身が空にされているところだ。
(C) 戸棚のドアは開けっ放しになっている。
(D) 蛇口が取り付けられているところだ。

8.
13

(A) One of the women is wearing earmuffs.
(B) One of the women is leaning against a lamppost.
(C) A car is pulling into a parking lot.
(D) Pedestrians are crossing the street.

(A) 女性の1人は耳当てをしている。
(B) 女性の1人は街灯柱に寄りかかっている。
(C) 車が駐車場に入っていくところだ。
(D) 歩行者は通りを横切っている。

正解と解説

動詞キャッチ＋消去法で解く

正解 (B)　600点レベル

人物1人写真

「男性が駐車場の脇で作業をしている」写真です。人物１人写真なので、動詞のキャッチに集中しましょう。正解は、performingの選択肢(B)。今回のように動詞だけで判断しづらい場合は、(B)を「△(キープ)」しておき、消去法を使います。(A) wheelbarrow(手押し車)は「写真にないものは×」から誤り。押しているのは工事用の機械です。(C) picking up(片づけている)や(D) getting out(降りている)は、写真と動作が異なります。よって、消去法から(B)が選べます。

- □ **wheelbarrow**：名 手押し車　□ **perform**：動 ～をする、行う
- □ **pick up ...**：…を片づける　□ **get out of ...**：…から降りる

共通点をつかもう

正解 (C)　600点レベル

人物複数写真

「男女の共通点」をチェックしましょう。PCを操作していたり、電話をかけたりしていますが、「イスに座っている」や「ジャケットを着ている」が共通点です。ここでは共通の動作に加え、at one end of ...(…の一方の端に)で座っている位置を表した(C)が正解。(A) pointing atは、男性の動作と異なります。空席があるので、(B)もおかしい。(D) windowは「写真にないものは×」から誤り。

- □ **point at ...**：…を指さす　□ **occupied**：形 ふさがった　□ **at one end of ...**：…の一方の端に
- □ **display screen**：ディスプレー画面　□ **by**：前 ～の近くに

人が主語でない人物写真

正解 (B)　730点レベル

人物1人写真

人が主語でない人物写真は要注意！ 正解は、コップが空にされているところだという動作を表した(B)。She's emptying a cup.(彼女はコップを空にしている)の受け身と考えると、写真との一致がわかりやすいですね。「写真にないものは×」から、(A) dishes(皿)は不正解。戸棚のドアは閉まっているので、(C)も間違い。faucet(蛇口)はすでについているので、進行形の(D)は不正解。

- □ **faucet**：名 蛇口　□ **install**：動 ～を設置する　□ **place**：動 ～を置く
- □ **empty**：動 ～を空にする　□ **left open**：開けっ放しになっている

片方の人物に注目

正解 (A)　730点レベル

人物複数写真

人物複数写真では、共通点を探すのがセオリー。ですが、パッと見て目立った共通点がない場合は、特徴がある方の人物に注目します。選択肢(A)は、earmuff(耳当て)が難しいので△(キープ)。(B) lamppost(街灯柱)には誰も寄りかかっていません。「写真にないものは×」から、(C) parking lotも誤り。(D)はcrossing(横断する)の動作が×。ここから、消去法で(A)が選べます。最近、片方の人物One of the women[men]の特徴を聞く難問が増えています。消去法を使って乗り切りましょう。

- □ **lean against ...**：…に寄りかかる　□ **lamppost**：名 街灯柱　□ **pull into a parking lot**：駐車場に入る
- □ **pedestrian**：名 歩行者　□ **cross**：動 ～を横断する

スコアに差が出る

頻出フレーズ50

Part1の頻出フレーズです。
写真をイメージしながらまとめて覚えましょう。

オフィス　14

①	□	**face** each other	互いに向き合う
②	□	**sit opposite** each other	互いに向き合って座る
③	□	**point at** a screen	画面を指す
④	□	**adjust** some equipment	機器を調整する
⑤	□	**examine** a document	書類を詳しく調べる
⑥	□	**stare at** a computer screen	コンピューター画面をじっと見る
⑦	□	***be* scattered** on the table	テーブルの上に散らばっている
⑧	□	**filing cabinet**	書類棚
⑨	□	**bulletin board**	掲示板
⑩	□	**lighting fixture**	照明器具

通り・乗り物・移動　15

⑪	□	**board** an aircraft	飛行機に乗り込む
⑫	□	**stand on** a walkway	歩道に立つ
⑬	□	**walk on** a crosswalk	横断歩道を歩く
⑭	□	**cross** the street	通りを横切る
⑮	□	**stroll along** the shore	海辺をぶらぶら歩く
⑯	□	**carry** luggage	手荷物を運ぶ
⑰	□	***be* parked in a row**	1列に駐車されている
⑱	□	***be* propped up against** the wall	壁に立てかけられている
⑲	□	***be* leaning against** the fence	フェンスに寄りかかっている
⑳	□	**parking lot**	駐車場

店舗・レストラン・倉庫　16

㉑	□	***be* displayed**	展示されている
㉒	□	**browse** some items	商品を見て回る
㉓	□	**reach for** an item	品物に手を伸ばす
㉔	□	**study** the menu	メニューをよく見る
㉕	□	**clear a table**	テーブルを片づける
㉖	□	***be* seated** inside	屋内で席についている
㉗	□	***be* unoccupied**	(席などが)空いている

位置関係は頻出！ 対面、並び、方向をチェックしよう！

㉘	□	*be* lined up	列をなす
㉙	□	*be* piled up	積み上げられている
㉚	□	*be* stacked	積み上げられている

野外 17

㉛	□	sit side by side	並んで座る
㉜	□	wear a short-sleeved shirt	半袖シャツを着ている
㉝	□	hold onto a railing	手すりをしっかりつかむ
㉞	□	play an instrument	楽器を演奏する
㉟	□	cast a shadow	影を落とす
㊱	□	overlook the river	(建物などから)川を見下ろせる
㊲	□	*be* reflected in the window	窓に映っている
㊳	□	*be* tied to the dock	波止場につながれている
㊴	□	potted plants	鉢植え
㊵	□	window panes	窓ガラス

作業 18

㊶	□	work outside	野外で作業する
㊷	□	climb up a ladder	はしごを登る
㊸	□	operate a machine	機械を操作する
㊹	□	push a cart	カートをおす
㊺	□	load boxes onto a truck	トラックに箱を積む
㊻	□	repair a road	道路を修理する
㊼	□	carry a crate	木箱を運ぶ
㊽	□	sweep the floor	床を掃く
㊾	□	mow the lawn	芝を刈る
㊿	□	water the plants	植物に水をやる

筆写でスカッとリスニング！
―リスニング勉強法―

リスニングは「聞く」勉強と思い込んでいませんか？　何度聞いてもはっきり聞こえないし、シャドーイングも難しいし、ピンとこない。そんな人はとても多いはず。ならば**「聞く」だけでなく「書く」**勉強もしてみましょう。

リスニング力アップにお勧めなのが「筆写」です。もちろんただ書くだけではダメ。例えばPart 4であれば、英文がどう展開して結論に至るのかというロジックを押さえ、同時に**フレーズ**もチェックします。そして、**ロジック＆フレーズを意識しながら書いて**みましょう（筆写のあとで、音読するのもグッド！）。**筆写してから音声を聞くと、予想以上に英文が聞こえます。〈フレーズがカタマリで聞こえる！〉**この感覚が分かってきたら、大きくジャンプアップできますよ。

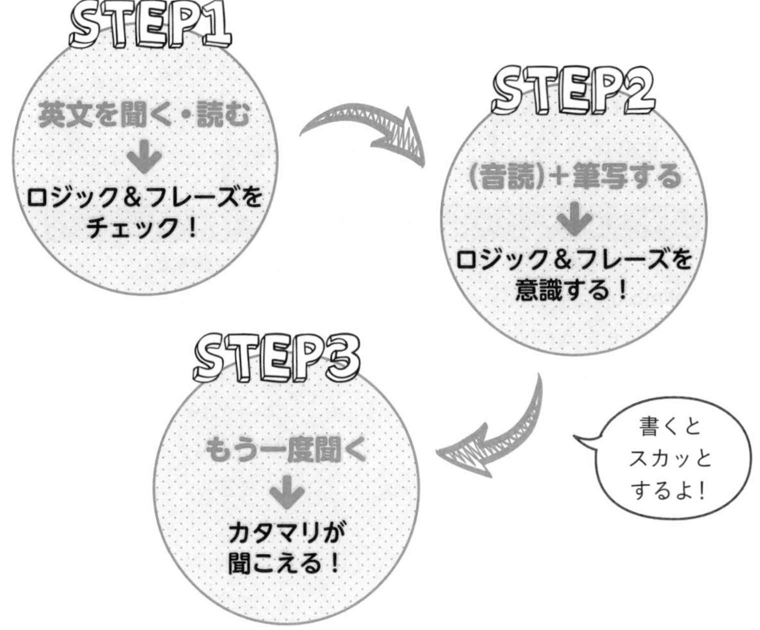
STEP1
英文を聞く・読む
ロジック＆フレーズをチェック！
STEP2
（音読）＋筆写する
ロジック＆フレーズを意識する！
STEP3
もう一度聞く
カタマリが聞こえる！
書くとスカッとするよ！

筆写は「手」を使う勉強法です。ここに音読が加わるとさらに効果的。言語学習は、五感を使う「体験」です。リスニングだからといって、じっと聞く必要はありません。少し発想を変えることが大事です。

手を動かす勉強は、とてもスカッとします。そして気分がよくなれば、モチベーションもアップします。勉強はちょっとでも楽しく、ね。

第2部 リスニング問題を攻略

Part 2

応答問題

Day 3	月	日	分
Day 4	月	日	分

リスニング・セクション								リーディング・セクション					
Part 1		Part 2		Part 3		Part 4		Part 5		Part 6		Part 7	
Day 1	Day 2	Day 3	Day 4	Day 5	Day 6	Day 7	Day 8	Day 9	Day 10	Day 11	Day 12	Day 13	Day 14

Part 2は最短で効果が出るパートです。テクニックをしっかりマスターして下さい。

Day 3

Part 2 基礎知識

パートの特徴

問題数:

25問（実際のテストでは、No. 7〜31の問題）

目標正解数:

15問（470点）　18問（600点）　20問（730点）

テスト時間:

約8分（1問あたりの解答時間は5秒）

出題形式:

Part 2は、会話のキャッチボールを完成させる問題です。質問や発言に続いて3つの英文が放送されるので、応答として最も正しいものを選びます。3択問題なのは、全パート中Part 2だけです。

出題パターン:

疑問詞（Who、What、When、Where、Why、How）で始まる質問が最も多く、25問中10問程度を占めています。このほか、Yes/No疑問文や付加疑問文などの質問が出題されます。また、The concert starts in an hour.（コンサートは1時間後に始まります）のような、平叙文への応答を答える問題が2問ほどあります。

指示文の内容

19

Part 2では、質問や発言と、それに対する3つの応答が放送されます。これらは問題冊子には印刷されておらず、英文が放送されるのは1度だけです。

質問、または発言に対する最も適切な応答を選択肢(A) (B) (C)の中から1つ選び、解答用紙にマークしてください。それでは、No. 7から始めます。

問題冊子　*Part2の問題冊子はこんな感じ！*

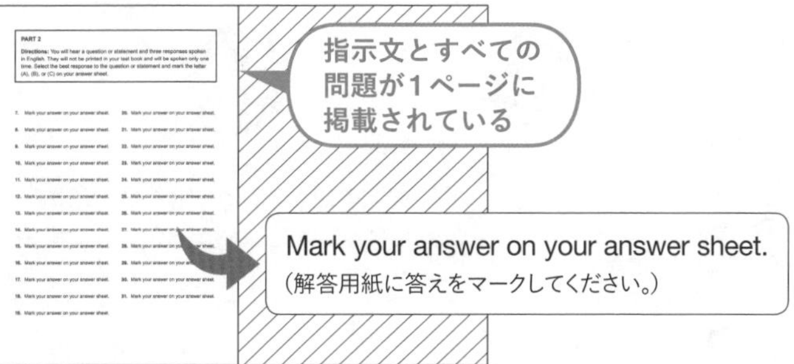

指示文とすべての問題が1ページに掲載されている
Mark your answer on your answer sheet.
（解答用紙に答えをマークしてください。）

サンプル問題

＜質問 → 応答＞のやりとりを聞きましょう。　20

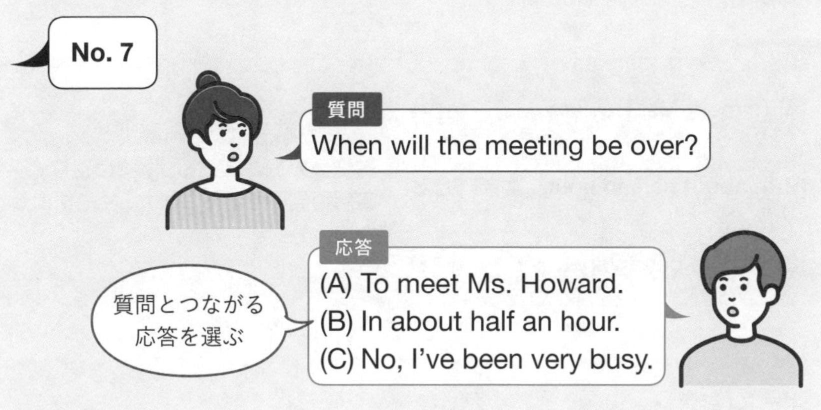

No. 7
質問
When will the meeting be over?
応答
(A) To meet Ms. Howard.
(B) In about half an hour.
(C) No, I've been very busy.
質問とつながる応答を選ぶ

訳

7. 会議はいつ終わるの？
(A) ハワードさんに会うためです。
(B) 約30分後です。➡正解
(C) いいえ、私はとても忙しいです。

パート2では、「このTシャツのLサイズはありますか」→「はい、あります」といった、シンプルなやり取りは正解になりません。むしろ、「昨日まではあったのですが…」や「倉庫を見てきます」のようなトリッキーな応答が正解になります。こうした、いじわるな応答にも慣れていきましょう！

Part 2 解答までの流れ

放送	時間	すること
Directions(指示文)	27秒	**リラックス!** "Now let us begin with Question Number 7."と聞こえたら、放送に集中しよう。
1問目スタート No. 7 When will the meeting be over?	3〜5秒	スタート! **質問の最初の1語が大事!**
選択肢音声 (A) To meet Ms. Howard.	約2秒	**正解・不正解を判断!** 選択肢が聞こえたら、すぐに正解・不正解の判断をする。まだ、マークはしない。
(B) In about half an hour.	約2秒	
(C) No, I've been very busy.	約2秒	
ポーズ(無音)	**5秒**	答えをマーク!
2問目スタート No. 8の質問	3〜5秒	**質問の最初の1語に集中!**

No. 31の問題までこの流れをくり返します。

問題冊子には、Part 1と違って解答のヒントになるような情報は印刷されていません。したがって、指示文の放送中は特にすることがありません。これから始まる問題に向け、リラックスして集中力を高めておきましょう。

Part 2 攻略しよう！

攻略の基本ルール

質問の最初の１語から、問題タイプを見抜こう！

スピーディーに反応できるように、本書の音声を繰り返し聞いて、質問と応答の正しいパターンを身につけましょう。

攻略のステップ

問題冊子には、解答のヒントになる視覚情報がありません。まずは、耳を頼りに、「疑問詞」の聞き取りに集中してください。

ステップ1
最初の1語に集中！
疑問詞アリ・ナシを聞き取る
ステップ2
問題タイプを見抜け！
疑問詞以外のタイプに対応する
ステップ3
トリックに注意！
テクニックでトリックを回避

ステップ1 **最初の１語に集中！** 疑問詞アリ・ナシを聞き取る

1 疑問詞を使った疑問文【10〜12問程度】

🔊 21

5W1H（Who、What、When、Where、Why、How）で始まる疑問文。Whoで始まる質問には「人」を答えている応答が正解。Whenには「時」、Whereには「場所」を答えている応答が正解。疑問詞をうまくキャッチできれば、正しい応答はある程度予測できます。

M: **Where** did you leave your umbrella?
（かさをどこに置いてきたの？）

W: On the bus, I guess.
（たぶんバスの中だわ）

疑問詞で始まる疑問文には、Yes/Noでは答えられません。これらが使われている応答を選ばないように！

ステップ2 問題タイプを見抜け！ 疑問詞以外のタイプに対応する

5 W1H以外の特徴を見ていきましょう。問題のタイプを見抜き、会話の流れをつかめれば、正解率は大幅にアップします。

2 Yes/No疑問文【3〜4問程度】 22

Are you 〜?、Does she 〜?、Have you 〜?などで始まる疑問文。Yes/Noの応答に即座に飛びついてはダメ。Yes/Noのあとの内容が大事です。

W: **Have you** seen the new sales manager?
（新しい営業部長に会った？）

M: Yes, I met him this morning.
（ええ、今朝会いました）

3 否定疑問文【1〜2問程度】

Aren't you 〜?やDidn't you 〜?などで始まる疑問文。〈否定疑問文＝Yes/No疑問文〉と考えましょう。かんたんに言えば、Are you 〜?もAren't you 〜?も、意味はほぼ同じです。応答も肯定ならYes、否定ならNoです。

M: **Aren't** the business proposals due soon?
（企画書の締め切りは、もうすぐではないの？）
➡ **Are** the business proposals due soon?

Yes/No疑問文に変換！

W: **Yes**, the deadline is tomorrow morning. / **No**, they can wait.
（Yes、締め切りはあすの朝です）/（No、後回しで大丈夫です）

Aren't you 〜?＝Are you 〜?です。応答は、Yes／Noで考えましょう。「はい」「いいえ」にすると混乱します。

4 付加疑問文【2問程度】

平叙文（ふつうの文）のあとに、〜, isn't it?や〜, won't you?などがついた疑問文。「〜ですね？」という意味を表します。この文末は無視して、平叙文に「？」がついた質問と考えましょう。〜, right?（〜ですよね？）のパターンもありますが、考え方は同じです。

W: You're going to the reception on Friday, **aren't you?**
（金曜日の歓迎会には行くわよね？）

ここは深く考えず「?」におきかえ！

M: Sorry, but I've got plans that day.
（ごめん、その日は予定があるんだ）

5 提案・勧誘・申し出【1～3問程度】

提案ではWhy don't you ～?(～したらどうですか)やHow about ～?(～はどうですか)など、勧誘ではLet's ～.(～しましょう)やShall we ～?(～するのはどうですか)などが出題されます。また、Shall I ～？(～しましょうか)やWould you like me to ～?(～してほしいですか？)などの申し出も重要。決まったパターンのやりとりが多いので、覚えてしまえば即スコアアップにつながります。

M: **Shall we** go to the shopping mall after lunch?
(ランチのあとに、ショッピングモールに行かない？)

W: **Sounds good.**
(いいわね)

6 依頼・許可【1～3問程度】

依頼はCould you ～?、Will you ～?(～してくれませんか)やWould you mind doing ～?(～して頂けませんか)など。逆に、Would you mind if I ～？は、「～しても構いませんか」と相手に許可を求める文になります。5の「提案・勧誘・申し出」と同じく、定型のやりとりが多いのが特徴です。

W: **Would you mind** my participating in the workshop?
(私が研修会に参加してもよろしいですか)

M: **Not at all.**
(構いませんよ)

7 選択疑問文【2～3問程度】

X or *Y* (XかYのどちらか)の選択をせまる疑問文。orのキャッチがポイントです。I haven't decided yet.(まだ決めてません)やEither would be fine.(どちらでも構いません)など、判断を留保したり、選択しなかったりする応答が頻出です。

M: What would you like to have for dinner, Chinese **or** Italian food?
(夕食には、中華とイタリアンのどちらがいい？)

W: **Whichever you like.**
(あなたが好きな方でいいわ)

8 ふつうの文(平叙文)【2問程度】

疑問文や命令文以外の文。相手に感想を述べたり、(間接的に)お願いしたり、状況を報告したりと内容はさまざま。質問が平叙文、応答が疑問文という変則パターンもあるので注意しましょう。

W: The air-conditioner doesn't seem to be working properly.
（エアコンが正常に動いていないようね）

M: Let me call the repair person.
（ぼくが修理業者に電話するよ）

ステップ3 トリックに注意！ テクニックでトリックを回避

Part 2にもトリックが存在します。でも安心してください。次のテクニックを覚えておけば、ひっかけは簡単に回避できますよ。

音の反復に注意！

23

Part 2では、同じ音が繰り返されたら不正解。つまり、質問で使われたのと同じ単語を含む選択肢は選んではダメです。

Will you be free at all this afternoon?
（きょうの午後はずっと空いていますか）

(A) Of course, for free.（もちろん、無料ですよ） ×
(B) I'll do it this afternoon.（きょうの午後やります） ×
(C) After 3:00, probably.（3時以降なら、たぶんね） ○

また、意味や品詞の異なる単語の反復は要注意です。

□ **plant**:	名 工場 動 ～を植える	□ **change**:	名 小銭、両替 動 ～を変更する
□ **stock**:	名 在庫、株 動 ～を仕入れる	□ **order**:	名 命令、順序 動 ～を注文する
□ **place**:	名 場所 動 ～を置く	□ **sign**:	名 看板、印 動 署名する
□ **last**:	形 最後の 動 続く	□ **dish**:	名 料理 名 お皿

似た音トリックに注意！

work と walk のような、よく似た音が繰り返される選択肢も不正解です。

☐ **lunch** [lʌ́n(t)ʃ]：昼食	**launch** [lɔ́ːn(t)ʃ]：～を始める	☐ **pair** [péər]：ペア	**repair** [ripéər]：～を修理する
☐ **account** [əkáunt]：預金口座	**count** [káunt]：～を数える	☐ **path** [pǽθ]：小道	**pass** [pǽs]：～を手渡す
☐ **clothes** [klóu(ð)z]：服	**close** [klóuz]：～を閉める	☐ **movie** [múːvi]：映画	**moving** [múːviŋ]：～を移動させている
☐ **write** [ráit]：～を書く	**ride** [ráid]：～に乗る	☐ **retire** [ritáiər]：退職する	**tire** [táiər]：～を疲れさせる
☐ **online** [ɑ́nláin]：オンラインで	**in line** [ɪn láin]：1列になって	☐ **correct** [kərékt]：正しい	**collect** [kəlékt]：～を集める

連想トリックに注意！

聞こえた一部の単語から、勝手にストーリーを作ってはいけません。会話の流れがつかめていないと、「大体こんな話かな？」と連想してしまいがち。次の選択肢(A)と(C)は、質問の「レストラン」から、「所在地」や「料理」を連想させるトリックです。連想トリックはもちろん不正解。

Why don't we go to a restaurant to talk about the new project?
（新企画について話しに、レストランへ行きませんか）

(A) Near Fifth Avenue.（5番街の近くです） ×

(B) I'm afraid I can't.（申し訳ありませんが、行けません） ○

(C) It was really delicious.（とてもおいしかったです） ×

Part 2攻略はテクニックが役に立つよ。
トリックのポイントを意識してね！

Part 2 攻略問題

それでは、Part 2の問題を実際に8問解いてみましょう。
次の質問や発言と、それに続く選択肢(A)～(C)を聞いて、応答として最も適切なものを1つ選んで、解答用紙にマークしてください。

9. Mark your answer on your answer sheet.

10. Mark your answer on your answer sheet.

11. Mark your answer on your answer sheet.

12. Mark your answer on your answer sheet.

13. Mark your answer on your answer sheet.

14. Mark your answer on your answer sheet.

15. Mark your answer on your answer sheet.

16. Mark your answer on your answer sheet.

次のページからは、今回の問題を使って、Part 2の攻略ポイントを見ていきます。 **To Be Continued**

Part 2の
攻略
ポイント

疑問詞を使った疑問文、Yes/No 疑問文

音の反復は不正解！

質問で使われた単語が、選択肢からも聞こえたら、それは不正解のサインです！このように、Part 2では攻略法で正解できる問題がたくさん。パーフェクト目指してね。

9. 24

Who received the results from the customer survey?

(A) They'll receive it.

(B) On the fifth floor of the headquarters.

(C) Ms. Kelly did.

10. 25

Are you going to see the new museum exhibit on Sunday?

(A) I'd love to, but I'm busy.

(B) Yes, I've got a new one.

(C) No, I don't like the news.

訳

9. 誰が顧客調査の結果を受け取ったの？
(A) 彼らが受け取ります。
(B) 本社の5階です。
(C) ケリーさんです。

10. 日曜日に新しい博物館の展示を見に行くの？
(A) そうしたいんだけど、忙しいの。
(B) ええ、新しいのを買ったのよ。
(C) いいえ、そのニュースは好きじゃないわ。

【9】□ **result** : 名 結果
□ **customer survey** : 顧客調査
□ **headquarters** : 名 本社
【10】□ **exhibit** : 名 展覧会、展示
□ **I'd love to.** : ぜひそうしたいです。

攻略1 疑問詞をキャッチしよう！

最初の１語に集中。 疑問詞が聞き取れれば、あとはWho→「人」、When→「時」、Where→「場所」などの応答パターンから答えを選びます。

攻略2 音の反復は不正解！

質問で使われた単語と、同じ音・似た音が聞こえる選択肢は×。耳に残った音から、誤答へ誘うトリックです。

9の解答・解説 正解（C） 470点レベル

疑問詞Whoをキャッチしたら、「人」の応答を待ちましょう。ここでは、選択肢(C)のMs. Kellyがピタリ。(A)のreceiveは、質問receivedの「似た音」なので不正解。また、過去のことをたずねているのに、未来について述べている点もおかしいですね。(B)は「場所」を答えているので誤り。

攻略3 Yes/Noの応答に気をつけよ！

Are you ～?などのYes/No疑問文だからと言って、Yes/Noを使った選択肢に飛びついてはダメ。**YesやNoがあるかよりも、そのあとの内容が大事です。**

10の解答・解説 正解（A） 600点レベル

Are you ～?などのYes/No疑問文では、冒頭Are youを聞くだけでは正解がわかりません。つまり、〈動詞＋目的語〉（～を～する）までしっかり聞く必要があります。ここでは、Are you going to see the new museum exhibitの箇所ですね。「見に行きたいが、忙しい」と、行けない理由を述べている(A)が正解。I'd love to (see the new museum exhibit).の省略にも気づいて下さいね。質問の(B) newは「同じ音」、(C) newsは「似た音」の反復から不正解。これらは、意味的にもつながりません。

Part 2の
攻略
ポイント

否定疑問文、付加疑問文

notは無視しよう！

付加疑問文や、否定疑問文の聞き取りが苦手な人は多いです。ですが、notを無視しても意味はほとんど変わりません。

11. 26

Don't you have a meeting with your clients later today?

(A) Yes, he's a good client.

(B) Meet me at the entrance.

(C) No, it won't be until next Monday.

12. 27

You have finished writing up the report, haven't you?

(A) The reporter will be here soon.

(B) Not yet, but I will.

(C) She cannot finish it in time.

訳

11. きょうはこの後、クライアントと打ち合わせをしないんですか。
  (A) ええ、彼はいいクライアントです。
  (B) 入り口で会いましょう。
  (C) いいえ、来週の月曜までありません。

12. レポートは書き終えたよね。
  (A) レポーターは、すぐにここに来ます。
  (B) まだですが、やります。
  (C) 彼女は時間内に仕上げられません。

【11】□ **client**：名 依頼人、客
【12】□ **finish *doing***：〜し終える
□ **write up ...**：…を書き上げる
□ **Not yet.**：まだです。
□ **in time**：間に合って

攻略 1 否定疑問文＝ふつうの疑問文！

Don't you ～? やHaven't you ～? などの出だしを聞いて、あわてないように。**否定疑問文が聞こえたら、頭の中でnotを取りましょう。**Don't you ～? をDo you ～? に置き換えると楽勝です。

攻略 2 YesやNoはサラリと聞く！

Yes/Noのアリ・ナシで、正誤を判断してはいけません。そのあとで何を言っているかが重要です。

11の解答・解説

正解 (C)  730点レベル

〈否定疑問文＝ふつうの疑問文〉と考えます。ここでは、Do you have a meeting with your clients later today? に変換すればOKです。すると、正しい応答は「今度の月曜までではない」と、きょうはないことを遠回しに伝えている選択肢(C)だとわかります。(A) client は質問の clients、(B) meet は質問の meeting とかぶるので、「似た音トリックは×」から不正解。

攻略 3 付加疑問文の文末は無視！

文末のhaven't you? やdoes he? などは、気にしなくてOK。なくても意味は大して変わりません。**付加疑問文は、「平叙文のカタチをした疑問文」**と考えましょう。

12の解答・解説

正解 (B)  600点レベル

付加疑問文の文末は無視しましょう。You have finished writing up the report? と、シンプルに考えます。ここでは、「終わっていないが、これから書く」と言っている(B)が正解。(A) reporter は質問の report、(C) finish は finished の「似た音」なので不正解。内容的にも、質問では reporter（レポーター）やShe（彼女）の話はしていませんね。ちなみに、Not yet. はPart 2で出まくりです。

Part 2の攻略ポイント

提案・勧誘、依頼・許可

連想トリックを回避せよ！

例えば、質問に登場する「家具」から連想される「いす」や「テーブル」。こうした単語が使われている選択肢は、受験者を誤答に誘うトラップです。

13. 28

Why don't we get the movie tickets in advance?

(A) Anything except comedies.

(B) I've been to the theater.

(C) Sure, that's a great idea.

14. 29

Would you order some office supplies?

(A) A total of seventeen dollars.

(B) OK, I'll do it right now.

(C) That's what I ordered.

訳

13. 事前に映画のチケットを買っておかない？
(A) コメディー以外なら何でもいいよ。
(B) その劇場には行ったことがあるよ。
(C) そうだね、とてもいいアイデアだ。

14. 事務用品を注文してもらえる？
(A) 合計17ドルです。
(B) わかりました、今すぐやります。
(C) それは私が注文したものです。

【13】□ **Why don't we ~?**：~しませんか。
□ **in advance**：前もって
□ **anything except ...**：…以外なら何でも

【14】□ **office supply**：オフィス用品
□ **right now**：すぐに

攻略 1 連想トリックに注意！

質問のmovieから、(A) comediesや(B) theaterに反応してはダメ。これらは、「映画」から**思わず連想してしまう表現を使ったトラップ**です。

攻略 2 「勧誘→賛成」の王道パターン

提案・勧誘に「賛成」する場合は、Sure.（いいよ）、I'd love to.（喜んで）、That sounds good.（いいですね）が定番。「拒否」では、I'm sorry, but ～.（すみませんが、～）がよく出ます。

13の解答・解説

正解（C）  470点レベル

Why don't we ～?は、相手を誘うフレーズです。意味は、「～しませんか」。ここでは「賛成」するときの定番、Sureを使った選択肢(C)が正解。(A)と(B)は、どちらも「連想トリック」のひっかけ選択肢です。

攻略 3 依頼も定型パターンで解く！

依頼を「承諾」する場合は、OK, I'll ～.（いいよ、～します）、Sure.（いいよ）、Certainly.（もちろん）。「拒否」では、I'm afraid ～.（すみませんが、～）やI wish I could, but ～.（できればいいのですが、～）が定番の応答です。

14の解答・解説

正解（B）  470点レベル

Would you ～?やCould you ～?は、「～してくれませんか」と相手にお願いをするときの表現です。ここでは、「すぐやる」と承諾している(B)がピタリ。(A)を選んだ人は、質問のorder（～を注文する）から「値段」を連想しませんでしたか？　「連想トリック」にひっかからないよう注意しましょう。(C)は、orderとorderedの「似た音トリックは×」から不正解。

Part 2の
攻略
ポイント

選択疑問文、平叙文

意外な応答にご用心！

あいまいだったり、トリッキーだったりと、素直じゃない応答は、Part 2の定番です。このタイプにも、しっかりと対応できるようにしておきましょう。

15. 30

Are you going to take a vacation in July or in August?

(A) It's in the Pacific Hotel.

(B) **I've not decided yet.**

(C) No, to the travel agency.

16. 31

The presentation has ended at last.

(A) The project proposal will be presented.

(B) It won't take a long time.

(C) How did it go?

訳

15. 7月と8月のどちらに休暇を取るつもりなの？
(A) パシフィックホテルでです。
(B) まだ決めていません。
(C) いいえ、旅行代理店まで。

16. プレゼンがやっと終わったよ。
(A) 企画書が提出される予定です。
(B) 長い時間はかからないでしょう。
(C) どうでした？

【15】□ **take a vacation**：休暇を取る
□ **decide**：動 決める
□ **travel agency**：旅行代理店
【16】□ **project proposal**：企画書
□ **present**：動 ～を渡す

攻略1 orを必ずキャッチせよ!

選択疑問文(*X* or *Y*)の問題では、**orのキャッチが生命線**。文が長いことも多いので、最後まで集中して聞きましょう。

攻略2 意外な応答に慣れよう!

選択疑問文の問題では、あいまいな応答が正解。 Either would be fine.(どちらでも構いません)やWhichever you like.(あなたが好きな方で)なども出ます。

15の解答・解説

正解 (B) 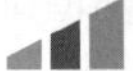 600点レベル

休暇を取るのが「7月か8月なのか」を聞いています。素直な答えIn July.(7月です)などでは簡単すぎるので、ほぼ100%「あいまいな応答」が正解になります。ここでは、選択肢(B)があいまいですね。(A) Pacific Hotelと(C) travel agencyは、vacationからの「連想トリック」。また、選択疑問文にはYes/Noで答えられないことからも、(C)は不正解です。

攻略3 ニュアンスをつかめ!

平叙文は難易度高め。というのも、質問文のように、知りたい情報を相手から聞き出すセリフではないからです。なので、話がかみ合えばどんな答えでもOK。応答が予想しづらい問題です。

16の解答・解説

正解 (C)  730点レベル

男性は、「プレゼンがやっと終わった」と現在の状況を伝えています。この発言とかみ合うのは、その感想をたずねる(C)です。今回のような「平叙文→疑問文」のほかに、「疑問文→疑問文」のやりとりが出ることもあります。質問のpresentationに対して、選択肢(A)のpresentedは「似た音の反復は×」から不正解。(B)はended at last(やっと終わった)からの「連想トリック」なので誤り。

Day 4

Part 2 実戦問題

Day 3で学習した攻略ポイントを使って、次の16問にチャレンジしてみましょう。

32~47

▶解答・解説は70ページ

17. Mark your answer on your answer sheet.

18. Mark your answer on your answer sheet.

19. Mark your answer on your answer sheet.

20. Mark your answer on your answer sheet.

21. Mark your answer on your answer sheet.

22. Mark your answer on your answer sheet.

23. Mark your answer on your answer sheet.

24. Mark your answer on your answer sheet.

25. Mark your answer on your answer sheet.

26. Mark your answer on your answer sheet.

27. Mark your answer on your answer sheet.

28. Mark your answer on your answer sheet.

29. Mark your answer on your answer sheet.

30. Mark your answer on your answer sheet.

31. Mark your answer on your answer sheet.

32. Mark your answer on your answer sheet.

実戦問題の解答・解説

問題と訳

17. 32

When's the construction supposed to be finished?
工事はいつ終わることになっているの？

(A) I think it was.
(B) At the twenty-story building.
(C) Sometime this winter.

(A) そうだったと思うよ。
(B) 20階建てのビルで。
(C) 今年の冬には。

18. 33

Why don't we make a donation to the environmental fund?
環境基金に寄付しない？

(A) Sure, that's a great idea.
(B) Thank you for your directions.
(C) I think he found it.

(A) もちろん、いい考えだね。
(B) 道を教えてくれてありがとう。
(C) 彼がそれを見つけたと思うよ。

19. 34

Are there any tickets left for Sunday's match?
日曜日の試合で残っているチケットはありますか。

(A) It will match your jacket.
(B) We want front row seats.
(C) Let me check.

(A) あなたのジャケットに合いますね。
(B) 最前列の席がいいです。
(C) 確認します。

20. 35

Haven't you heard that we have to postpone the company picnic?
会社の野外親睦会を延期しなければならないと聞いていませんか。

(A) At the monthly meeting.
(B) I didn't know that.
(C) Yes, I want to do it.

(A) 月例会議で。
(B) 知りませんでした。
(C) はい、私はやりたいです。

正解と解説

最初の１歩、疑問詞キャッチ

正解 (C)　470点レベル

疑問詞を使った疑問文

Whenをキャッチしたら、「時」を待ち伏せます。ここではセオリー通り、選択肢(C)を選べばOK。Sometime this week.（今週中には）など、Sometime ～. の応答は頻出です。疑問詞をwhereと勘違いすると、「場所」を述べた(B)を選んでしまいます。また、質問では未来のことをたずねているので、過去に言及している(A)は誤りです。

□ **be supposed to do**：～することになっている　□ **story**：名 階
□ **sometime**：副 いつか、あるとき

迷ったらSureを選ぼう

正解 (A)　470点レベル

勧誘

勧誘（～しませんか）のフレーズでは、①Why don't we ～？と②Shall we ～？が2トップ。その応答ではSure.（もちろん）、I'd love to.（喜んで）、Sounds great.（いいですね）が頻出です。これらが聞こえたら、マークの準備です。質問のdonationに対して(B) directions、fundに対して(C) foundは、「似た音の反復は×」から不正解。定番の応答を覚えて、テクニックで補強すれば完璧です。

□ **make a donation**：寄付する　□ **environmental**：形 環境の　□ **fund**：名 基金
□ **direction**：名 道順　□ **found**：動詞find（～を見つける）の過去形

Let me check. は正解

正解 (C)　600点レベル

Yes/No疑問文

このタイプの質問には、Yes/Noで答えないパターンが出ます。その代表例が正解(C)のLet me check. やAsk David.（デイビッドに聞いて）のような応答。素直に答えない応答は、Part 2の大好物です。質問のmatchに対して、(A)のmatchは「同じ音の反復は×」から不正解。ticketsに対しては、(B) front row seatsが「連想トリック」から誤り。テクニックを使えば、消去法でも解けますね。

□ **left**：動詞leave（～を残す）の過去分詞　□ **match**：動 ～に似合う
□ **front row**：最前列

notは無視しよう

正解 (B)　600点レベル

否定疑問文

Haven't you heard ～？をHave you heard ～？に変換します。Haven't youでもHave youでも、「聞いている」ならYes、「聞いていない」ならNoで答えます。ここでは「聞いていない」の(B)が正解。文頭のNo, が省略されているので、注意しましょう。質問を「どこで聞いたのか」と勘違いすると、(A)を選んでしまいます。また、companyから(A) meetingを連想するのもダメ。(C)のdo itはpostpone the company picnicのことなので、意味が通りません。

□ **postpone**：動 ～を延期する　□ **monthly**：形 月１回の

実戦問題の解答・解説

問題と訳

21. 36

How did the training seminar go?
研修セミナーはどうでした？

(A) It went rather well.
(B) I've been there before.
(C) To Room Fifteen.

(A) かなりうまくいきました。
(B) 以前そこに行ったことがあります。
(C) 15号室に。

22. 37

It's supposed to rain this evening, isn't it?
今夜は雨が降るんですよね。

(A) The train departs at six o'clock.
(B) The training starts in five minutes.
(C) Did you bring an umbrella?

(A) 列車は6時に出発するよ。
(B) 研修は5分後に始まるよ。
(C) かさを持ってきた？

23. 38

The printer is making that terrible sound again.
プリンターがまた、例のひどい音を立ててるよ。

(A) Sorry, I can't make it.
(B) It's time to get a new one.
(C) That sounds fine.

(A) ごめん、都合がつかないわ。
(B) 新品の買い時ね。
(C) それはいいね。

24. 39

Would you like me to help you prepare for the workshop?
研修会の準備を手伝いましょうか。

(A) I believe it was Martin.
(B) I can manage, thanks.
(C) No, I won't work on the project.

(A) マーティンだったと思います。
(B) ありがとう、でも自分でできます。
(C) いいえ、私はそのプロジェクトには取り組みません。

正解と解説

プレゼン、セミナーは「順調」が鉄板　正解 (A)　470点レベル

疑問詞を使った疑問文　How did S go?(Sはどうでした？)は、感想・結果をたずねるフレーズです。応答は「うまくいった」が定番。ここでも選択肢(A)が正解です。質問のgoに対して、(B)のI've been there(そこに行ったことがある)は「連想トリックは×」から不正解。Howがキャッチできないと、最後のgoが耳に残り、行き先をたずねる質問と誤解します。選択肢(C)がその好例。

- ☐ **training seminar**：研修セミナー　☐ **go well**：うまくいく
- ☐ **rather**：副 かなり、予想以上に

素直じゃない応答に慣れよう　正解 (C)　730点レベル

付加疑問文　付加疑問文の文末は、無視して構いません。「?」程度にイメージすればOKです。ここでは「雨が降るんですよね」に対して、「かさを持ってきた？」というように、雨が降ることをほのめかす応答を選べるかがポイント。また、テクニックによる消去法も有効です。質問のrainに対して、選択肢(A) trainや(B) trainingは「似た音の反復」なので不正解。(C)をいきなり選ぶのはハイレベルですが、消去法を使えば答えられますね。

- ☐ **depart**：動 出発する　☐ **in**：前 〜後に　☐ **bring**：動 〜を持って行く
- ☐ **umbrella**：名 かさ

音のテクニックを使おう　正解 (B)　600点レベル

平叙文　平叙文への応答は、バリエーションが豊富。特定のパターンがないので、音のテクニックを使った消去法が有効です。質問のmakingに対して(A) make、soundには(C) soundsが「似た音の反復は×」から不正解。「プリンターがひどい音を立てている」には、(B)の「新品の買い時です」がナチュラルな応答です。

- ☐ **make a sound**：音を立てる　☐ **terrible**：形 ひどく嫌な
- ☐ **make it**：うまくやる、間に合う　☐ **sound**：動 〜に聞こえる

クールな応答が正解　正解 (B)　600点レベル

提案　提案フレーズの3トップは、①Would you like me to 〜?、②How about 〜?、③Why don't you 〜?です。親切な提案はPart 2の特徴。ですが、応答は意外にクール。正解の(B)やI can handle it.など、助けを借りない応答が常連です。質問のworkshopに対して、(C)のworkは「似た音の反復は×」から不正解。(A)は疑問詞whoへの応答なので、今回の質問には合いません。

- ☐ **〈help＋人＋*do*〉**：(人が〜するの)を手伝う　☐ **prepare for ...**：…の準備をする
- ☐ **workshop**：名 研修会、ワークショップ　☐ **manage**：動 何とか成し遂げる
- ☐ **work on ...**：…に取り組む

実戦問題の解答・解説

問題と訳

25. 40

Who's responsible for the advertising campaign?

宣伝キャンペーンの責任者は誰ですか。

(A) I don't care about the cost.

(B) It's due on Friday.

(C) I haven't heard anything about it.

(A) 費用は気にしません。

(B) 期限は金曜日です。

(C) その件については何も聞いていません。

26. 41

Did you hear who's going to book my flight?

私の飛行機の予約を誰がしてくれるのか聞いた？

(A) Try asking Selina.

(B) No, but he'll be here in a moment.

(C) Yes, next week.

(A) セリーナに聞いてみたら。

(B) いいえ、でも彼はすぐにここに来るよ。

(C) ええ、来週に。

27. 42

How long will it take to complete the photocopier repairs?

コピー機の修理を終えるのに、どれくらい時間がかかりますか。

(A) I'll make copies.

(B) I've just finished them.

(C) About two kilometers.

(A) 私がコピーを取ります。

(B) ちょうど終わったところです。

(C) およそ2キロです。

28. 43

The new instruction manual is openly available on the Web site.

新しい取扱説明書がウェブサイトに公開されています。

(A) Could you tell me more about it?

(B) It opens at eleven o'clock.

(C) I'll transfer my data.

(A) そのことについて、もっと教えてくれる？

(B) 11時に開店するわ。

(C) データを転送するわ。

正解と解説

「聞いていない」、「知らない」は正解　正解 (C)　730点レベル

疑問詞を使った疑問文

クールな応答には、「自分でやります」以外に、「聞いてない」、「知らない」、「あとでやる」があります。ここでは、選択肢(C)の「聞いていません」が正解。Who→「人」のパターンでは答えられない問題なので、注意しましょう。質問のadvertising campaign（宣伝キャンペーン）に対し、(A) costや(B) due on Fridayは「連想トリックは×」から不正解。勝手にイメージをふくらませてはダメ！

□ *be* responsible for ...：…に責任がある　□ advertising：名 広告、宣伝
□ care：動 気にする　□ due：形 期限が来て

後出しのwhoを見抜け　正解 (A)　600点レベル

間接疑問文

Do you know who ～?のように、疑問詞が「あと」から聞こえるのが間接疑問文の特徴です。「後出し」疑問詞のwhoをキャッチして、「人」を待ち伏せするのがセオリーです。ところが、正解(A)は聞いていないことを遠回しに伝えるイレギュラーな応答です。質問hearに対して、(B) hereは「似た音の反復は×」から不正解。質問の出だしDid youに引きずられると、Yes/Noで始まる選択肢(B)や(C)が正解に聞こえます。

□ book：動 ～を予約する　□ flight：名（飛行機の）便　□ in a moment：すぐに

「ちょうど終わった」は正解　正解 (B)　600点レベル

疑問詞を使った疑問文

How longの質問なので、About an hour.（約1時間）などの「時間・期間」を待ち伏せするのがセオリー。ですが、ここでは「ちょうど終わった」というトリッキーな(B)が正解です。このようなHow long→「時間」ではないパターンもよく出ます。質問のphotocopierに対して、(A) copiesは「似た音の反復は×」から不正解。出だしをHow far（距離）と聞き間違うと、(C)を選んでしまいます。

□ take：動（時間が）かかる　□ complete：動 ～を完了する　□ photocopier：名 コピー機
□ repair：名 修理　□ make a copy：コピーを取る

「平叙文→疑問文」のパターンが出る　正解 (A)　600点レベル

平叙文

平叙文に疑問文で答えるパターンは要注意。最もよく出る応答パターンなので覚えておきましょう。とはいえ、「説明書がウェブに公開されている」→「もっと教えて？」という流れをつかむのは大変です。こういうときは、テクニックを使いましょう。質問のopenlyに対して、(B)のopensは「似た音の反復は×」から誤り。Web siteに対しては、(C) transfer my dataが「連想トリック」から不正解です。

□ instruction manual：取扱説明書　□ openly：副 公然と
□ available：形 利用［入手］できる　□ transfer：動 ～を転送する、～を移動させる

実戦問題の解答・解説

問題と訳

29. 44

Have you reserved a table for dinner yet?

もうディナーの席は予約した？

(A) Yes, the dessert was beautiful.
(B) Have you been served?
(C) Mr. Wright has already done it.

(A) はい、デザートはおいしかったです。
(B) ご注文をおうかがいしていますか。
(C) ライトさんがすでにしました。

30. 45

Why didn't you cancel the appointment with Ms. Lambert?

どうしてランバートさんと会う約束をキャンセルしなかったの？

(A) The apartment is a few blocks away from here.
(B) No, I haven't seen her.
(C) Because we had an urgent matter to resolve.

(A) アパートは、ここから数ブロック先にあります。
(B) いいえ、彼女を見ていません。
(C) 解決しなければならない緊急の問題があったからです。

31. 46

Can you repair the cracked sink by yourself, or do we need a plumber?

ひびの入ったシンクを自分で修理できる？　それとも配管工を呼ぶ？

(A) Yes, I already have one pair.
(B) I'll do it right now.
(C) No, I didn't either.

(A) うん、すでにひと組持ってるよ。
(B) ぼくがすぐにやるよ。
(C) いや、ぼくもしなかったよ。

32. 47

When should we discuss the packaging design?

パッケージのデザインについて、いつ話し合いましょうか。

(A) What time are you available?
(B) Just sign here.
(C) Yes, it would be helpful.

(A) 何時だと都合がいいですか。
(B) ここにサインしてください。
(C) はい、助かります。

正解と解説

応答のバリエーションを意識しよう　正解 (C)　600点レベル

Yes/No疑問文

「もう〜しましたか？」への応答3パターンを整理しましょう。①クール系のI'll do it later.(あとでします)、②質問で返すHaven't you done it yet?(まだやってなかったの？)、そして(C)のような、③他人任せの選択肢が出ます。最近の傾向として、選択肢に人名が使われているものは、正解の可能性大です。質問のreservedに対して、(B) servedは「似た音の反復は×」から不正解。dinnerには、(A)のdessertが「連想トリック」から誤り。

☐ **reserve** : 動 〜を予約する　☐ **yet** : 副 もう　☐ **serve** : 動 〜に対応する
☐ **already** : 副 すでに

Why→Becauseは正解　正解 (C)　600点レベル

否定疑問文

〈否定疑問文＝ふつうの疑問文〉のルールから、質問をWhy did you 〜?に置き換えましょう。Whyの質問にBecauseで答えるのは超基本。簡単すぎるので、「ひっかけでは？」と思いがち。ですが、Becauseで始まる選択肢はかなりの確率で1問だけ正解になります。文が長ければ、正解の確率はさらにアップします。質問のappointmentに対して、(A)のapartmentは「似た音の反復は×」から不正解。疑問詞で始まる疑問文にはYes/Noで答えられないので、(B)は誤り。

☐ **appointment** : 名 約束、予約　☐ **a few ...** : 2〜3の…　☐ **urgent** : 形 緊急の
☐ **matter** : 名 問題　☐ **resolve** : 動 〜を解決する

「すぐやる」に反応せよ　正解 (B)　600点レベル

選択疑問文

X or *Y*の選択疑問文の問題では、Either would be fine.(どちらでも構いません)やI've not decided yet.(まだ決めていません)などのあいまいな応答が正解になることが多いです。加えて、選択肢(B)のような「すぐやる」系も頻出。質問のrepairに対して、(A) pairは「似た音の反復は×」から不正解。また、(C)は定番応答Either would be fine.の聞き間違えを狙ったひっかけです。

☐ **repair** : 動 〜を修理する　☐ **cracked** : 形 ひびの入った　☐ **sink** : 名 シンク、流し
☐ **by *oneself*** : 自分だけで　☐ **plumber** : 名 配管工　☐ **right now** : いますぐに

「疑問文→疑問文」を攻略　正解 (A)　730点レベル

疑問詞を使った疑問文

Whenの質問には、「時」を答えるのがセオリーですね。今回はその応用で、「いつ話し合う？」→「何時がいい？」と聞き返している(A)が正解。質問も応答も疑問文のパターンは、後半の問題でよく出ます。質問のdesignに対して、(B)のsignは「似た音の反復は×」から不正解。疑問詞で始まる疑問文には、Yes/Noでは答えられないので、(C)は誤り。

☐ **discuss** : 動 〜について話し合う　☐ **available** : 形 都合がいい
☐ **sign** : 動 署名する　☐ **helpful** : 形 助けになる

パート1　パート2　Day 3　Day 4　パート3　パート4

スコアに差が出る 頻出フレーズ50

Part2の頻出フレーズです。
シチュエーションを意識して覚えましょう。

オフィス　48

①	□	**place an order**	注文する
②	□	**make a shipment**	発送する
③	□	**office supplies**	事務用品
④	□	**replace** the toner	トナーを取り換える
⑤	□	**fix** the copy machine	コピー機を修理する
⑥	□	***be* out of order**	故障している
⑦	□	***be* out of stock**	在庫切れである
⑧	□	***be* in stock**	在庫のある
⑨	□	**forward** an e-mail	メールを転送する
⑩	□	**update** a list	リストを更新する

セミナー・イベント　49

⑪	□	**attend** a workshop	ワークショップに出席する
⑫	□	**sign up for** a seminar	セミナーに申し込む
⑬	□	**organize** an event	イベントを計画する
⑭	□	**receive** an invitation	招待を受ける
⑮	□	**make a donation**	寄付をする
⑯	□	**farewell party**	送別会
⑰	□	**reception desk**	受付
⑱	□	**keynote speaker**	基調講演者
⑲	□	**catering service**	仕出し業者
⑳	□	**admission fee**	入場料

ビジネス・会議　50

㉑	□	**meeting agenda**	会議の議題
㉒	□	**distribute** handouts	資料を配る
㉓	□	new product **launch**	新製品の発売
㉔	□	**handle** a problem	問題を処理する
㉕	□	**approve** a plan	計画を承認する
㉖	□	**accept** a proposal	提案を受け入れる
㉗	□	**work on** the report	報告書を作成する

TOEICワールドのオフィスでは、いつも何かが壊れてます。トラブル慣れしてね！

No.		フレーズ	意味
㉘	□	**complete** some work	仕事を終える
㉙	□	**postpone** a meeting	会議を延期する
㉚	□	**meet a deadline**	期限に間に合う
人事・営業			51
㉛	□	**sales report**	売上報告
㉜	□	**conduct** a survey	調査を行う
㉝	□	**apply for** a position	職に応募する
㉞	□	**interview** an applicant	応募者を面接する
㉟	□	**renew** a contract	契約を更新する
㊱	□	***be* qualified for** the position	そのポストに就く資格がある
㊲	□	**take over** *one's* position	～のポストを引き継ぐ
㊳	□	**get a raise**	昇給する
㊴	□	**get a promotion**	昇進する
㊵	□	***be* in charge of**	～の責任者である
出張・交通			52
㊶	□	**business trip**	出張
㊷	□	**travel overseas**	海外旅行をする
㊸	□	**pick up** a ticket	チケットを受け取る
㊹	□	**round-trip ticket**	往復チケット
㊺	□	**book** a room	部屋を予約する
㊻	□	**confirm** *one's* reservation	～の予約を確認する
㊼	□	**reschedule** the flight	フライトの変更をする
㊽	□	**travel agency**	旅行代理店
㊾	□	**traffic jam**	交通渋滞
㊿	□	**flight delay**	フライトの遅れ

「そら耳」イングリッシュ
—音の連結、同化、脱落—

スクリプトならば読めるけど、実際に聞いてみると聞こえない。あるいは、何だか変な言葉に聞こえる。そんな経験は誰しもあると思います。ここでは、その原因である**音の連結、音の同化、音の脱落**を見ていきます。**リスニングでは、音を「カタマリ」でつかむことが大事**です。

音の連結(リンキング)

音がつながって発音されます。**「子音と母音」がピタッ**とくっつくイメージです。例えば、Can I～？(キャナイ)やtake off(テイコフ)など。

1.**Should I** go this way to the city hall? 53
(市役所に行くにはこちらの道を進めばいいのですか)

＊**Should Iは「シュダイ」**。「子音＋母音」〈d＋母音〉(shoul**d** **I**)のリンキング。Cloud I～?だと「クダイ」ですね。

音の同化

音がつながって別の音に変化します。「子音と子音」で、前の子音が変化するパターン(Does she～？「ダシィ」)と、前後の子音が1つの音になるパターン(Did you～？「ディジュ」)があります。**音が変わる点**がポイント。

2.**Would you** like some more?　(もう少しいかがですか) 54

＊**Would youは「ウヂュ」**。子音＋子音〈d＋y〉(woul**d** **y**ou)で、Would youを1語で発音する感じ。

音の脱落

音が飲み込まれて消えるパターン。特に「d」や「t」はその代表格。twenty(トゥエニィ)やhandsome(ハンサム)が好例です。

3.The welcome **party** was too long.　(歓迎会は長すぎました) 55

＊**消えるt音。partyは「パリ(イ)」**。子音rと母音yの間で、t音は脱落します。語末のyは、母音で「イ」音。アメリカ英語では、t音はよく消えると覚えましょう。

「そら耳」チャレンジ

カッコ内はどう聞こえますか？　練習しましょう！

～連結（リンキング）編～

56

1. (　　　　) (　　　　) (　　　　) doing right now?
2. I'm glad (　　　　) (　　　　) could meet you.
3. The elevator is now (　　　　) (　　　　) order.
4. Do you (　　　　) (　　　　) I open the window?
5. I (　　　　) (　　　　) in time.
6. Would you (　　　　) (　　　　) your opinion?
7. Why don't you (　　　　) (　　　　) with me tonight?

答え

1. **What are you** doing right now?　（今何してるの？）

→ **What are youは「ワダユ」。**〈t+母音〉(what are)で、tが「ダ」に聞こえますね。

2. I'm glad **that I** could meet you.　（あなたに会えて嬉しいです）

→ **that Iは「ダダイ」。**〈t+母音〉(that I)。thatも「ダ」！

3. The elevator is now **out of** order.　（エレベーターは今故障中です）

→ **out ofは「アダヴ」。**〈t+母音〉(out of)。ここでもt音は「ダ」！

4. Do you **mind if** I open the window?　（窓を開けてもよろしいですか）

→ **mind ifは「マインディフ」。**〈d＋母音〉(mind if)。

5. I **made it** in time.　（時間に間に合いました）

→ **made itは「メイディ」。**〈d＋母音〉(made it)。

6. Would you **tell us** your opinion?　（ご意見をお聞かせ下さい）

→ **tell usは「テラス」。**〈l＋母音〉(tell us)。庭の「テラス」に聞こえる。

7. Why don't you **dine out** with me tonight?　（今夜、外で食事しませんか）

→ **dine outは「ダイナ」。**〈n＋母音〉(dine out)。食事のお誘いの定番。

～同化 編～

57

8. I've (　　　　) (　　　　) go there.
9. This road will (　　　　) (　　　　) to the station.
10. (　　　　) (　　　　) come here often?

答え

8. I've **got to** go there.　(そこに行かねばなりません)
　➔ **got to は「ガラ」**。got to がgottaの音に同化・変化。うがいの「ガラガラ」の「ガラ」に聞こえます。他に、have to = **hafta（ハフタ）**が有名。

9. This road will **lead you** to the station.　(この道を行くと駅です)
　➔ **lead you は「リーヂュ」**。would you と同じパターンですね。

10. **Does she** come here often?　(彼女はここにはよく来ますか)
　➔ **Does she は「ダシィ」**。does の「z」音が脱落して、音が変化。

～脱落 編～

58

11. Please (　　　　) (　　　　) of yourself.
12. Guests can see the (　　　　) from every room.
13. Ms. Helen got a flat tire (　　　　) (　　　　) way home.

答え

11. Please **take care** of yourself.　(どうぞお大事に)
　➔ **消えるk音**。take care はkとcの音が重なり、脱落して**「テイケァ」**。

12. Guests can see the **mountain** from every room.
(ゲスト客はどの部屋からでも山が見えます)
　➔ **消えるt音**。-tain は鼻に抜ける感じで、**「マウヌン」**。

13. Ms. Helen got a flat tire **on her** way home.
(ヘレンは家に帰る途中でパンクした)
　➔ **消えるh音。on her way は「オ(ン)ナウェ」**。on her を「オ」にアクセントをつけて「オナ」と読めば、ネイティヴ風！

第2部 リスニング問題を攻略

Part 3

会話問題

Day 5	月 日	分
Day 6	月 日	分

リスニング・セクション								リーディング・セクション					
Part 1		Part 2		Part 3		Part 4		Part 5		Part 6		Part 7	
Day 1	Day 2	Day 3	Day 4	Day 5	Day 6	Day 7	Day 8	Day 9	Day 10	Day 11	Day 12	Day 13	Day 14

Part 3では、会話の流れをしっかりキャッチしましょう。
全部を聞き取ろうとしてはダメですよ。

Day 5 Part 3 基礎知識

パートの特徴

問題数：

39問／13の会話（実際のテストでは、No. 32～70の問題）

目標正解数：

18問（470点）　22問（600点）　29問（730点）

テスト時間：

約18分（1問あたりの解答時間は8秒、図表問題のみ12秒）

出題形式：

2人、または3人の会話を聞いて、その内容に関する設問に答える問題です。1つの会話につき設問は3つあります。

出題パターン：

会話の長さは平均40秒。オフィスなどで交わされるビジネス会話と、お店などでの日常会話が出題されます。また、電話でのやりとりが多いのも特徴です。会話は基本的に男女の間で行われます。〈男→女→男〉のような1.5往復のものから、最多で3.5往復のものまで。ただし、2人だけでなく、3人による会話が毎回1～2セット出題されます。

さらに、会話と問題用紙に印刷された図表を関連づけて答える「クロス問題」が、毎回2～3セット出題されます。

設問は大きく分けて2パターン。会話のテーマに関する「全体を問う設問」と、会話の細部に関する「部分を問う設問」です。

指示文の内容

59

Part 3では2人、または3人の人物による会話が数セット放送されます。それぞれの会話で話される内容について、3つの質問に答えましょう。質問ごとに最も適切な選択肢を(A) (B) (C) (D)の中から1つ選び、解答用紙にマークしてください。会話は問題冊子には印刷されていません。また、放送は1度だけです。

問題冊子 *Part3の問題冊子はこんな感じ!*

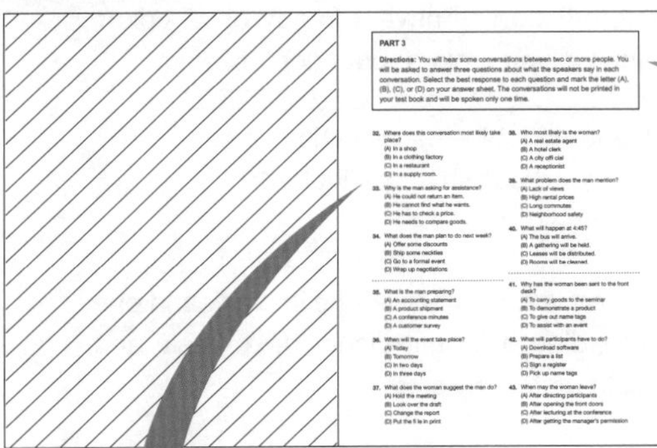

PART 3

Directions: You will hear some conversations between two or more people. You will be asked to answer three questions about what the speakers say in each conversation. Select the best response to each question and mark the letter (A), (B), (C), or (D) on your answer sheet. The conversations will not be printed in your test book and will be spoken only one time.

32. Where does this conversation most likely take place?
    (A) In a shop
    (B) In a clothing factory
    (C) In a restaurant
    (D) In a supply room.

33. Why is the man asking for assistance?
    (A) He could not return an item.
    (B) He cannot find what he wants.
    (C) He has to check a price.
    (D) He needs to compare goods.

34. What does the man plan to do next week?
    (A) Offer some discounts
    (B) Ship some neckties
    (C) Go to a formal event
    (D) Wrap up negotiations

35. What is the man preparing?
    (A) An accounting statement
    (B) A product shipment
    (C) A conference minutes
    (D) A customer survey

36. When will the event take place?
    (A) Today
    (B) Tomorrow
    (C) In two days
    (D) In three days

37. What does the woman suggest the man do?
    (A) Hold the meeting
    (B) Look over the draft
    (C) Change the report
    (D) Put the fi le in print

38. Who most likely is the woman?
    (A) A real estate agent
    (B) A hotel clerk
    (C) A city offi cial
    (D) A receptionist

39. What problem does the man mention?
    (A) Lack of views
    (B) High rental prices
    (C) Long commutes
    (D) Neighborhood safety

40. What will happen at 4:45?
    (A) The bus will arrive.
    (B) A gathering will be held.
    (C) Leases will be distributed.
    (D) Rooms will be cleaned.

41. Why has the woman been sent to the front desk?
    (A) To carry goods to the seminar
    (B) To demonstrate a product
    (C) To give out name tags
    (D) To assist with an event

42. What will participants have to do?
    (A) Download software
    (B) Prepare a list
    (C) Sign a register
    (D) Pick up name tags

43. When may the woman leave?
    (A) After directing participants
    (B) After opening the front doors
    (C) After lecturing at the conference
    (D) After getting the manager's permission

指示文放送中の
30秒間には1セット目
(No.32〜34)の先読み!

32. Where most likely does the conversation take place?
(A) In a shop
(B) In a clothing factory
(C) In a restaurant
(D) In a supply room

33. Why is the man asking for assistance?
(A) He could not return an item.
(B) He cannot find what he wants.
(C) He has to check a price.
(D) He needs to compare goods.

34. What does the man plan to do next week?
(A) Offer some discounts
(B) Ship some neckties
(C) Go to a formal event
(D) Wrap up negotiations

会話文は次ページ

1セットにつき3つの設問×13セット。
設問は読みあげられますが、選択肢は読みあげられません。

指示文放送中には最初の1セット(No. 32〜34)の設問を先読みします(「設問の先読み」については、88ページで説明します)。

サンプル問題音声

60

Questions 32 through 34 refer to the following conversation.

This necktie looks nice, but do you have it in any other colors besides black? I've been looking around, but I don't see any.

We have it in brown and dark blue as well. Also, if you purchase it in a set with a dress shirt, we'll take 10 percent off the listed price of the tie.

Thanks, but all I really need is a tie. I'll take one in black and one in brown. I plan on attending a formal dinner next week, and either one of those should match my suit.

I understand, sir. I'll wrap that up for you right away.

No. 32. Where most likely does the conversation take place?

訳

設問32-34は次の会話に関する問題です。

男：このネクタイがいいんですが、黒以外の色はありますか？　ずっと見て回っているんですが、見つからなくて。

女：茶色とダークブルーもございます。また、ドレスシャツとセットでお買い上げいただきますと、ネクタイを定価の10%引きにいたします。

男：ありがとうございます。でも、必要なのはネクタイだけなんです。黒と茶色を1本ずつもらえますか。来週、フォーマルなディナーに出席する予定があって、そのどちらかならぼくのスーツに合うと思います。

女：かしこまりました。すぐにお包みいたします。

設問と選択肢の訳

32. 会話はどこで行われていると考えられますか。

(A) 店 ➡正解　　(B) 衣服工場
(C) レストラン　　(D) 備品室

33. 男性はなぜ手助けを求めていますか。

(A) 商品を返品できなかった。　　(B) 欲しいものが見つからない。➡正解
(C) 値段を確認しなければならない。　　(D) 商品を比較する必要がある。

34. 男性は来週何をする予定ですか。

(A) 割引を申し出る　　(B) ネクタイを出荷する
(C) フォーマルなイベントに行く ➡正解　　(D) 交渉をまとめる

Part 3 解答までの流れ

放送	時間	すること
Directions（指示文）	30秒	**設問の先読み！** 1セット目の設問3つ（No. 32〜34）を読む。
1セット目スタート Questions 32 through 34 refer to the following conversation.	3秒	（1問目スタート！） **先読みストップ！** イントロが聞こえたら設問の先読みをやめ、会話を聞く態勢へ。
会話	平均40秒	**設問を意識しながら聞く！** 先読みでチェックしたポイントを頭の片隅に置き、会話に集中する。
1問目 No. 32 の設問 ポーズ（無音）	約5秒 8秒*	（答えをマーク！）
2問目 No. 33 の設問 ポーズ（無音）	約5秒 8秒	**設問の放送は無視！** 3問目の読みあげが始まる前までに3問すべてに解答。
3問目 No. 34 の設問 ポーズ（無音）	約5秒 8秒	**次のセットの設問を先読み！** 3問目の放送＆ポーズの13秒間でNo. 35〜37の設問を先読みする。
2セット目スタート Questions 35 through 37 refer to the following conversation.	3秒	**先読みストップ！** イントロが聞こえたら先読みをやめ、会話を聞く態勢に入る。

No. 70までこの流れをくり返します。

＊「図表問題」は、設問のあとのポーズが12秒あります。

Part 3 攻略しよう！

攻略の基本ルール

「設問の先読み」がカギ。目と耳を使って解く！

「設問の先読み」とは、会話が放送される前に設問を読んでおくことです。Part 3はリスニング問題ですが、「読み」がカギなのです。

攻略のステップ

会話を聞く前のステップ①で、ほぼ勝負は決まります。

ステップ1
設問の先読み！
聞くべき情報を事前にインプットする
ステップ2
会話はポイント聞き！
キーワードを待ち伏せして、会話を聞く
ステップ3
設問音声は無視！
次の問題の先読み時間を確保する

ステップ1 **設問の先読み！** 聞くべき情報を事前にインプットする

先読みのメリット

Part 3の会話は平均40秒。ひと通り聞いたあとで、「これから3つの設問に答えてください」と言われても、細かいところは忘れていますよね。ですが、設問を先読みして事前に問われる内容を頭に入れておけば、ポイントを絞った聞き方ができます。答えと関係のある部分を集中して聞くスタイルですね。

先読みのやりかた

設問をまるごと覚えることは不可能です。頭の中に入れるのは、単語（ワード）でOK。特に、設問中の「疑問詞」や「名詞」が先読みワードです。日本語でもいいので、これらをピンポイントで覚えましょう。

例）What is the problem?（問題は何ですか）

「何?」と「問題」を頭の中で2〜3回唱える。

先読みの注意点

ただし、あまり欲張りすぎないようにしましょう。3問すべて先読みできれば完璧ですが、「先読み中に、放送が始まってしまった…」では、本末転倒です。自信がない人は、各セットの1 問目だけでも構いません。慣れるまでは「選択肢」は気にせず、「設問」だけを先読みしてください。

ステップ2 会話はポイント聞き！ キーワードを待ち伏せして会話を聞く

会話の聞きどころは、設問タイプによって異なります。「全体を問う設問」と「部分を問う設問」、それぞれの特徴を見ていきましょう。

全体を問う設問（9～12問程度） 61

会話のテーマに関する設問です。1問目に登場することが多く、Part 3の得点源。その名の通り、ヒントが会話全体に散らばっているので、ざっくりとストーリーを追えていれば答えられる問題です。会話の冒頭で、大半は答えられます。

1 主題に関する問題

(1) **What** are the speakers **discussing**?
（話し手たちは何について話していますか）

(2) **Why** is the man calling?
（男性はなぜ電話をかけていますか）

2 職業（職種）に関する問題

(1) **Who** most likely is the woman?
（女性は誰[女性の職業はなん]だと思われますか）

3 場所に関する問題

(1) **Where** are the speakers?
（話し手たちはどこにいますか）

部分を問う設問（27～30問程度） 62

会話の細部に関する設問です。「全体を問う設問」とは異なり、解答のヒントが1度しか聞こえてきません。難しそうですが、逆にその部分さえ聞き取れれば答えられるとも言えますね。次のページから、頻出の設問タイプと会話で待ち伏せする表現を紹介します。

1 依頼問題（ask、want、requestなど）

TOEICはトラブルが大好きです。オフィス機器の修理の依頼や、会議に間に合わないときの対応依頼など、会話中の「依頼」表現が狙われます。

【設問】What does the woman **ask** the man to do?
（女性は男性に何をするように頼んでいますか）

↓ 次の「依頼」表現をキャッチ！

【会話】W: **Could you** pick me up at the airport?
（女性：空港まで迎えに来てくれないかしら？）

➔待ち伏せする依頼表現

Could[Would] you ～?	～してくれませんか。
Please *do* ～.	～してください。
I'd like you to *do* ～.	～してほしいのですが。
Do you ～?	～しますか。

2 提案問題（suggest、recommendなど）

トラブルの解決策など、アドバイスに関する設問です。

【設問】What does the man **suggest** the woman do?
（男性は女性に何をするよう提案していますか）

↓ 次の「提案」表現をキャッチ！

【会話】M: **Why don't you** look it up online?
（男性：オンラインで調べてみたらどう？）

➔待ち伏せする提案表現

Why don't you ～?	～してはどうですか。
Why don't we ～?	～しませんか。
Shall we ～?	～しませんか。
How about ～?	～はいかがですか。
We'd better *do* ～.	～した方がいいですね。

3 申し出問題（offerなど）

「依頼」「提案」に対する応答や、「私が～します」という自発的な申し出が設問のヒントです。

【設問】What does the woman **offer** to do?
（女性は何をすると申し出ていますか）

↓ 次の「申し出」表現をキャッチ！

【会話】 W: I'll call to see if the shipment can be tracked.
（女性：配送状況を確認できるか、電話して聞いてみるわ）

➔ **待ち伏せする申し出表現**

I'll *do* ～.	私が～します。
Let me *do* ～.	私に～させてください。
Shall I ～?	～しましょうか。
I can *do* ～.	私は～できます。

4 これから問題（will do、will do next、should doなど）

会話を終えたあとの、話し手の行動などが問われます。

【設問】 What **will** the man most likely **do next**?
（男性は次に何をすると考えられますか）

↓ 次の「これから」表現をキャッチ！

【会話】 M: Let me connect you to the sales department.
（男性：お電話を営業部におつなぎいたします）

➔ **待ち伏せする、これから表現**

I'll *do* ～.	私が～します。
I'm going to *do* ～.	これから～する予定です。
Let me *do* ～.	私に～させてください。
You need to *do* ～.	あなたは～する必要があります。

5 名詞キーワードを含む問題

「部分を問う設問」の中には、解答のカギになる名詞キーワードが含まれているものがあります。これが会話の「耳印」（聞きどころ）になるので、先読みワードと一緒に押さえましょう。会話で名詞キーワードが聞こえたら、答えはその近くにあります。

【設問】 What will happen at **10:30**?
（10時30分に何が起きますか）

↓ 次の「名詞キーワード」をキャッチ！

【会話】 W: Why don't you come to a party we're having at 10:30?
（女性：10時30分から始まるパーティーに来ませんか）

⇨ 正解はA farewell party for Ms. Rebikov.（レヴィコフさんの送別会）など。

6 セリフの意図問題

会話中のあるセリフについて、発言者の「意図・狙い」が問われます。セリフ前後の流れを理解していないと解けません。耳印は、会話の引用部分"　"(ターゲット文)です。

【設問】

What does the woman mean when she says, **"I'd have guessed that"**?
(女性が「予想していたとおりだ」と言うとき、何を意図していますか)

↓　ターゲット文の前後の流れをキャッチ！

【会話】

M: Most of the customers are pleased with our line of smartphones.
(男性: 顧客の多くは、うちのスマートフォンのラインナップに満足しているようです)

W: Yes, **I'd have guessed that.**
(女性: ええ、予想していたとおりだわ)

M: Right, because we mostly get positive comments from customers in stores.
(男性: そうですよね。店舗の顧客からは、主に肯定的な意見をいただいていますから)

⇨ 正解はShe is aware of a widely-known fact.(よく知られている事実をわかっている)など。

7 会話と図表のクロス問題

会話と図表を関連づけて(クロスさせて)答える問題。設問に加え、図表と選択肢も先読みしておきましょう。図表中の選択肢にない方の情報が、会話で待ち伏せする耳印になります。

【設問】

Look at the graphic. What print speed will the man order?
(図を見てください。男性はどのプリントスピードのプリンターを注文しますか)

(A) 10 pages per minutes

(B) 25 pages per minutes

(C) 35 pages per minutes

(D) 50 pages per minutes

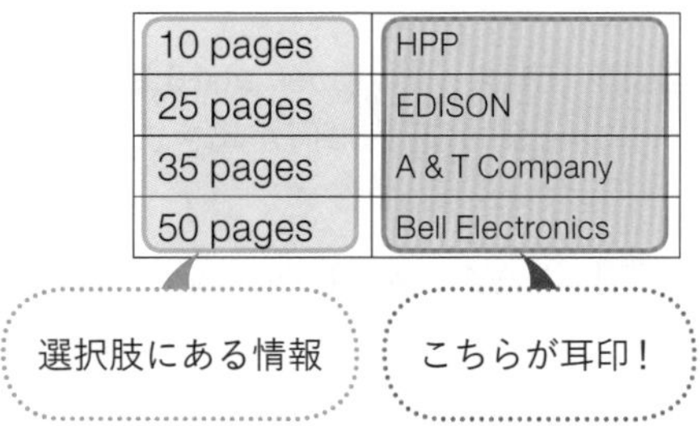

10 pages	HPP
25 pages	EDISON
35 pages	A & T Company
50 pages	Bell Electronics

ステップ3 設問音声は無視！ 次の問題の先読み時間を確保する

設問を読んで解く

Part 3と4では、先読み時間の確保が勝負の分かれ目です。8秒（または12秒）の解答時間を守っていては、先読み時間が確保できません。

そこで、設問の放送は無視しましょう。会話を聞き終えたら、設問を読んで答えていきます。目標は、3問目の放送が始まるまでに、そのセットの解答をすべて終えていること。3問目の放送中には、次のセットの設問を先読みします。

マークシートはあとで塗る

解答用紙へのマーク方法にもコツがあります。解答しながら、その都度マークシートを塗りつぶしていては、時間がもったいないですね。設問の先読みに、少しでも多くの時間を回すべきです。

マーク欄には線やチェックを入れておき、とりあえず自分の答えがわかるようにしておきます。

38	A	B✓	C	D
39	A	B	C✓	D
40	A✓	B	C	D

チェックだけを入れておく

その後、69問分（Part 3＝39問＋Part 4＝30問）のマーク欄をPart 5が始まったら一気に塗りつぶす、「2段階マーク法」をオススメします。

ワンポイントアドバイス

選択肢のタテ読みにチャレンジ！

先読みをするのは、あくまで「設問」だけ。ですが、「選択肢」まで先読みしたほうがいいものもあります。次の例を見てください。

例）Where do the speakers most likely work?
(A) At a library
(B) At a museum
(C) At a restaurant
(D) At a bakery

選択肢の一部を上から下に読む。

選択肢の名詞部分（ブルーの箇所）にあらかじめ「タテ」に目を通しておくと、話し手の働いている場所が「図書館」、「博物館」、「レストラン」、「パン屋」に絞れるので、会話の場面がイメージしやすくなりますね。

①選択肢が4つとも短い、②カタチが似ている、③「場所」や「職業」が並んでいる、といったときには、選択肢も立派なヒントになります。設問の先読みに慣れてきたら、ぜひ選択肢のタテ読みにもチャレンジしてみましょう。

Part 3 攻略問題

それでは、Part 3の問題を実際に12問解いてみましょう。
会話に続いて、設問が3つ読まれます。それぞれの設問について、
会話の内容を最も適切に伝えている選択肢を(A)〜(D)の中から
1つ選んで、解答用紙にマークしてください。

63~70

33. Where most likely does the conversation take place?

(A) In a store
(B) In a gym
(C) In a clothing factory
(D) In a classroom

34. What is the problem?

(A) A delivery was delayed.
(B) The sale is already over.
(C) The prices are too high.
(D) The product selection is limited.

35. What does the woman say she will do?

(A) Look in another aisle
(B) Return on another day
(C) Buy a discounted product
(D) Exchange a backpack

---

36. Why is the man calling?

(A) To make an inquiry
(B) To change a reservation
(C) To schedule a conference
(D) To advertise a business

37. What does the woman imply when she says, "That's certainly possible"?

(A) She must get permission from a supervisor.
(B) She thinks an estimate is correct.
(C) She can meet the man's demands.
(D) She believes a date may be changed.

38. Who will contact the woman?

(A) A corporate trainer
(B) A financial analyst
(C) An event planner
(D) A food supplier

---

39. What is the conversation mainly about?

(A) Reserving a venue
(B) Attending a performance
(C) Donating to a festival
(D) Joining a music group

40. What do the men say about the event?

(A) It is taking place near the office.
(B) It is held every weekend.
(C) It is a special opportunity.
(D) It is very popular.

41. Why does the woman ask for a text message?

(A) She wishes to know a payment amount.
(B) She would like information about an assignment.
(C) She needs to confirm the number of participants.
(D) She wants to receive the details of a plan.

Industry Leader Analysis	
Business Level	**Manufacturing problems per quarter**
Level 1	0-2
Level 2	3-4
Level 3	5-6
Level 4	7-8

42. Why does the man recommend a change?

(A) To satisfy employees
(B) To sell more machinery
(C) To prevent the loss of customers
(D) To improve plant safety

43. What does the man say about the board?

(A) It may reduce the budget.
(B) It will conduct some research.
(C) It could authorize new hires.
(D) It will require persuasion.

44. Look at the graphic. What level does the man want to reach by next year?

(A) Level 1
(B) Level 2
(C) Level 3
(D) Level 4

次のページからは、今回の問題を使って、Part 3の攻略ポイントを見ていきます。 To Be Continued

Part 3の攻略ポイント

全体、部分を問う設問

最初の5秒でテーマをつかめ！

まずは、最も基本的なテクニックをマスターしましょう。会話の主題や場所に関する設問（全体を問う設問）は最初の５秒、会話冒頭にヒントがあります。

63~64

33. Where most likely does the conversation take place?

(A) In a store
(B) In a gym
(C) In a clothing factory
(D) In a classroom

選択肢の「タテ」読み

34. What is the problem?

(A) A delivery was delayed.
(B) The sale is already over.
(C) The prices are too high.
(D) The product selection is limited.

35. What does the woman say she will do?

(A) Look in another aisle
(B) Return on another day
(C) Buy a discounted product
(D) Exchange a backpack

設問と選択肢の訳

33. この会話はどこで行われていると考えられますか。
(A) 店で (B) スポーツジムで
(C) 衣料品工場で (D) 教室で

34. 問題は何ですか。
(A) 配送が遅れた。 (B) セールはすでに終わっている。
(C) 値段が高すぎる。 (D) 品ぞろえが少ない。

35. 女性は何をすると言っていますか。
(A) ほかの通路を見てみる (B) 別の日にまた来る
(C) 値下げ商品を買う (D) リュックサックを交換する

攻略1 最初の5秒に集中！

会話の主題や場所、話し手の職業は、冒頭で述べられます。**最初の5秒に集中しましょう。**ここではWhere ～?で「会話の場所」が問われています。また、場所に関する設問の場合、**選択肢の「タテ読み」が効果的！**

攻略2 トラブルはbutが耳印！

店頭やオフィスでのトラブルは、TOEICの大好物。商品の不足、故障、遅延が定番です。**トラブルの耳印は、会話の変わり目を示す～, butやunfortunately（残念ですが）、否定語notなどのマイナスワード。**その直後を狙い聞こう！

攻略3 これから問題はI'llを待ち伏せ！

will doやwill do nextを含む設問では、「これから」のことが問われます。今後の展開は会話の最後で述べられるのがセオリーです。**正解のヒントは、I'll～.（～します）やLet me *do* ～.（～させてください）などの表現。**これらを待ち伏せてその直後を聞けば、答えは簡単に見つかります。

will do ⇒ I'll ～.のパターンは出まくりです。

【33】□ **take place**：行われる
【34】□ **delivery**：名 配送、配達　□ **delay**：動 ～を遅らせる　□ **product**：名 商品
【35】□ **exchange**：動 ～を交換する

会話文 63 W: M:

Questions 33 through 35 refer to the following conversation.

W: ①Excuse me, I was wondering if backpacks are included in the back-to-school sale that you're having this week.

M: They are, ②**but** I'm afraid we've nearly sold out of them now. Everything that we have left is in this aisle—at half off their regular prices. We expect to receive a new shipment on Tuesday, ③but the sale will be finished by then.

W: Hmm... ④I guess **I'll** come back then. I don't see anything here in blue or grey, and those are my son's favorite colors.

攻略 1
冒頭から、場面をイメージ！

攻略 2
トラブルの耳印！

攻略 3
会話の最後で、I'llを待ち伏せ！

訳

設問33-35は次の会話に関する問題です。

女：①すみません。今週こちらでやっている新学期セールに、リュックサックも含まれているのかしら。

男：含まれていますが、②もうほとんど売り切れています。残りはすべて定価の半額で、こちらの通路にございます。火曜日に商品が入荷する予定ですが、③それまでにセールは終わっています。

女：そうですか…。④とりあえずそのころに出直すわ。ここには青やグレーのリュックがないので。息子の好きな色なのよ。

33の解答・解説　正解 (A)  470点レベル

全体を問う設問　「会話の場所」が問われているので、冒頭に集中します。女性のセリフ①からは、backpacksやback-to-school saleが聞こえてきます。したがって、選択肢(A) In a storeが正解。続く男性のセリフ、I'm afraid we've nearly sold out〜.まで聞くと、さらに自信を持って答えられますね。back-to-schoolが耳に残ると、(D) classroomが正解に聞こえてしまいます。

34の解答・解説　正解 (D)  600点レベル

部分を問う設問　「トラブルは何か」なので、butなどのマイナスワードを待ち伏せましょう。男性のセリフ②、but I'm afraid 〜.がピタリ。we've nearly sold out of them（ほとんど売り切れ）をThe product selection is limited.（品ぞろえが少ない）と言い換えた(D)が正解です。選択肢(B)は要注意。男性は③で「それまでにセールは終わっている」と言っていますが、これは未来のこと。設問ではWhat is 〜?と現在のトラブルが聞かれているので、(B)は誤り。

35の解答・解説　正解 (B)  600点レベル

部分を問う設問　ここでは会話の最後にI'llが登場。女性のセリフ④がヒントです。come back then（そのころ出直す）をReturn on another day（別の日にまた来る）と言い換えた(B)が正解。店頭での会話だからといって、(A)「ほかを見る」、(C)「買う」、(D)「交換する」といった、典型的なひっかけを選んではいけません。

□ **I was wondering if ~**：〜なのでしょうか。　□ **backpack**：名 リュックサック
□ **include**：動 〜を含む　□ **back-to-school sale**：新学期セール（夏休みの終わりに行われる、学用品などのセール）　□ **nearly**：副 ほとんど　□ **aisle**：名 通路
□ **regular price**：定価　□ **shipment**：名 発送、出荷

Part 3の
攻略
ポイント

セリフの意図問題

発言者の意図を見抜け！

発言者の意図を問う問題は、会話の流れをざっくりつかむのが大事です。文の意味から答えようとしてはダメです。

65~66

36. Why is the man calling?

(A) To make an inquiry
(B) To change a reservation
(C) To schedule a conference
(D) To advertise a business

37. What does the woman imply when she says, "That's certainly possible"?

(A) She must get permission from a supervisor.
(B) She thinks an estimate is correct.
(C) She can meet the man's demands.
(D) She believes a date may be changed.

38. Who will contact the woman?

(A) A corporate trainer
(B) A financial analyst
(C) An event planner
(D) A food supplier

設問と選択肢の訳

36. 男性はなぜ電話をしていますか。
(A) 問い合わせをするため　(B) 予約を変更するため
(C) 会議の予定を立てるため　(D) 事業を宣伝するため

37. 女性が「もちろん可能です」と言うとき、何を示唆していますか。
(A) 彼女は上司から許可を得なければならない。
(B) 彼女は見積額が正しいと思っている。
(C) 彼女は男性の要望に沿うことができる。
(D) 彼女は日程が変わるかもしれないと思っている。

38. 女性に連絡をするのは誰ですか。
(A) 企業トレーナー　(B) 財政アナリスト
(C) イベント立案者　(D) 食品の供給業者

攻略 1 I'm callingの「あと」を聞け！

I'm callingは「(〜の件で)お電話いたしました」という意味の、電話での決まり文句です。**この直後に「用件」が述べられます。**

攻略 2 発言者の意図を見抜け！

“　”内の文(ターゲット文)は、会話に出てくるセリフです。ここで問われているのは、文の「意味」ではなく、話し手の「意図」です。**女性がどういう考えで、「もちろん可能です」と言ったのかを推測してみましょう。**ターゲット文前後の展開を、ざっくりつかむのがコツです。

攻略 3 Whoには「職業」を答えよ！

Whoの設問では、職業や職種、職位が問われます。話し手の職業を聞く問題なら簡単ですが、今回は話し手についてではないので注意が必要です。**電話でのやりとりは、〈①あいさつ→②用件→③連絡〉という流れ。連絡先・連絡事項が述べられるのは、会話の最後です！**

【36】□ **make an inquiry**：問い合わせる　□ **schedule**：動 〜の予定を決める
□ **advertise**：動 〜を宣伝する
【37】□ **imply**：動 〜を暗に伝える
□ **permission**：名 許可　□ **supervisor**：名 上司
□ **estimate**：名 見積もり　□ **correct**：形 正しい、正確な
□ **meet *someone's* demand**：〜の要求を満たす
【38】□ **financial**：形 財政の、金融の　□ **supplier**：名 供給業者

会話文 65 M: W:

Questions 36 through 38 refer to the following conversation.

M: Hello, this is Hiroki Abe, from Karlson Investment. ①**I'm calling** to ask about your catering service.

W: Certainly. What kind of event would it be for?

M: ②A training session on July 9. It'll last all day, and we'd need lunch and beverage service for the participants. We're expecting around 30 people.

W: **That's certainly possible.** ③I'd need more information to give you an exact quote, though.

M: That'll be no problem. ④I'll have our planning coordinator, Rochelle Metzenberg, **contact** you to discuss all the details later.

攻略 1
「電話の用件」の耳印！

攻略 2
前後の流れから、「発言の意図」を読み取ろう！

攻略 3
「連絡」は会話の最後！

訳

設問36-38は次の会話に関する問題です。

男：もしもし、カールソン投資会社のヒロキ・アベと申します。①ケータリングサービスについてお聞きしたくて、お電話しました。

女：承知しました。どのようなイベントでのご利用でしょうか。

男：②7月9日の研修会です。終日行われるので、参加者にランチや飲み物のサービスが必要なんです。30人位の参加を見込んでいます。

女：もちろん可能です。③正確な見積額をお出しするために、より詳しい情報が必要ではありますが。

男：わかりました。④後ほどイベントのコーディネーターであるロシェル・メッツェンバーグに連絡させるので、詳細を話し合ってください。

36の解答・解説

正解 (A)  470点レベル

全体を問う設問　設問は「電話をかけている理由」ですから、I'm callingを待ち伏せます。男性のセリフ①がヒント。askをmake an inquiryと言い換えた、選択肢(A) が正解。その後も男性は、「ランチや飲み物のサービスが必要」や「30人位の参加」など、要望を伝え相談しています。(B)「予約変更」や(C)「会議予定」は、Part 3の定番に便乗したひっかけ。

37の解答・解説

正解 (C)  730点レベル

部分を問う設問　女性がなぜ、That's certainly possible. と言ったのかを考えてみましょう。注目すべきは、ターゲット文前後の流れ。〈②男性がイベントの概要と要望を伝える〉→〈女性は「もちろん可能です」と答える〉→〈③女性はより詳しい情報をたずねる〉と展開しています。ここから、女性は「男性の要望をかなえられる」と考えていることがわかりますね。したがって、(C) She can meet the man's demands. が正解。

38の解答・解説

正解 (C)  470点レベル

部分を問う設問　「女性に連絡を取る人物」が問われています。連絡先・連絡事項は会話の最後。先読みワードのcontactを耳印に、会話終盤に集中しましょう。男性のセリフ④、I'll have our planning coordinator ～.（イベントコーディネーターのメッツェンバーグに連絡させます）がピタリ。planning coordinatorをevent plannerと言い換えた(C)が正解。選択肢の職業名をタテ読みしておくと、答えを探しやすくなりますよ。

□ **investment**：名 投資　□**catering**：名 ケータリング、出前
□ **training session**：研修会、講習会　□ **last**：動 続く　□**all day**：1日中、終日
□ **participant**：名 参加者　□**around**：約～の　□ **possible**：形 可能な
□ **quote**：名 見積（価格）　□ **detail**：名 詳細

Part 3の攻略ポイント

3人による会話

2人のシンクロを見抜け！

3人による会話は、2人の会話の応用編です。話し手が1人増えたからといって、気にすることはありません。

67~68

39. What is the conversation mainly about?

(A) Reserving a venue
(B) Attending a performance
(C) Donating to a festival
(D) Joining a music group

40. What do the men say about the event?

(A) It is taking place near the office.
(B) It is held every weekend.
(C) It is a special opportunity.
(D) It is very popular.

41. Why does the woman ask for a text message?

(A) She wishes to know a payment amount.
(B) She would like information about an assignment.
(C) She needs to confirm the number of participants.
(D) She wants to receive the details of a plan.

設問と選択肢の訳

39. 会話は主に何についてのものですか。
(A) 会場の予約　(B) コンサートへの参加
(C) 催しへの寄付　(D) 音楽グループへの加入

40. 男性たちはこのイベントについて何と言っていますか。
(A) 会社の近くで行われる。　(B) 毎週末行われている。
(C) 絶好の機会である。　(D) とても人気がある。

41. 女性はなぜテキストメッセージを頼んでいるのですか。
(A) 支払額を知りたいから。　(B) 任された業務の情報を知りたいから。
(C) 参加者の人数を確認したいから。(D) 計画の詳細を受け取りたいから。

攻略1 「タテ読み」で解答スピードUP！

会話の主題は、冒頭を聞けばOK。選択肢のカタチが同じ場合、解答スピードを上げるのに「タテ読み」が効果的です。

攻略2 2人の人物のシンクロを見抜け！

「第3の人物」の登場は2パターン。①会話の途中から参加して、話し手の1人に同意する、②話し手の1人と入れ代わって、会話を引き継ぐ。今回は①のパターン。このタイプの場合、**同意の瞬間が設問のターゲット**です。

攻略3 ask問題では、依頼表現を待て！

依頼問題では、「依頼」表現を待ち伏せます。**Would you ～?やPlease do ～.がヒントの耳印です。**加えて、ここでは設問の名詞キーワードtext messageもチェックしておきましょう。答えのヒントは、これらキーワードの近くにあります。

ask ⇒ Please ～.
のパターンが
出るぞ。

【39】□ **venue**：名 会場　□ **attend**：動 ～に出席する、～に参加する
□ **donate**：動 寄付する
【40】□ **hold**：動 ～を開催する
【41】□ **ask for ...**：…を求める　□ **payment**：名 支払い
□ **confirm**：動 ～を確かめる

▌会話文 67 M1: W: M2:

Questions 39 through 41 refer to the following conversation with three speakers.

「3人の会話」の耳印！

M1: Gemma, I'm glad I caught you before you left the office. ①I wanted to ask you if you'd like to join us for a concert on Sunday.

攻略 1
1問目のヒントは会話の冒頭！

W: Oh, that sounds interesting. Who will be performing?

M1: A jazz group, Cloud 9.

M2: Have you heard their music before? They're really good.

W: No, but count me in. Do you have tickets?

攻略 2
男性2人のシンクロに注目！

M1: Actually, the show is free as a part of the annual Summer Festival. ②It's a great opportunity to see some live jazz—right, Sam?

攻略 3
依頼表現を待ち伏せ！

M2: Absolutely. You'd usually have to pay around 100 dollars for a ticket.

W: Great. ③Please text me to let me know where and when we're meeting.

訳

設問39-41は次の3人の会話に関する問題です。

男1: ジェマ、君がまだ会社にいるうちに会えてよかったよ。①ぼくらは日曜日にコンサートに行くんだけど、一緒にどうかと思って。

女: まあ、おもしろそうね。誰が演奏するの？

男1: ジャスバンドのクラウド9だよ。

男2: 彼らの演奏を聴いたことはある？　とってもいいんだ。

女: ないわ。でも私も仲間に入れて。チケットは取ってあるの？

男1: 実は、毎年やっているサマー・フェスティバルの一環で、ショーは無料なんだ。②ジャズのライブを見る、またとない機会だよ。サム、そうだろ？

男2: その通り。普通にチケットを買おうとしたら100ドルはするよ。

女: すごいわね。③いつどこで待ち合わせするのか、テキストメッセージで送ってね。

39の解答・解説

正解 (B)  470点レベル

全体を問う設問　会話の主題に関する問題。なので、冒頭に集中しましょう。男性のセリフ①がヒント。男性が女性をコンサートに誘っていますね。join us for a concertをattending a performanceと言い換えた(B)が正解。各選択肢のing形を「タテ読み」して、解答スピードを上げましょう。(C) festivalや(D) musicは、会話中の単語を利用したひっかけ。内容を理解せずに、一部の聞こえた語句から判断すると誤答します。

40の解答・解説

正解 (C)  600点レベル

部分を問う設問　男性2人がイベントについて、何と言っているのかが問われています。イベントは、冒頭からコンサートとわかります。ポイントは、彼らの意見が一致する瞬間です。男性1が②で「またとない機会だよ」と述べたのに対して、男性2はAbsolutely.（その通り）と答えています。このとき、2人の意見がシンクロしていますね。コンサートは「またとない機会」ということで、正解は(C) It is a special opportunity.。

41の解答・解説

正解 (D)  600点レベル

部分を問う設問　女性がメッセージを送るように頼んだ「理由」が問われています。設問の主語が女性なので、女性のセリフで名詞キーワードtext messageを待ち伏せします。また、ask問題ですから、「依頼」表現も重要です。Please text meで始まる③がヒント。where and when we're meeting（いつどこで待ち合わせるか）をdetails of a plan（計画の詳細）と言い換えた(D) She wants to receive the details of a plan.が正解。コンサートは「無料」とあるので、(A)は誤り。(B)「仕事の割り当て」や(C)「参加者の人数」については、会話の中では触れられていません。

- □ **leave the office**：会社を出る
- □ **Count me in.**：私も仲間に入れて。
- □ **annual**：形 年1回の
- □ **opportunity**：名（よい）機会
- □ **text**：動 ～に携帯メールを送る

Part 3の攻略ポイント

会話と図表のクロス問題

クロス問題は「数」「名前」がポイント！

クロス問題では、チェックすべきポイントが決まっています。テクニックをうまく使い、ムダを省いて答えましょう。

42. Why does the man recommend a change?

(A) To satisfy employees
(B) To sell more machinery
(C) To prevent the loss of customers
(D) To improve plant safety

43. What does the man say about the board?

(A) It may reduce the budget.
(B) It will conduct some research.
(C) It could authorize new hires.
(D) It will require persuasion.

44. Look at the graphic. What level does the man want to reach by next year?

(A) Level 1
(B) Level 2
(C) Level 3
(D) Level 4

ここは一致

Industry Leader Analysis	
Business Level	Manufacturing problems per quarter
Level 1	0-2
Level 2	3-4
Level 3	5-6
Level 4	7-8

こちらの情報を聞き取る！

設問と選択肢の訳

42. 男性はなぜ変革を提案していますか。
(A) 従業員を満足させるため (B) より多くの機械を売るため
(C) 顧客を失うのを防ぐため (D) 工場の安全性を高めるため

43. 男性は取締役会について何と言っていますか。
(A) 予算を削減するかもしれない。 (B) 調査を行う。
(C) 新規採用を許可できた。 (D) 説得が必要である。

44. 図を見てください。男性が来年までに到達したいのはどのレベルですか。
(A) レベル1 (B) レベル2 (C) レベル3 (D) レベル4

攻略1 設問の主語をチェックせよ!

設問の主語が「男性」なので、答えのヒントは男性のセリフにあります。加えて、名詞キーワードはchange。2つのテクニックを駆使して、会話冒頭に集中しましょう。

攻略2 名詞キーワード周辺にヒントあり!

設問の先読みで、名詞キーワードthe board(取締役会)をチェックしましょう。これを耳印に、待ち伏せリスニングします。また、選択肢の動詞以下をさっと「タテ」読みしておくのも効果的です。

攻略3 選択肢にない情報が耳印!

会話と図表のクロス問題では、「数」や「名前」がポイントです。今回のようなチャートやリストの場合は、選択肢に書かれていない方の「数」を待ち伏せしましょう。

クロス問題は難問!
これ以外は確実に
得点してね。

【42】□ recommend : 動 ～を薦める　□ employee : 名 従業員
□ machinery : 名 機械　□ prevent : 動 ～を防ぐ　□ customer : 名 顧客
【43】□ reduce : 動 ～を減らす　□ conduct a research : 調査［研究］を行う
□ new hire : 新入社員　□ persuasion : 名 説得すること
【44】□ reach : 動 ～に達する

会話文 69 M: W:

Questions 42 through 44 refer to the following conversation and chart.

M: I'm worried about the number of quality control problems at our plant. ①We have to **change** the situation before we start losing clients.

W: I know, but we won't have the funds to replace our older equipment anytime soon.

M: ②I think **the board** might authorize a bigger budget, but we'll have to persuade them that it's necessary.

W: Let's show them this research on *Industry Leaders*. It shows how much we need to improve if we want to stay competitive.

M: I agree. Right now, we have over a dozen new issues every quarter—③but with new equipment, we could lower that to **five or six** by next year.

攻略 1
〈名詞⇒動詞〉の言い換えを見抜こう！

攻略 2
名詞キーワードに反応しよう！

攻略 3
図表の右側の情報を待ち伏せ！

訳

設問42-44は次の会話と図表に関する問題です。

男：工場の品質管理に関する問題発生数が心配です。①顧客が離れてしまう前に、状況を変えなければいけません。

女：わかっています。ですが、古くなった機器を取り替える資金は当分ありません。

男：②取締役会は予算の増額を承認するかもしれませんが、その必要性を説得しなければなりませんね。

女：『業界のリーダーたち』掲載の研究結果を彼らに見せましょう。競争力を保つのに、どれほどの改善が私たちに必要であるかが、この研究からわかります。

男：賛成です。現状では、四半期ごとに12件以上のトラブルが発生しています。③しかし、新しい機器を導入したなら、来年までに5〜6件にまで下げられるでしょう。

42の解答・解説

正解 (C)  470点レベル

部分を問う設問　男性が状況を変えようと提案している「理由」が問われています。名詞キーワードchangeを意識して、冒頭を聞きましょう。男性は①で、We have to change the situation before we start losing clients. と述べています。ここから、「顧客流失を防ぐため」とわかるので、選択肢(C) To prevent the loss of customersが正解。満足させるのは従業員ではなく、「顧客」なので(A)は不正解。

43の解答・解説

正解 (D)  600点レベル

部分を問う設問　「男性が取締役会について述べたこと」が問われています。名詞キーワードthe boardを待ち伏せすると、男性のセリフ②がピタリ。すべて聞き取れなくても、the board / authorize / budget / but / persuadeさえキャッチできれば、ざっくりと意味は取れます。「取締役会の承認には説得が必要」という内容ですね。動詞persuadeを名詞persuasionに言い換えた(D) It will require persuasion. が正解。

44の解答・解説

正解 (C)  730点レベル

部分を問う設問　「男性が到達したいレベル」が問われています。選択肢と図表の左側が同じ情報なので、右側を見ながら男性のセリフに集中します。男性は③で、「新しい機器があれば、トラブルは5～6件に下げられる」と言っています。図表を見ると、この件数はLevel 3に該当するので、正解は(C)。図表を先読みして、数を待ち伏せすれば、確実に解答できます。

『業界のリーダーたち』による分析	
ビジネスレベル	四半期における製造上の問題数
Level 1	0-2
Level 2	3-4
Level 3	5-6
Level 4	7-8

右側を見ながら
セリフを聞こう！

- □ **the number of ...**：…の数
- □ **quality control**：品質管理
- □ **plant**：名 工場
- □ **fund**：名 資金
- □ **replace**：動 ～を取り替える
- □ **board**：名 取締役会
- □ **authorize**：動 ～を許可する
- □ **persuade**：動 ～を説得する
- □ **competitive**：形 競争の
- □ **dozen**：形 12の、1ダースの
- □ **quarter**：名 四半期、3カ月、4分の1

Day 6

Part 3 実戦問題

Day 5で学習した攻略ポイントを使って、次の18問にチャレンジしてみましょう。

71~82

▶解答・解説は116ページ

45. What are the speakers mainly discussing?

(A) Introducing a service
(B) Creating new products
(C) Surveying customers
(D) Opening more stores

46. According to the man, what can be found in an online folder?

(A) A design proposal
(B) Questions from clients
(C) Research results
(D) Market analysis

47. What is the woman surprised by?

(A) The feedback from department staff
(B) The lack of data on a new market
(C) The originality of an employee's idea
(D) The amount of work completed

---

48. Who most likely is the man?

(A) A data security specialist
(B) A mechanic
(C) A customer service representative
(D) A furniture designer

49. What does the woman mean when she says, "I think I can find it"?

(A) She can get a sales receipt.
(B) She can order a product online.
(C) She can call a manufacturer.
(D) She can locate some information.

50. What does the man offer to do?

(A) Explain an assembly procedure
(B) Arrange for a delivery
(C) Mail a new booklet
(D) Call the woman back later

---

51. Who is Ms. Wong?

(A) A building manager
(B) A project leader
(C) An architect
(D) A magazine writer

52. What is the woman concerned about?

(A) The status of a project
(B) Damage to a building
(C) A lack of workers
(D) The cost of materials

53. What will the man probably do next?

(A) Visit a work-site
(B) Finish a report sooner
(C) Change a deadline
(D) Contact a colleague

54. Why is the woman calling?

(A) To explain a procedure
(B) To place an order
(C) To confirm an appointment
(D) To discuss guidelines

55. What type of organization does the woman work for?

(A) A manufacturing company
(B) A government department
(C) A law office
(D) An IT firm

56. What is the purpose of Form 7-9B?

(A) To apply for a building permit
(B) To request additional time
(C) To receive a tax exemption
(D) To obtain more documents

GO ON TO THE NEXT PAGE
（次のページに進んでください）

57. What information did the man consult?

(A) An interview schedule
(B) Sales results
(C) Employee credentials
(D) A training proposal

58. What problem do the women mention?

(A) A shortage of personnel
(B) The length of training
(C) The low wages for sales staff
(D) Changes to the board of directors

59. What will the board of directors have to do?

(A) Approve new sales targets
(B) Arrange a meeting quickly
(C) Agree to spend more money
(D) Prepare a document

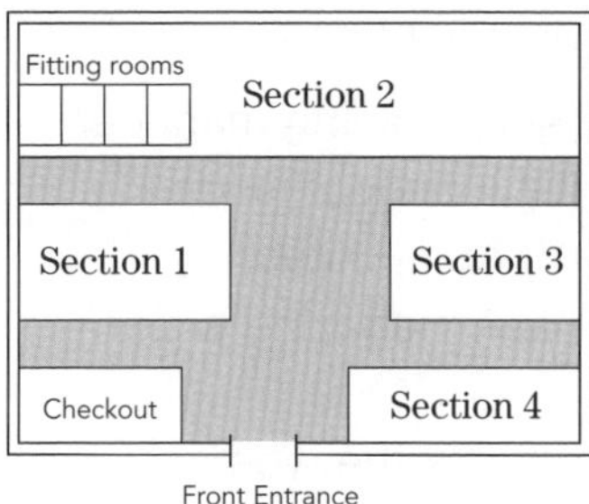

60. What did the woman recently do?

(A) Received some complaints
(B) Moved a clothing display
(C) Spoke with some managers
(D) Launched a new line of swimwear

61. What does the man say is important?

(A) Displaying more running shoes
(B) Increasing store inventory
(C) Improving customer service
(D) Selling seasonal merchandise

62. Look at the graphic. Where will the running shoes be displayed this month?

(A) In Section 1
(B) In Section 2
(C) In Section 3
(D) In Section 4

NO TEST MATERIAL ON THIS PAGE
（このページに問題はありません）

解答・解説

実戦問題の解答・解説

問題と訳

Questions 45 through 47 refer to the following conversation. 71~72

M: Hi, Diane. ① I wanted to get your opinion on whether we'd be able to begin offering same-day delivery, at least for some of our products.

W: Offhand, I'd say it would be difficult. It might be possible in some big cities.

M: I think it might be easier than you think. I've done some research on the topic and ② put my findings in our department's shared **online folder**. Could you take a look?

W: Sure, I'll do that. ③ **I'm surprised** you've already done so much analysis. If it's feasible, this idea could help us attract a lot more customers.

45. What are the speakers mainly discussing?
話し手たちは主に何について話し合っていますか。

(A) Introducing a service **(A) サービスの導入**
(B) Creating new products (B) 新商品の製作
(C) Surveying customers (C) 顧客の調査
(D) Opening more stores (D) より多くの出店

46. According to the man, what can be found in an **online folder**?
男性によると、オンラインフォルダには何が入っていますか。

(A) A design proposal (A) 設計案
(B) Questions from clients (B) 顧客からの質問
(C) Research results **(C) 調査の結果**
(D) Market analysis (D) 市場の分析

47. What is the woman **surprised** by?
女性は何に驚いていますか。

(A) The feedback from department staff (A) 部署のスタッフからの意見
(B) The lack of data on a new market (B) 新しい市場に関するデータの不足
(C) The originality of an employee's idea (C) 従業員のアイディアの独創性
(D) The amount of work completed **(D) 完了した仕事の量**

□ **opinion**：名 意見、見解　□ **at least**：少なくとも　□ **offhand**：動 思いつきで
□ **findings**：名 調査［研究］結果　□ **shared**：形 共有の

正解と解説

設問45-47は次の会話に関する問題です。

男： やあ、ダイアン。①うちで当日配送サービスを開始できるかどうかについて、君の意見を聞きたいんだ。自社製品の一部向けでいいんだけど。

女： 思いつきだけど、私は難しいと思うわ。大都市でなら可能かもしれないけど。

男： 君が思うより簡単かもしれないよ。その件に関してもう調査を行っていて、②その結果を部署共有のオンラインフォルダに入れておいたんだ。見てもらえるかな？

女： ええ、もちろん。③あなたがすでにそれほど多くの分析をしていたなんて驚きだわ。もし実現可能なら、そのアイデアはより多くの顧客を引きつける助けになりそうね。

主題は最初の5秒

正解 (A)　470点レベル

主題に関する問題は、最初の5秒を聞くのがセオリーです。男性は①で「当日配送サービスを始められるか」について、女性に意見を求めています。男性は新サービスの導入を提案しているので、選択肢(A)が正解。(B) productsや(C) customersは、会話に出てくる単語を使ったひっかけです。

□ introduce : 動 ～を導入する　□ survey : 動 ～を調査する

短い選択肢はタテ読み

正解 (C)　600点レベル

「オンラインフォルダ」の中身が問われています。男性はセリフ②で、「フォルダに調査結果を入れた」と述べています。正解は、findingsをresearch resultsと言い換えた(C)。

□ according to ... : …によると　□ proposal : 名 提案、企画案

surprisedを待ち伏せ

正解 (D)　600点レベル

「女性は何に驚いているか」という、驚きの原因に関する設問です。設問のキーワードsurprisedを待ち伏せしましょう。女性のセリフ③、I'm surprised ～.がヒント。「男性がすでに多くの分析を終えていること」に驚いていますね。これを言い換えた(D)が正解。

□ be surprised by ... : …に驚く　□ feedback : 名 意見、反応　□ originality : 名 斬新さ

□ take a look : 見てみる　□ do an analysis : 分析をする　□ feasible : 形 実現可能な

実戦問題の解答・解説

問題と訳

Questions 48 through 50 refer to the following conversation. 73~74

W: Hello, I'm calling about a problem with a living room table that I ordered from your Web site. It arrived on time, but it's missing a piece necessary for assembly.

M: Oh, I'm sorry about that. ①Do you know the part number?

W: **I think I can find it.** ②It should be in the instruction booklet, right?

M: Right. If you can tell me that, along with the receipt number and your address, ③**I can** have the part mailed to you right away.

W: OK, please wait a moment while I look for it.

---

48. Who most likely is the man?
(A) A data security specialist
(B) A mechanic
(C) A customer service representative
(D) A furniture designer

男性は誰だと思われますか。
(A) データ・セキュリティーの専門家
(B) 整備士
(C) サービス担当者
(D) 家具のデザイナー

49. What does the woman mean when she says, "**I think I can find it**"?
(A) She can get a sales receipt.
(B) She can order a product online.
(C) She can call a manufacturer.
(D) She can locate some information.

女性が「わかると思います」と言うとき、何を意図していますか。
(A) レシートを手に入れることができる。
(B) オンラインで商品を注文できる。
(C) メーカーに電話をすることができる。
(D) ある情報を見つけることができる。

50. What does the man **offer** to do?
(A) Explain an assembly procedure
(B) Arrange for a delivery
(C) Mail a new booklet
(D) Call the woman back later

男性は何をすることを申し出ていますか。
(A) 組み立て方法を説明する
(B) 配送を手配する
(C) 新しい説明書を郵送する
(D) あとで女性に電話をかけ直す

☐ **on time**：時間通りに ☐ **miss**：動 ～を欠く ☐ **assembly**：名 組み立て
☐ **part**：名 部品、パーツ ☐ **instruction booklet**：取扱説明書

正解と解説

設問48-50は次の会話に関する問題です。

女：もしもし、そちらのウェブサイトで注文したリビング用のテーブルに問題があったので、お電話しています。指定日時に届いたのですが、組み立てに必要な部品が1つ入っていないんです。

男：申し訳ございませんでした。①部品番号はおわかりですか。

女：わかると思います。②取扱説明書に載っているはずですよね？

男：そうです。レシートの番号をご住所とともにお伝えいただければ、③すぐに部品を郵送させます。

女：わかりました。説明書を探してくるので、少し待っててください。

冒頭に全集中しよう　正解 (C)　470点レベル

主題や会話の場所、人物の職業は、冒頭からイメージします。冒頭、「テーブルに問題があった」という女性に対して、男性は謝罪したあと、①や③で問題解決を図っています。ここから、男性は(C)の「サービス担当者」と推測できます。

☐ specialist：名 専門家　☐ mechanic：名 機械工、整備士
☐ representative：名 代表者、担当者、販売員

会話の流れから「意図」を読み取る　正解 (D)　730点レベル

女性のセリフ、「わかると思う」の前後の流れを整理しましょう。〈①男性は部品番号がわかるかたずねる〉→〈女性が「わかると思います」と答える〉→〈②女性はその番号が説明書に載っていることを確認する〉という流れです。どうやら、女性は自分で部品番号を見つけられそうですね。よって、(D)が正解。part number を some information と言い換えている点に注意しましょう。

☐ online：副 オンラインで　☐ manufacturer：名 製造会社、メーカー
☐ locate：動 ～を見つける、～を探す

offer問題は「申し出」を待て　正解 (B)　600点レベル

「男性が何を申し出ているか」が問われています。会話の中で男性が I'll ～./Let me ～./I can ～.などと申し出ている箇所がヒント。男性のセリフ③、I can have the part mailed to you がピタリ。このhaveは使役で、「部品を郵送させる」という意味。よって、正解は(B)。

☐ offer：動 ～を申し出る　☐ procedure：名 手順、方法　☐ arrange for ...：…の準備[手配]をする

☐ along with ...：…と一緒に　☐ receipt：名 領収書、受領　☐ right away：今すぐに
☐ look for ...：…を探す

実戦問題の解答・解説

問題と訳

Questions 51 through 53 refer to the following conversation. 75~76

W: ①Ben, I need an update on the Milton Office Building renovation. Alicia Wong is supervising that project, right?

M: Yes, and I just got an e-mail from her. She said we're not progressing as fast as we should be.

W: ②That's not good. Is there any particular reason why?

M: Well, we can only work on one floor at a time. Management won't close the entire building while we do the renovations, which would be more efficient.

W: Even so, our goal should be to meet our original deadline.

M: I understand. ③I'll call Alicia to discuss how we can speed things up.

51. Who is Ms. Wong?
(A) A building manager
(B) A project leader
(C) An architect
(D) A magazine writer

ウォンさんとは誰ですか。
(A) ビルの管理人
(B) プロジェクトのリーダー
(C) 建築家
(D) 雑誌の記者

52. What is the woman concerned about?
(A) The status of a project
(B) Damage to a building
(C) A lack of workers
(D) The cost of materials

女性は何を心配していますか。
(A) プロジェクトの状況
(B) ビルの損傷
(C) 作業員の不足
(D) 原材料のコスト

53. What will the man probably do next?
(A) Visit a work-site
(B) Finish a report sooner
(C) Change a deadline
(D) Contact a colleague

男性は次に何をすると思われますか。
(A) 作業現場を訪れる
(B) 報告書をより早く仕上げる
(C) 期日を変更する
(D) 同僚に連絡する

☐ **update** : 名 最新情報　☐ **renovation** : 名 修理、リフォーム
☐ **supervise** : 動 ～を監督する　☐ **progress** : 動 進む　☐ **particular** : 形 特別な

正解と解説

設問51-53は次の会話に関する問題です。

女：①ベン、ミルトン・オフィスビル改修工事の最新情報が必要なの。このプロジェクトの責任者はアリシア・ウォンだったわね？

男：はい。先ほど彼女からメールが来ました。工事は予定通りに進んでいないようです。

女：②それはよくないわね。これといった理由でもあるの？

男：そうですね、われわれが1度に作業できるのはワンフロアだけなんです。経営者は、改修工事中、ビル全体を閉鎖しようとしません。そのほうが効率的なのに。

女：そうであっても、当初の期日に間に合わせることを目標にしなければならないわ。

男：わかりました。③アリシアに電話して、どうすればペースを上げられるか話し合ってみます。

冒頭から「職種」をつかもう　正解 (B)　470点レベル

「ウォンさんの職業(職種)」が問われています。名詞キーワードMs. Wongを手掛かりに、冒頭に集中しましょう。女性は①で、「改修工事の最新情報が必要。プロジェクトの責任者はウォンですね？」と確認しています。これに対して、男性は「はい」と答えているので、選択肢(B)が正解。

☐ **manager**：名 経営者　☐ **architect**：名 建築家

「マイナス」をキャッチせよ　正解 (A)　600点レベル

「女性が心配していること」ですから、マイナスワードを待ち伏せましょう。女性は②でThat's not good.と、プロジェクトの進捗状況に対して懸念を示していますね。よって、正解は(A)。

☐ ***be* concerned about ...**：…を心配している　☐ **status**：名 状況　☐ **material**：名 材料

do nextを見たらI'llを待て　正解 (D)　470点レベル

「これから問題」では、会話の終盤でI'll〜.(これから〜します)やLet me *do* 〜.(〜させてください)を待つのがセオリーです。男性のセリフ③、I'll call Alicia to discuss 〜.がまさにピタリ。女性の最初のセリフから、アリシアはプロジェクトの責任者だとわかるので、彼女のことを「同僚、仕事仲間」と言い換えた(D)が正解。

☐ **probably**：副 おそらく　☐ **work-site**：名 職場　☐ **colleague**：名 同僚

☐ **management**：名 経営者　☐ **entire**：形 全体の　☐ **efficient**：形 効率のよい
☐ **even so**：たとえそうであっても　☐ **meet a deadline**：期限を守る

実戦問題の解答・解説

問題と訳

Questions 54 through 56 refer to the following conversation. 77~78

W: Hello, this is Yoko Patterson from Bolden-Mays Corporation. ① I'm calling to inquire about a letter dated June 8 that we received about a change in environmental regulations.

M: You must mean the one that outlines ② the new recycling requirements for local manufacturers. Was something in the guidelines unclear?

W: No, but it'll be challenging for us to meet the target by the end of this year. Is it possible to have more time?

M: ③ Yes, you can apply for an extension using Form 7-9B. If you're approved, you'll be exempted from the requirements until next year.

54. Why is the woman calling?
(A) To explain a procedure
(B) To place an order
(C) To confirm an appointment
(D) To discuss guidelines

女性はなぜ電話をしていますか。
(A) 手続きを説明するため
(B) 注文をするため
(C) 予約を確認するため
(D) ガイドラインについて話し合うため

55. What type of organization does the woman work for?
(A) A manufacturing company
(B) A government department
(C) A law office
(D) An IT firm

女性が働いているのはどのような団体ですか。
(A) 製造業
(B) 政府機関
(C) 法律事務所
(D) IT企業

56. What is the purpose of Form 7-9B?
(A) To apply for a building permit
(B) To request additional time
(C) To receive a tax exemption
(D) To obtain more documents

申込用紙7-9Bの目的はなんですか。
(A) 建築許可の申請をすること
(B) 猶予期間を要請すること
(C) 税金の控除を受けること
(D) 追加の文書を入手すること

□ corporation : 名 法人、会社 □ inquire : 動 たずねる □ dated : 形 ～日付の
□ regulation : 名 規制 □ outline : 動 ～の要点を述べる
□ requirement : 名 要求すること □ challenging : 形 厳しい

正解と解説

設問54-56は次の会話に関する問題です。

女：もしもし、ボールデン・メイズ社のヨーコ・パターソンと申します。①私どもが受け取った6月8日付の環境規制の改正に関する手紙についてお聞きしたいのですが。

男：おっしゃっているのは、②地元の製造業者のための新しいリサイクル要請に関する概要書のことですね。ガイドラインに何かご不明な点がありましたか。

女：いいえ、ですが私たちにとって、年末までにその目標を達成するのは困難です。もう少し時間をいただけませんか。

男：③ええ、申込用紙7-9Bで適用の延長を申請することができます。承認されれば、来年まで要請は免除されます。

I'm callingを待ち伏せよう　正解 (D)　600点レベル

「電話をかけている理由」なので、I'm callingを待ち伏せます。女性のセリフ①、I'm calling toのあとがヒント。inquire about(～についてたずねる)→discuss(～について話し合う)、change in environmental regulations(環境規制の改正)→guidelines(ガイドライン)の言い換えを見抜き、選択肢(D)を選びましょう。

タテ読みで「業種」を絞る　正解 (A)　600点レベル

職業を問う設問には、選択肢のタテ読みが有効。4つの業種をチェックして、ヒントが聞こえてくるのを待ちましょう。男性は②で、「地元の製造業者のための～」と述べています。ここから、ズバリ(A)「製造業」が正解とわかりますね。

☐ organization : 名 組織、団体　☐ government : 名 政府　☐ department : 名 局、部
☐ firm : 名 会社、事務所

名詞キーワードの前後をチェック　正解 (B)　600点レベル

キーワードForm 7-9Bを待ち伏せして、その前後にヒントを探します。会話の終盤、女性の「もう少し時間が欲しい」という要望に対して、男性は③でForm 7-9Bの申請を提案しています。この申込用紙は、適用の延長を申請するものなので、(B)が正しい答えです。

☐ purpose : 名 目的　☐ permit : 名 許可　☐ additional : 形 追加の
☐ exemption : 名 免除　☐ obtain : 動 ～を手に入れる

☐ meet a target : 目標を達成する　☐ apply for ... : …に申し込む
☐ extension : 名 延長　☐ approve : 動 ～を承認する　☐ exempt : 動 ～を免除する

実戦問題の解答・解説

問題と訳

Questions 57 through 59 refer to the following conversation with three speakers. 79~80

W1: We seem to have hired enough new sales personnel to cover our needs this year, but I wonder if they have enough experience.

M: That's a valid concern. ①Based on the résumés I've seen, most of them have no background in sales.

W1: ②We could compensate for that by making their initial training longer. Nancy, what do you think?

W2: That makes sense. I've always thought the training was too short. New hires would perform better if they were more prepared.

M: ③We'd need to have the extra expense approved by the board of directors. That won't be easy at all.

W2: Why don't I put together a preliminary proposal, then send it to you for feedback?

---

57. What information did the man consult?
男性はどの情報を閲覧しましたか。

(A) An interview schedule　(A) 面接のスケジュール
(B) Sales results　(B) 販売実績
(C) Employee credentials　(C) 従業員の経歴
(D) A training proposal　(D) 研修の提案

58. What problem do the women mention?
女性たちはどんな問題を述べていますか。

(A) A shortage of personnel　(A) 人員不足
(B) The length of training　(B) 研修期間
(C) The low wages for sales staff　(C) 販売スタッフの低い賃金
(D) Changes to the board of directors　(D) 取締役会の変更

59. What will the board of directors have to do?
取締役会は何をしなければならないですか。

(A) Approve new sales targets　(A) 新しい売上目標を承認する
(B) Arrange a meeting quickly　(B) すぐに会議の準備をする
(C) Agree to spend more money　(C) より多額の出費に同意する
(D) Prepare a document　(D) 書類を作成する

□ **cover a need**：必要を賄う　□ **valid**：形 もっともな　□ **résumé**：名 履歴書
□ **compensate for ...**：…を相殺する　□ **initial**：形 最初の
□ **make sense**：当然である　□ **extra**：形 余分な、追加の

正解と解説

設問57-59は次の3人による会話に関する問題です。

女1：今年の人員不足を補う、十分な人数の販売スタッフを採用したようね。でも、彼らには十分な経験があるのかしら。

男：そう心配するのも、もっともだね。①ぼくが見た履歴書によれば、彼らのほとんどは販売の経験がなかったよ。

女1：②最初の研修期間を長くすれば、その点は改善できるわ。ナンシー、あなたはどう思う？

女2：その通りよ。私はずっと研修期間が短すぎると思っていたの。新人たちは、もっと準備ができていれば、よりいい仕事ができるんじゃないかしら。

男：③取締役会で、追加費用を承認してもらう必要があるね。骨が折れそうだけど。

女2：私が予備提案をまとめてあなたたちに送るから、意見をもらえない？

設問の主語をチェック　正解 (C)　600点レベル

「男性が目にした情報」が問われています。設問の主語がthe manなので、男性のセリフに集中しましょう。男性は①で、「ぼくが見た履歴書によれば」と言っています。「履歴書」は職歴などの経歴を記すもの。よって、選択肢(C)が正解。

□ **consult**：動 ～を閲覧する、相談する　□ **credential**：名 資格、経歴

意見が一致する瞬間をキャッチ　正解 (B)　730点レベル

「女性2人が述べている問題点」が問われています。彼女たちがシンクロして、「同意見」を述べる箇所が狙い目。女性1は②で、「研修期間を延ばせば、経験不足は解消できる」と主張しています。意見を聞かれた女性2は、「その通り」と賛同しているので、(B)が正解。

□ **mention**：動 ～に言及する　□ **shortage**：名 不足　□ **personnel**：名 社員

言い換えを極めよう　正解 (C)　600点レベル

名詞キーワードthe board of directors（取締役会）をチェック。セオリー通り、キーワード前後にヒントを探します。男性のセリフ③がヒント。the board of directorsによるextra expense（追加費用）の承認に言及していますね。これをspend more money（より多額の費用を使う）と言い換えた(C)が正解。

□ **target**：名 目的、目標　□ **spend**：動（お金）を使う　□ **prepare**：動 ～を準備する、～を作成する

□ **expense**：名 費用、経費　□ **board of directors**：取締役会
□ **put together ...**：…をまとめる　□ **preliminary**：形 予備の、準備の

実戦問題の解答・解説

問題と訳

Questions 60 through 62 refer to the following conversation and floor plan. 81~82

W: ①I've received calls from a few of our store managers recently. They want to know where they should display the new line of running shoes.

M: Aren't new products usually placed next to the entrance?

W: Yes, but right now, our summer athletic wear is being displayed there.

M: Good point. ②It's essential that we sell as much of that as possible during the season. In that case, ③I guess the shoes should be placed at the rear of the stores ... at least for the first month.

W: Agreed. Once we've reduced our summer inventory, we can reassess their positioning.

60. What did the woman recently do? 女性は最近何をしましたか。

(A) Received some complaints (A) 苦情を受けた

(B) Moved a clothing display (B) 衣料品のディスプレーを移動した

(C) Spoke with some managers **(C) 数人の店長と話をした**

(D) Launched a new line of swimwear (D) 水着の新商品を立ち上げた

61. What does the man say is important? 男性は何が重要であると言っていますか。

(A) Displaying more running shoes (A) もっと多くのランニングシューズを陳列すること

(B) Increasing store inventory (B) 店の商品在庫を増やすこと

(C) Improving customer service (C) 顧客サービスを改善すること

(D) Selling seasonal merchandise **(D) 季節の商品を売ること**

62. Look at the graphic. Where will the running shoes be displayed this month? 図を見てください。今月、ランニングシューズはどこに陳列されますか。

(A) In Section 1 (A) 第1セクション

(B) In Section 2 **(B) 第2セクション**

(C) In Section 3 (C) 第3セクション

(D) In Section 4 (D) 第4セクション

□ **store manager**：店長　□ **new line**：新商品　□ **entrance**：名 入り口

□ **Good point.**：いいとこ突いているね。　□ **essential**：形 絶対必要な

□ **as ... as possible**：できるだけ…　□ **in that case**：もしそうなら

正解と解説

設問60-62は次の会話と見取り図に関する問題です。

女：①最近、店長数人から電話を受けました。新商品のランニングシューズをどこに陳列したらいいのか知りたがっています。

男：通常、新商品は入り口の隣に置くのではないのですか。

女：ええ、ですが今、そこには夏向けの競技用ウェアが置かれています。

男：そうでした。②それらを夏のうちに、できるだけ多く売ることが不可欠です。それなら、③新商品のシューズは店の後方に置いたらどうでしょうか。少なくとも最初の1カ月間は。

女：同感です。夏物商品の在庫が減ってきたら、配置を見直せばいいですね。

選択肢の動詞をタテ読み

正解 (C)  470点レベル

「女性の行動」が問われています。選択肢の動詞部分をタテ読みして、女性の動作を絞り込みましょう。冒頭の発言①がヒント。これは、「数人の店長と話をした」ということ。よって、選択肢(C)が正解。received calls(電話を受けた)→spokeの言い換えがカギです。

□ **complaint**：名 苦情　□ **launch**：動 ～を始める、～を売り出す

男性の主張を見抜こう

正解 (D) 600点レベル

男性が「重要」と主張している箇所に、ヒントを探しましょう。男性のセリフ②に、It's essential that we sell as much of that as possible ～. とあります。このthatは、summer athletic wear(夏向けの競技用ウェア)を指しているので、(D)が正解です。important(重要な)→essential(絶対必要な)の言い換えがポイント。

□ **improve**：動 ～を改善する　□ **seasonal**：形 季節(ごと)の　□ **merchandise**：名 商品

展示スペースの位置をチェック

正解 (B)  730点レベル

地図や見取り図の問題では、選択肢に並ぶモノの位置に注目しましょう。設問のキーワードはrunning shoesとthis month。男性は③で、「最初の1カ月は店の後方に置くといい」と述べています。そこで見取り図をチェックすると、(B)のSection 2が「後方」だとわかります。

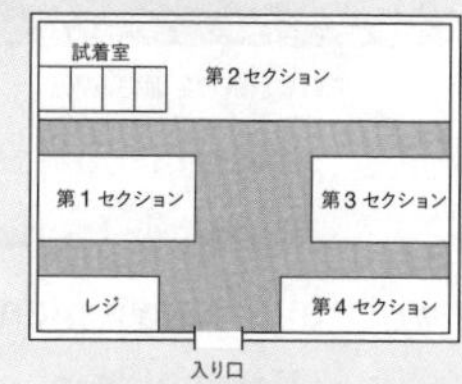

□ **at the rear of ...**：…の後方に　□ **Agreed.**：同感です。　□ **once**：接 ～した時点で、～するとすぐに　□ **inventory**：名 在庫　□ **reassess**：動 ～を見直す

パート1
パート2
パート3
Day 5
Day 6
パート4

スコアに差が出る 頻出フレーズ50

Part3の頻出フレーズです。
ビジネスシーンをイメージして覚えましょう。

求人		83
① □	job opening	求人
② □	job interview	就職面接
③ □	sales representative	営業担当者
④ □	former position	前職
⑤ □	extensive experience	幅広い経験
⑥ □	qualified applicant	適任の候補者
⑦ □	entire staff	全スタッフ
⑧ □	reduce a workload	仕事量を減らす
⑨ □	screen applicants	応募者を選考する
⑩ □	register in advance	事前に登録する

製品・販売		84
⑪ □	new arrival	新製品
⑫ □	product brochure	製品カタログ
⑬ □	quality control	品質管理
⑭ □	household appliance	家電製品
⑮ □	safety guideline	安全マニュアル
⑯ □	defective product	欠陥商品
⑰ □	competitive price	競争力のある価格、低価格
⑱ □	special promotion	特別キャンペーン
⑲ □	make a payment	支払う
⑳ □	get a refund	返金してもらう

ビジネス		85
㉑ □	market share	市場シェア
㉒ □	potential customer	見込み客
㉓ □	customer feedback	顧客の意見
㉔ □	alternative plan	代替案
㉕ □	shareholders' meeting	株主総会
㉖ □	annual convention	年次総会
㉗ □	negotiate a deal	契約の交渉をする

オフィスでは備品が切れます。在庫はsupply cabinet（消耗品用の戸棚）にあるぞ！

㉘	□ on schedule	予定通りに
㉙	□ ahead of schedule	予定より早く
㉚	□ behind schedule	予定より遅れて

オフィスワーク 86

㉛	□ make an arrangement	手配をする
㉜	□ leave a message	伝言を残す
㉝	□ check inventory	在庫を確認する
㉞	□ restore a system	システムを修復する
㉟	□ oversee the work	仕事を監督する
36	□ work overtime	残業する
37	□ heavy workload	大量な仕事の量
38	□ leading supplier	大手の納入業者
39	□ express mail	速達
40	□ medical check-up	健康診断

旅行・出張 87

41	□ boarding pass	搭乗券
42	□ upcoming trip	今度の旅行
43	□ change an itinerary	旅程を変更する
44	□ direct flight	直行便
45	□ proceed to Gate 3	３番ゲートに進む
46	□ room rate	宿泊料
47	□ additional charge	追加料金
48	□ complimentary breakfast	無料の朝食
49	□ French cuisine	フランス料理
50	□ exchange rate	為替レート

カタマリをとらえる！

—コロケーション・ツリーを活用しよう！—

英文を速く読み、正確に聞くにはどうすればいいでしょうか？

大事なことは、**語句を「カタマリ」でとらえる**ことです。**単語ではなくフレーズで読む／聞くと、理解のスピードがアップ**します。

フレーズは、連語や熟語、あるいはコロケーションと言われます。それらは、**「単語の慣用的な繋がり」**のこと。conduct a survey（調査を行う）などが好例です。コロケーションを覚えておけば、リスニングやリーディングでの理解が高まり、解答速度が上がるのは言うまでもありません。

基本単語のコロケーション・ツリーを見ていきましょう。単語は簡単ですが、コロケーションになると、一気に語彙レベルが上がりますよ。

1 sales　　88

コロケーション・ツリーで頻出表現をチェック！まずは、sales！

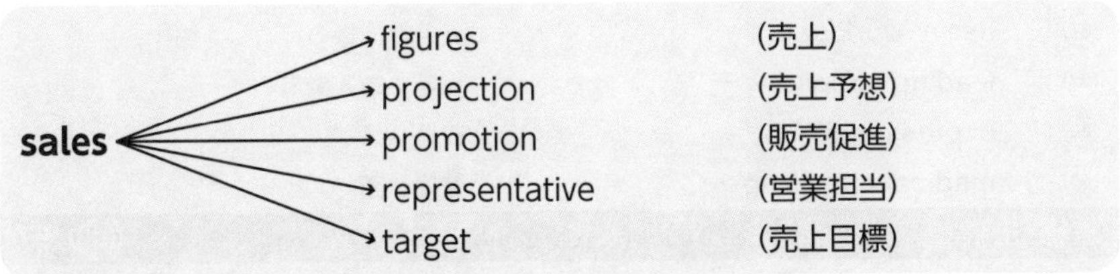

➡**salesはビジネスの必須ワード**。例えば、販売部長（sales manager）は簡単ですが、営業担当（sales representative）はどうでしょうか？　海外売上（overseas sales）を増やすために、販売戦略（sales strategy）を見直す、のようにsalesの使い方は多いですよ！

2 office　　89

次は、officeのコロケーション・ツリーです。

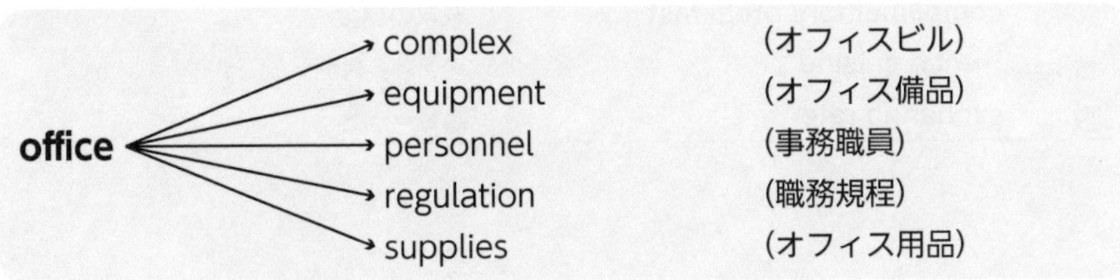

➡TOEICワールドでは、**オフィスは定番のシチュエーション**です。officeのコロケーションは意外と難。ツリーをどんどん増やしていきましょう。

動詞のコロケーションも見ていきます。コロケーション・ツリーを活用して、どんどんボキャビルしていきましょう！

3 conduct

90

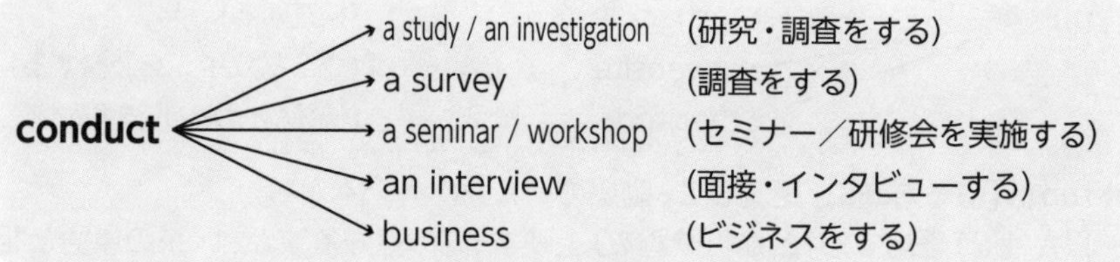

➡**conductは、イコールdo(～する)とイメージ**します。
「調査」や「セミナー」などが目的語にくるのが特徴。ビジネスシーンでは必須の表現ばかりです。

4 make

91

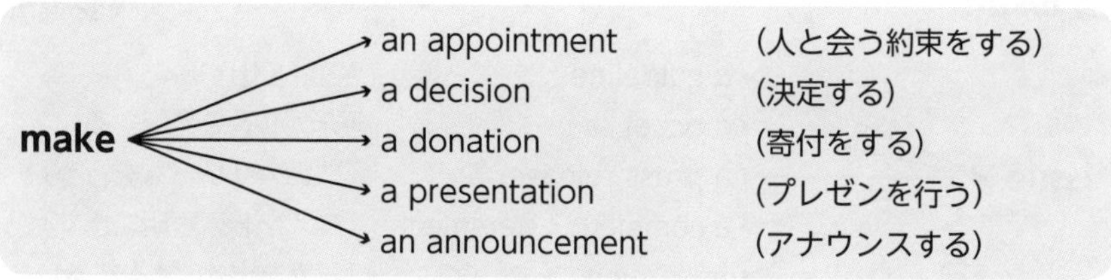

make
an appointment
(人と会う約束をする)
a decision
(決定する)
a donation
(寄付をする)
a presentation
(プレゼンを行う)
an announcement
(アナウンスする)

➡**makeはシチュエーションで覚えましょう。**
「オフィス」の用例は、ツリーの他に、電話する(make a call)や問い合わせる(make an inquiry) が定番。 また、「銀行」では預金する(make a deposit)や預金を引き出す(make a withdrawal)、「ホテル」では予約する(make a reservation)など、色々なシーンで使われます。

5 meet

92

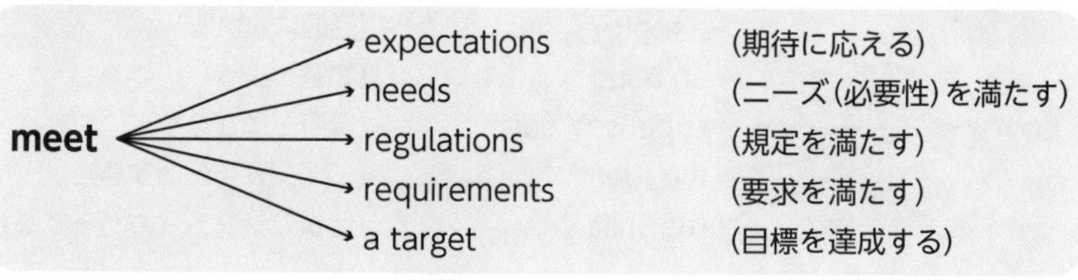

➡**期待や要望を「満たす」イメージ**です。
ビジネス的なシーンでは、meetが大活躍。ニーズに応えたり、目標を達成！そういう文脈ではmeetです。

6 run

((🔈 93

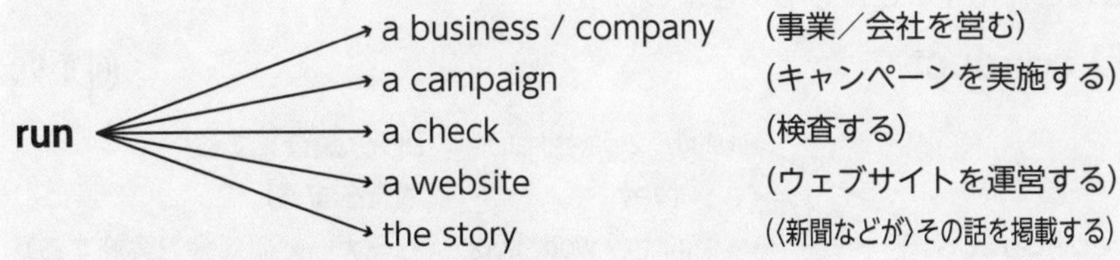

➡ **runは「ある方向に、継続して、動いていく」イメージ。**

「(会社を)経営する」とか「(映画を)上映する」の意味ですが、IT系の単語と相性がいいのは盲点です。上記に加えて、ソフトを起動する(run a software)やウイルスチェックする(run a virus check)もrunです。

また、偶然出会う(run across)、立候補する(run for～)、使い果たす(run out of～)、不足する(run short of～)のように、イディオムとしても有名。

7 issue

((🔈 94

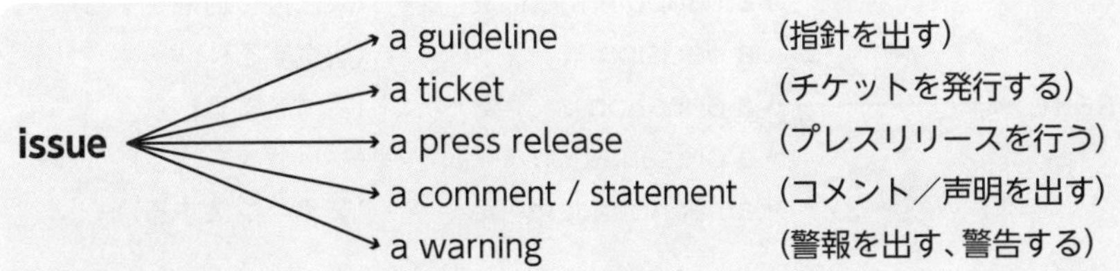

➡ **issueは「外に出る」イメージ。**

例えば、本やチケット、声明などを出すときに使います。名詞issue(発行(物)、問題)も大事。最新号(the latest issue)や問題を提起する(raise an issue)は頻出です。

8 cover

((🔈 95

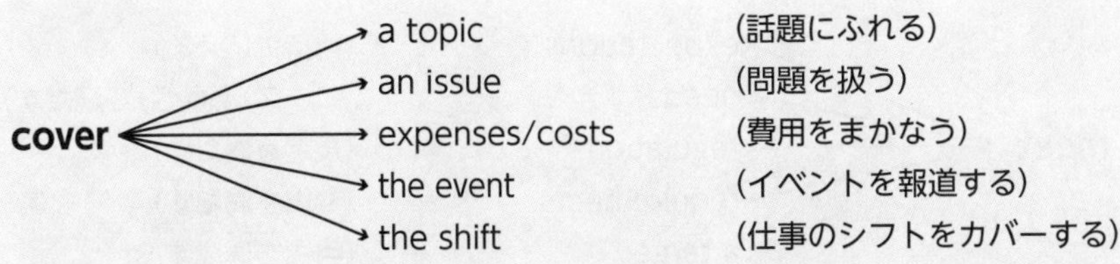

➡ **coverは「覆う」**という意味ですが、**「含む」「扱う」「報道する」**など色々な意味で使われます。名詞のcoverage(報道、対象、範囲)は重要！例えば、media coverage(メディア報道)やcomprehensive coverage(〈自動車保険などの〉総合保障)になると、ハイレベルです。

第2部 リスニング問題を攻略

Part 4

説明文問題

Day 7	月	日	分
Day 8	月	日	分

リスニング・セクション								リーディング・セクション					
Part 1		Part 2		Part 3		Part 4		Part 5		Part 6		Part 7	
Day 1	Day 2	Day 3	Day 4	Day 5	Day 6	Day 7	Day 8	Day 9	Day 10	Day 11	Day 12	Day 13	Day 14

Part 4の「長さ」を怖がってはダメ。冒頭の主題キャッチが突破口になります。

Day 7

Part 4 基礎知識

パートの特徴

▌問題数：

30問／10の説明文（実際のテストでは、No. 71〜100の問題）

▌目標正解数：

13問（470点）　17問（600点）　20問（730点）

▌テスト時間：

約15分（1問あたりの解答時間は8秒、図表問題のみ12秒）

▌出題形式：

アナウンスなどの説明文を聞いて、その内容に関する3つの設問に答える問題です（1セット3問）。Part 3の話し手は「2〜3人」で、Part 4は「1人」です。そのほかは、両者の形式は似ています。

▌出題パターン：

リスニング・セクション最後のパート。折り返し地点は目の前です。

説明文の長さは平均45秒。アナウンスに加え、会議での発言や地元のニュース、電話メッセージなどが出題されます。

設問のタイプはPart 3と同じように、テーマに関する「全体を問う設問」と、詳細に関する「部分を問う設問」の2パターンです。

指示文の内容

96

Part 4では1人の人物によるトークが数セット放送されます。それぞれのトークで話される内容について、3つの質問に答えましょう。質問ごとに最も適切な選択肢を(A)(B)(C)(D)の中から1つ選び、解答用紙にマークしてください。トークは問題冊子には印刷されておらず、また、放送は1度だけです。

(Part 4の【問題冊子と例題】は省略させていただきます)

Part 4 解答までの流れ

放送	時間	すること
Directions（指示文）	30秒	**設問の先読み！** 1セット目の設問3つ（No. 71～73）を読む。
1セット目スタート Questions 71 through 73 refer to the following talk.	3秒	（1問目スタート！） **先読みストップ！** イントロが聞こえたら設問の先読みをやめ、説明文のリスニング態勢へ。
説明文 説明文	平均45秒	**設問を意識しながら聞く！** 先読みでチェックした内容を頭の片隅に置いて、説明文を聞く。
1問目 No. 71の設問	約5秒	（答えをマーク！） **設問の放送は無視！** 3問目の読みあげが始まる前までに3問すべてに解答。
ポーズ（無音）	8秒*	
2問目 No. 72の設問	約5秒	
ポーズ（無音）	8秒	
3問目 No. 73の設問	約5秒	**次のセットの設問を先読み！** 3問目の放送&ポーズの13秒間でNo. 74～76の設問を先読みする。
ポーズ（無音）	8秒	
2セット目スタート Questions 74 through 76 refer to the following telephone message.	3秒	**先読みストップ！** イントロが聞こえたら先読みをやめ、説明文のリスニング態勢に入る。

No. 100までこの流れをくり返します。

＊「図表問題」は、設問のあとのポーズが12秒あります。

Part 4 攻略しよう！

攻略の基本ルール

「設問の先読み」を使いこなそう！

Part 4は、Part 3と同じルールで攻略できます。設問の先読みで、事前にリスニング・ポイントをチェックしましょう。

攻略のステップ

ステップ 1
設問の先読み！
設問のポイントを事前にチェックする
ステップ 2
ジャンルを見抜け！
ジャンルを確認し、流れを予測する
ステップ 3
設問音声は無視！
設問を読んで解答し、先読み時間を確保

ステップ1 設問の先読み！ 設問のポイントを事前にチェックする

Part 4で放送される英文は長いので、Part 3以上に設問の先読みが重要です。まずは設問だけを先読みし、「先読みワード」をチェックしましょう。このひと手間を惜しむと、出題ポイントがわからないまま放送を聞くハメになります。設問のタイプもPart 3とほぼ同じ。大きく「全体を問う設問」と「部分を問う設問」の2パターンです。

全体を問う設問（7〜9問程度） 97

説明文のテーマや場所、話し手や聞き手の職業に関する設問です。ヒントは説明文全体に散らばっていますが、特に冒頭部分に集中しましょう。

1 主題・目的に関する問題

例）**What** is the purpose of the announcement?
（アナウンスの目的は何ですか）

2 場所に関する問題

例）**Where** is the talk taking place?
（話はどこで行われていますか）

3 職業に関する問題

例）**Who** most likely is the speaker?
（話し手は誰[職業はなん]だと考えられますか）

部分を問う設問（20～22問程度） 98

説明文の細部に関する設問です。ヒントが1箇所しかないので、聞き逃しは厳禁。パターン自体はPart 3と似ています。

1 依頼問題（ask、request、instruct、suggestなど）

機内アナウンスやツアーガイド、電話メッセージなどでは、聞き手に対する依頼（指示）内容が問われます。Pleaseなどのお願い文がヒント。

【設問】 What does the speaker **request** that the listeners do?
（話し手は聞き手に何をするように頼んでいますか）

待ち伏せする依頼表現

Could[Would] you ～?	～してくれませんか。
Please *do* ～.	～してください。
I recommend that you *do* ～.	～することをお勧めします。

2 トラブル問題（problem、issueなど）

Part 4でもトラブルは頻出です。購入した商品や部屋の不具合、在庫不足、担当者の不在など盛りだくさん。マイナス表現を待ち伏せしましょう。

【設問】 What **problem** does the speaker mention?
（話し手はどんな問題について述べていますか）

待ち伏せするトラブル表現

Unfortunately ～.	残念ながら、～。
have problems with ...	…に問題がある。
Something is wrong with ...	…の具合が悪い。

3 これから問題（will do、should doなど）

終盤で、これから起こることなどが問われます。

【設問】 What does the speaker say he **will do**?
（話し手は何をすると言っていますか）

待ち伏せする、これから表現

I'll ～. / I'm going to *do* ～.	私が～します。
We'll ～. / We're going to *do* ～.	私たちが～します。

4 名詞キーワードを含む問題

キーワードは、聞きどころを教えてくれる「耳印」。Part 3同様、フル活用しましょう。

【設問】 What does the speaker say about **the branch office**?
（話し手は支社について何と言っていますか）

5 セリフの意図問題

ターゲット文を含む問題では、その前後の流れをつかんでいないと解けません。このタイプに出会ったら、少し広く聞くよう意識しましょう。

【設問】 What does the speaker mean when she says,**"I don't want you listening passively"**?
（話し手が「みなさんには受け身になって聞いて欲しくはありません」と言うとき、何を意図していますか）

6 説明文と図表のクロス問題

説明文と図表をクロスさせて解く問題。設問と選択肢に加え、図表も先読みして、情報をインプットします。図表の情報は、Part 3同様、選択肢にないほうが耳印になります。

【設問】 **Look at the graphic.** Who will be the final speaker?
（図を見てください。最後の講演者は誰ですか）

ステップ 2 ジャンルを見抜け！ ジャンルを確認し、流れを予測する

放送を聞くときには、説明文の「ジャンル」を意識しましょう。話の流れはある程度パターン化されているので、ジャンルの確認は、内容理解に役立ちます。例えば、イントロ部分がQuestions 71 through 73 refer to the following announcement.であれば、ジャンルはアナウンスです。

1 電話 (telephone message／recorded message)

電話メッセージ	留守番電話に残されたメッセージ。旅行代理店から客への旅程確認、病院から患者への予約確認、同僚への仕事依頼など。
自動音声案内	顧客向け電話案内。会社、店舗、美術館、映画館などが好例。営業時間外の音声サービス案内を含む。

2 アナウンス（announcement）

社内アナウンス	会議やパーティーの案内に加え、ビルの改装工事の告知など。
公共アナウンス	空港・駅での遅延情報や搭乗案内、CAによる機内アナウンス、イベントの場内アナウンスなど。

3 トーク、スピーチ、会議の一部（talk／introduction／excerpt from a meeting）

前説	イベント・セミナー・ツアーの冒頭で行われる、開催目的やタイムテーブルの説明。式典では、講演者・受賞者の紹介など。
受賞スピーチ	受賞者自身による受賞への感謝・お礼のことば。
会議での発言	業務連絡、売上報告、調査結果のプレゼンなど。

4 ニュース、放送（news report／radio broadcast）

ローカルニュース	祭りなどのイベント情報、公共施設のリニューアル情報など。合併に関するビジネスニュースや交通・気象情報も。
番組	健康や音楽番組など。医師や作家などがゲストで登場。

5 宣伝（advertisement）

CM	ラジオなどでの商品やサービスのCM。特長や購入方法などが述べられる。
セール案内	デパート、スーパーなどの店内で流れるセールに関する告知。

ステップ3 設問音声は無視！ 設問を読んで解答し、先読み時間を確保

Part 4でも、設問の音声は無視しましょう。3問目の設問読み上げまでに、3問すべてを解答して、次のセットの先読みを始めてください。

マークシートへの解答方法もPart 3と同じです。チェックだけを入れておき、塗りつぶすのはPart 5が始まってから。塗る時間をセーブして、先読み時間を確保しましょう。

Part 4 攻略問題

それでは、Part 4の問題を実際に9問解いてみましょう。
説明文に続いて、設問が3つ読まれます。それぞれの設問について、説明文の内容を最も適切に伝えている選択肢を(A)〜(D)の中から1つ選んで、解答用紙にマークしてください。

99~104

63. What is the main purpose of the talk?

(A) To present an award
(B) To introduce a speaker
(C) To promote an organization
(D) To announce an appointment

64. In which area is Ms. Patel an expert?

(A) Energy
(B) Marketing
(C) Agriculture
(D) Economics

65. According to the speaker, what change will be made?

(A) A talk will start later than scheduled.
(B) A documentary will be shown.
(C) A speaker will be replaced.
(D) A reception will last longer.

66. Where does the speaker work?

(A) At a medical school
(B) At a pharmacy
(C) At a clinic
(D) At a laboratory

67. According to the speaker, what can Mr. Lankov do on the Web site?

(A) Send a message
(B) Make an appointment
(C) Order a product
(D) Check a schedule

68. When will Dr. Fong be available?

(A) Today
(B) Tomorrow
(C) Next week
(D) In a couple of weeks

69. What did the speaker discuss with Kaylee Patrino?

(A) The handling of a change
(B) The results of a survey
(C) The timing of a project
(D) The cost of a building

70. What does the speaker mean when he says, "we feel we can minimize the impact"?

(A) A merger will not hurt productivity.
(B) The business will keep operating normally.
(C) The cost of a project will be reduced.
(D) Most employees will not be moved.

71. What does the speaker say will take place in March?

(A) A review of a process
(B) The opening of an office
(C) Hiring of new managers
(D) The launch of a system

次のページからは、今回の問題を使って、Part 4の攻略ポイントを見ていきます。 To Be Continued

Part 4の攻略ポイント

トーク（前説）

トークの主題は冒頭を聞け！

主題や目的を問う設問は、冒頭のキャッチが生命線！ 説明文のジャンル紹介も含め、出だしから放送に集中しましょう。

63. What is the main purpose of the talk?

(A) To present an award
(B) To introduce a speaker
(C) To promote an organization
(D) To announce an appointment

64. In which area is Ms. Patel an expert?

(A) Energy
(B) Marketing
(C) Agriculture
(D) Economics

65. According to the speaker, what change will be made?

(A) A talk will start later than scheduled.
(B) A documentary will be shown.
(C) A speaker will be replaced.
(D) A reception will last longer.

設問と選択肢の訳

63. トークの主な目的は何ですか。
(A) 賞を贈ること (B) 講演者を紹介すること
(C) 組織を宣伝すること (D) 任命を発表すること

64. パテル氏はどの分野の専門家ですか。
(A) エネルギー (B) マーケティング
(C) 農業 (D) 経済学

65. 話し手によると、どんな変更が加えられますか。
(A) 講演が予定より遅れて始まる。 (B) ドキュメンタリーが上映される。
(C) 講演者が交代になる。 (D) レセプションが長くなる。

攻略1 トークの主題をつかめ

前説のトークでは、司会者が人物を紹介するのが定番です。講演者・受賞者の紹介に加え、イベントの開催目的やツアー手順の説明なども頻出。**人物紹介の流れは、〈①あいさつ→②人物紹介（肩書や経歴）→③タイムテーブルの確認〉**です。

攻略2 「タテ読み」のススメ！

職業に関する問題の応用編。Whoではなく、In which areaで「専門分野」が聞かれています。4つの選択肢を「タテ読み」して、専門分野を絞り込みましょう。

攻略3 キーワードは柔軟に！

Part 4でも、設問の名詞キーワードのチェックは必須。ただし、説明文では別の表現に言い換えられることもあります。ここではchangeをチェックし、「何か変更があるな」とざっくり押さえておけばOKです。

Part 4は話し手が
「1人」なので、
Part 3よりカンタンだよ。

【63】□ **present**：動 ～を贈る　□ **award**：名 賞
□ **promote**：動 ～を宣伝する、～を促進させる　□ **appointment**：名 任命
【64】□ **agriculture**：名 農業　□ **economics**：名 経済学
【65】□ **replace**：動 ～に取って代わる

会話文 99

Questions 63 through 65 refer to the following talk.

Good evening, everyone, ①and welcome to our seminar featuring Antonia Patel. As you may know, ②**Ms. Patel** is one of the top experts in the world on solar power and its growing role in the global economy. Today, she's going to discuss the latest trends in this field and answer your questions. She'll also tell us a little about her recent award-winning documentary, *Clean and Green.* ③We hope everyone will stay for the reception afterward, which I'm pleased to say will now continue until nine o'clock, rather than 8:30.

攻略1 ジャンルを確認し、冒頭から主題をつかむ！

攻略2 「あいさつ」から「人物紹介」へ

攻略3 変更点は終盤を聞く！

訳

設問63-65は次のトークに関する問題です。

みなさま、こんばんは。①アントニア・パテル氏をゲストに招いたセミナーにようこそお越しくださいました。ご存じかもしれませんが、②パテル氏は太陽光発電に関する世界的権威の１人であり、グローバル経済において、その役割はますます重要になっています。きょうは彼女から、その分野の最新動向を説明していただいてから、みなさまの質問にお答えします。また、最近賞を獲得した自身のドキュメンタリー映画『クリーン・アンド・グリーン』についても簡単にご紹介いただきます。③みなさまには、その後に開かれるレセプションまでお付き合いいただけたらと思います。なおレセプションは、8時30分ではなく、9時まで行われることを喜んでお知らせいたします。

63の解答・解説　正解 (B)　470点レベル

全体を問う設問　トークの目的が問われているので、冒頭に集中しましょう。最初の5秒で勝負が決まります。話し手は、①で「パテル氏をゲストに招いたセミナーにようこそ」と述べているので、選択肢(B) To introduce a speakerが正解。直後にパテルさんの経歴や実績が紹介されている点も、前説のパターン通りです。award-winning documentaryを聞いて、(A) awardに飛びつかないように！

64の解答・解説　正解 (A)　470点レベル

部分を問う設問　パテルさんの専門分野が問われています。タテ読みでチェックした4つのジャンルをイメージしながら、放送を聞きましょう。人物紹介では、必ず経歴や業績に触れられます。ここでは、②の「太陽光発電に関する世界的権威」がピタリ。solar powerをEnergyと言い換えた(A) Energyが正解。global economyから(B) Marketingや(D) Economics、fieldから(C) Agricultureを連想してはダメ。

65の解答・解説　正解 (D)　600点レベル

部分を問う設問　設問のchangeに反応して、「変更点」を待ち伏せしましょう。スケジュールの変更や注意点などは、トークの最後で述べられるのが定番です。③に「レセプションは8時30分ではなく、9時まで行われる」とあります。少し延長されるようなので、正解は(D) A reception will last longer.。

- □ **featuring**：形 ゲストの、主役の
- □ **expert**：名 専門家
- □ **solar power**：太陽光発電
- □ **growing role**：ますます重要な役割
- □ **latest trend**：最新動向
- □ **recent**：形 最近の
- □ **award-winning**：形 受賞した
- □ **reception**：名 歓迎会、受付
- □ **afterward**：副 あとで
- □ ***X* rather than *Y***：YよりもX、YではなくX

Part 4の
攻略
ポイント

電話メッセージ

スケジュールの確認・変更が出る！

電話メッセージの定番は、スケジュールの変更です。誰がどこから電話しているかを意識しましょう。

101~102

66. Where does the speaker work?

(A) At a medical school
(B) At a pharmacy
(C) At a clinic
(D) At a laboratory

67. According to the speaker, what can Mr. Lankov do on the Web site?

(A) Send a message
(B) Make an appointment
(C) Order a product
(D) Check a schedule

68. When will Dr. Fong be available?

(A) Today
(B) Tomorrow
(C) Next week
(D) In a couple of weeks

設問と選択肢の訳

66. 話し手はどこで働いていますか。
(A) 医科大学で (B) 薬局で
(C) 診療所で (D) 研究所で

67. 話し手によると、ランコフさんはウェブサイトで何ができますか。
(A) メッセージを送る (B) 予約を取る
(C) 商品を注文する (D) スケジュールを確認する

68. フォン医師とはいつ会えますか。
(A) きょう (B) あす
(C) 来週 (D) 数週間後

攻略 1

冒頭から「場所」をイメージ!

電話メッセージでは、病院や旅行代理店からの予約確認や変更が頻出です。「○○会社の△△(名前)です」で始まるので、話し手の働く「場所」はイメージしやすいです。**電話メッセージの流れは、〈①話し手が名乗る→②電話の用件→③聞き手への要望・注意点〉。**

攻略 2

I'm replyingに反応しよう!

電話メッセージの用件と言えば、I'm calling。ですが、折り返しの連絡の場合、I'm replyingも使われます。設問で問われなくても、用件を示す「耳印」は確実にキャッチしましょう。話の流れがつかみやすくなりますよ。

攻略 3

「時」の言い換えに注意!

選択肢に「時」を表す語句が並んでいたら要注意。seven days→a week、four weeks→a monthというように、**〈説明文→選択肢〉で言い換えが行われます。**選択肢をタテ読みして、さっと「時」をインプットしましょう。

【66】□ **medical**:㊊ 医学の　□ **pharmacy**:㊔ 薬局　□ **clinic**:㊔ 診療所
□ **laboratory**:㊔ 研究所
【67】□ **make an appointment** 予約を取る
【68】□ **available**:㊊ (人が) 会うことができる、応対できる

説明文 101

Questions 66 through 68 refer to the following telephone message.

Hi, **Mr. Lankov**, ①this is Hana from Karside Dental Services. **I'm replying** to the voicemail message you left this morning about rescheduling your October 12 appointment to next week. We can arrange that, but Dr. Fong won't be here next week, so you'd have to see Dr. Bell instead. ②**You can** view his availability on our Web site and let me know when you'd like to see him. ③Or, you can wait until **Dr. Fong** gets back **in two weeks**. Please call me back at 555-1010 to let me know your preference. I'll be here till 4:00 P.M. today. Thank you.

攻略1 冒頭のあいさつから、「場所」をつかむ

攻略2 用件を伝える耳印!

攻略3 「時」の言い換えを見抜こう!

訳

設問66-68は次の電話メッセージに関する問題です。

もしもし、ランコフさん。①カーサイド歯科医院のハナです。10月12日のご予約を来週に変更するという、今朝いただいた留守電メッセージのことでお電話差し上げました。そのように調整できますが、フォン先生は来週は不在なため、代わりにベル先生に診てもらうことになります。②当院のウェブサイトで彼の診察可能日が見られるので、希望日をお知らせください。③あるいは、フォン先生が2週間後に戻ってくるまでお待ちいただくこともできます。どうなさるかは、555-1010まで折り返しお電話ください。本日の午後4時までにご連絡をお待ちしています。よろしくお願いいたします。

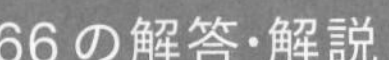

66の解答・解説

正解 (C)

470点レベル

全体を問う設問　話し手の働く「場所」が問われています。電話メッセージのパターンに従い、冒頭に集中しましょう。①の this is Hana from Karside Dental Services. がヒント。dental service(歯科医院)と言っているので、(C) At a clinic が正解。ここを聞き逃すと、何度も出てくる Dr. に惑わされ、すべての選択肢が正解に思えてしまいます。

67の解答・解説

正解 (D)

600点レベル

部分を問う設問　「ランコフさんはサイトで何ができるか」という設問です。冒頭の Hi, Mr. Lankov からわかるように、ランコフさんは聞き手。したがって、話し手が聞き手(ランコフさん)に向かって、You can ～(～できますよ)と述べている箇所にヒントがあるはずです。話し手は②で、You can view his availability on our Web site と述べています。view his availability は、「ベル先生の予約状況を見る」こと。これを言い換えた(D) Check a schedule が正解。availability と schedule の言い換えに気づければ、ハイスコアはすぐそこです。

68の解答・解説

正解 (D)

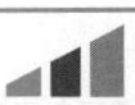

600点レベル

部分を問う設問　リスニング問題で頻出の available は要注意！　He's available. だと、「彼に会える」という意味です。ここでは、「フォン先生と会える時」が問われているので、名詞キーワードの Dr. Fong を待ち伏せしましょう。本文終盤の③がピタリ。フォン先生は、2週間後に戻ることになっています。正解は、two weeks を a couple of weeks(2、3週間)と言い換えた(D) In a couple of weeks。

67・68も「言い換え」がポイントです

- ☐ **dental**: 形 歯の
- ☐ **reply**: 動 返答する
- ☐ **voicemail**: 名 留守番電話
- ☐ **leave a message**: 伝言を残す
- ☐ **reschedule**: 動 ～のスケジュールを変更する
- ☐ **instead**: 副 代わりに
- ☐ **view**: 動 ～を見る
- ☐ **availability**: 名 可能性
- ☐ **preference**: 名 (選択の) 好み

会議の一部

会議の主題をキャッチせよ！

「会議の一部」は、説明文の難所の1つです。何が問題で、今後どうするのかという流れをつかみましょう。

69. What did the speaker discuss with Kaylee Patrino?

(A) The handling of a change
(B) The results of a survey
(C) The timing of a project
(D) The cost of a building

70. What does the speaker mean when he says, "we feel we can minimize the impact"?

(A) A merger will not hurt productivity.
(B) The business will keep operating normally.
(C) The cost of a project will be reduced.
(D) Most employees will not be moved.

71. What does the speaker say will take place in March?

(A) A review of a process
(B) The opening of an office
(C) Hiring of new managers
(D) The launch of a system

設問と選択肢の訳

69. 話し手はケイリー・パトリーノと何を話し合いましたか。
(A) 変化への対応 (B) 調査の結果
(C) プロジェクトの時期 (D) 建物の費用

70. 話し手が「影響は最小限にとどめられるのではないかと思っています」と言うとき、何を意図していますか。
(A) 合併しても生産性は損なわれない。 (B) 業務は普段どおり続けられる。
(C) プロジェクト費用が削減される。 (D) ほとんどの従業員は移動しない。

71. 話し手は3月に何が行われると言っていますか。
(A) 一連の作業の再検討 (B) オフィスの開設
(C) 新しい部長の雇用 (D) システムの立ち上げ

攻略 1 会議の流れをつかむ!

「会議の一部」の内容は、とても難しいです。市場シェア・財務・キャンペーン・顧客調査などの報告に加え、研修や採用の業務連絡などが出ます。〈**①会議の主題→②現状説明・対応→③今後の展開**〉**という流れが定番。**

攻略 2 話の転換点をキャッチ!

「会議の一部」では、設問が②現状説明・対応と③今後の展開に集中します。②の耳印はHoweverやBut。**「話の変わり目」が設問で狙われます。**

攻略 3 ターゲット文の「前後」を聞け!

セリフの意図問題の攻略は、文脈理解がすべて。ターゲット文を「耳印」にして、その前後の流れをつかみましょう。we can minimize the impactの意味がわからなくても、そのあとで言い換えられることが多いんです。

まず、ターゲット文のニュアンスをつかもう!
話の流れが、「プラス」か「マイナス」か分かるだけでも解答できますよ。

【69】□ **handling**:名 対応、対処　□ **survey**:名 調査
【70】□ **merger**:名 合併　□ **productivity**:名 生産性
□ **operate**:動 営業する、活動する
【71】□ **review**:名 再検討　□ **launch**:名 開始、立ち上げ

説明文 103

Questions 69 through 71 refer to the following excerpt from a meeting.

Next, I want to talk a little about our relocation to Everdale in June. Moving a company's headquarters is a big change, and it usually causes a lot of disruption for employees. ①However, I've discussed the matter with COO Kaylee Patrino, and **we feel we can minimize the impact**. We'll be meeting with managers soon to develop a comprehensive plan for moving everyone into the new office. We'll take all the steps needed to ensure that our operations continue running smoothly. ②In March, after the process has begun, we'll also survey employees to evaluate our progress and identify any remaining areas of concern.

攻略 1
「会議の一部」では、何の会議かを意識する

攻略 2
話の転換点を示す耳印！

攻略 3
前後の流れから意図を読む！

訳

設問69-71は次の会議の一部に関する問題です。

次は6月に予定されている、エバーデイルへの移転に関して、少しお話しさせていただきます。本社移転というのは大きな変化であり、たいてい、従業員にも大きな混乱をもたらします。①しかし、私はこの問題を最高執行責任者のケイリー・パトリーノと話し合った結果、影響を最小限にとどめられるのではないかと思っています。みなさんを新オフィスへ移動させる総合計画を練り上げるため、部長たちと近く話し合います。引き続き、作業が順調に進むために必要な措置はすべて講じます。②作業が開始したのち、3月に進捗状況を評価し、懸案事項が1つも残っていないか見極めるため、従業員への調査も行います。

69の解答・解説

正解 (A)  730点レベル

部分を問う設問　設問の名詞キーワードはKaylee Patrino。これと、話の転換点を示すHoweverを耳印に、何を話し合ったのかをキャッチしましょう。冒頭では、「本社移転」と「その影響による混乱への懸念」が示されています。また①から、パトリーノ氏とこの混乱への対応を話し合ったことがわかるので、選択肢(A) The handling of a changeが正解。

70の解答・解説

正解 (B)  730点レベル

部分を問う設問　ターゲット文の前後の流れを整理しましょう。〈本社移転は大混乱をもたらす〉→〈COOと話し合った結果、『影響は最小限にとどめられそう』〉→〈近々、引っ越し計画を練り上げる〉とまとめられます。ここから、「従業員が移転の支障なく、通常通りに仕事ができるようにしたい」という話し手の意図がつかめますね。よって正解は(B) The business will keep operating normally.。

71の解答・解説

正解 (A)  600点レベル

部分を問う設問　名詞キーワードはMarch。また、設問のwill(今後の展開)から、説明文終盤にヒントがあると予想できます。話し手は最後のセリフ②で、「作業開始後、3月に進捗状況の評価などを行う」と述べていますね。これは、問題点があれば改善を検討するということなので、(A) A review of a process(作業の再検討)が正解。本社移転のイメージが強く残ると、officeを含む(B)を誤答します。

- □ **excerpt**：名 抜粋、引用
- □ **relocation**：名 移転
- □ **disruption**：名 混乱、崩壊
- □ **COO**：最高執行責任者
- □ **minimize**：動 ～を最小限にする
- □ **impact**：名 影響、衝撃
- □ **develop a plan**：計画を練る
- □ **comprehensive**：形 包括的な、総合的な
- □ **take steps**：対策を講じる
- □ **ensure that**：～を確実にする
- □ **operation**：名 作業、業務
- □ **process**：名 一連の行為、過程
- □ **evaluate**：動 ～を評価する
- □ **identify**：動 ～を特定する

Day 8

Part 4 実戦問題

Day 7で学習した攻略ポイントを使って、次の15問にチャレンジしてみましょう。

105~114

▶解答・解説は158ページ

72. Who most likely is Sunny Park?

(A) A corporate trainer
(B) A financial analyst
(C) A school executive
(D) A certified accountant

73. According to the speaker, what is the problem with university programs?

(A) They charge expensive fees.
(B) They take too long to complete.
(C) The admission criteria are difficult to meet.
(D) The instructors lack business experience.

74. What can listeners do on the Web site?

(A) Take some courses
(B) Confirm their grades
(C) Sign up for training
(D) View career opportunities

---

75. What is happening this weekend?

(A) A charity event will be held.
(B) A festival is taking place.
(C) A park will host an exhibition.
(D) A new movie theater will open.

76. What can attendees who purchase a ticket for Sunday do?

(A) View works by local filmmakers
(B) Enjoy complimentary refreshments
(C) Meet famous artists from Kanby
(D) Obtain free admission for a companion

77. According to the broadcast, how can attendees avoid paying a regular charge?

(A) By volunteering for a range of duties
(B) By parking in a designated area
(C) By registering on a Web site
(D) By purchasing tickets early

78. Who most likely is the speaker?

(A) A musician
(B) A tour guide
(C) A real estate agent
(D) A museum employee

79. What does the man mean when he says, "I'm sure you won't forget it"?

(A) A procedure is very important.
(B) A performance will be enjoyable.
(C) An explanation is easy to understand.
(D) An experience will be unique.

80. What is being done in the building?

(A) The walls are being repainted.
(B) New lighting is being installed.
(C) Art work is being cleaned.
(D) A store is being renovated.

GO ON TO THE NEXT PAGE
（次のページに進んでください）

81. Where does the speaker most likely work?

(A) At a bank
(B) At a retail store
(C) At a post office
(D) At a consulting firm

82. Why are service representatives currently unavailable?

(A) The business is being relocated.
(B) They are busy helping other customers.
(C) The branch is closed on weekends.
(D) Staff only answer calls during opening hours.

83. According to the recorded message, what can customers do in the lobby?

(A) View a display of new products
(B) Request information about services
(C) Complete certain transactions
(D) Obtain directions to a new location

Quarterly Sales Growth

Red Roast Premium Coffee	-4%
Brew-Fast Instant Coffee	-2%
Rainforest Blend Coffee	+3%
Tiger Mountain Coffee	+5%

84. What is scheduled to happen tomorrow?

(A) The release of a document
(B) A board meeting
(C) The launch of a marketing campaign
(D) A sales presentation

85. Look at the graphic. Which product line will receive more promotion?

(A) Red Roast Premium Coffee
(B) Brew-Fast Instant Coffee
(C) Rainforest Blend Coffee
(D) Tiger Mountain Coffee

86. What will the speaker send soon?

(A) An updated marketing budget
(B) Samples of a new product
(C) Information about work to be done
(D) A finalized sales report

NO TEST MATERIAL ON THIS PAGE
（このページに問題はありません）

解答・解説

実戦問題の解答・解説

問題と訳

Questions 72 through 74 refer to the following advertisement. 105~106

① Hi, I'm Sunny Park, founder and president of Go-Tech Business Academy. Here, we can teach you the technical, financial, and management skills you need to advance your career. Learn how to supervise teams, install or operate computer systems, or do accounting. We have programs ranging from six to eighteen months in length, all of which will provide you with practical skills and a certificate. ② Why spend enormous amounts of money on a university degree that may not even help you get a job? Study at Go-Tech Business Academy instead to gain the expertise that employers demand. ③ To register, call us today at 555-6617 or visit www.gotechbiz.net.

72. Who most likely is Sunny Park?
サニー・パークとは誰だと思われますか。

(A) A corporate trainer　(A) 企業トレーナー
(B) A financial analyst　(B) 金融アナリスト
(C) A school executive　**(C) 学校の経営幹部**
(D) A certified accountant　(D) 公認会計士

73. According to the speaker, what is the problem with university programs?
話し手によると、大学のカリキュラムの何が問題ですか。

(A) They charge expensive fees.　**(A) 高額な授業料がかかる。**
(B) They take too long to complete.　(B) 修了するのに時間がかかりすぎる。
(C) The admission criteria are difficult to meet.　(C) 入学基準を満たすのが難しい。
(D) The instructors lack business experience.　(D) 講師にはビジネス経験がない。

74. What can listeners do on the Web site?
聞き手はウェブサイトで何をすることができますか。

(A) Take some courses　(A) 講座を受講する
(B) Confirm their grades　(B) 成績を確認する
(C) Sign up for training　**(C) 教育課程に申し込む**
(D) View career opportunities　(D) 就業のチャンスを見る

☐ **founder**：㊔ 創設者　☐ **management**：㊔ 経営、管理
☐ **advance *one's* career**：キャリアアップする　☐ **accounting**：㊔ 会計
☐ **ranging from *X* to *Y***：XからYにわたる幅広い～

正解と解説

設問72-74は次の宣伝に関する問題です。

①こんにちは、サニー・パークです。ゴーテック・ビジネススクールの創立者、及び代表取締役です。当校では、みなさんのキャリアアップに必要な技術的スキル、会計スキル、経営スキルを教えています。チームの監督方法、コンピューターシステムの導入・運用方法、会計の方法をぜひ学んでください。6カ月〜18カ月までの期間で幅広いカリキュラムをご用意しています。すべてのカリキュラムで実用的なスキルが身につき、修了証書が取得できます。②就職に役立たないこともある大学の学位に、どうして多額の費用を支払うのですか。雇用者が求める専門知識を身につけるなら、代わりにゴーテック・ビジネススクールで勉強しましょう。③登録するには、本日555-6617にお電話いただくか、www.gotechbiz.netにアクセスしてください。

/CMの流れ ①宣伝案内 ②商品・サービスの説明 ③連絡方法

冒頭から職業をイメージ　正解 (C)　470点レベル

Whoは職業・地位を問う設問です。パークさんは①で、「ビジネススクールの創立者で取締役」と自己紹介をしています。academy(専門学校)をschool、founder and president (創立者で取締役)をexecutive(経営幹部)と言い換えた(C)が正解。

□ **executive**：名 幹部　□ **certified**：形 資格を持っている　□ **accountant**：名 会計士

マイナス表現をキャッチ　正解 (A)　600点レベル

「大学カリキュラムの問題点」が問われています。「サービスの説明」は中盤なので、ここで問題点＝マイナス表現(notなど)を待ち伏せしましょう。②でパークさんは、「就職で役立たない大学の学位にどうして大金を払うのですか」とかなり挑発的なことを言っています。enormous amounts of money(多額の費用)が問題というわけですね。よって、これを言い換えた選択肢(A)が正解。

□ **charge**：動 〜を請求する　□ **admission criteria**：入学基準　□ **instructor**：名 講師

「連絡方法」は宣伝の終盤　正解 (C)　470点レベル

ウェブサイトは、申し込み、登録、質問、アンケートなど、連絡に関する窓口です。ここでも③に「登録には電話かウェブサイトにアクセスしてください」とあるので、正解は(C)。register → sign upの言い換えに反応しましょう。

□ **take a course**：講座を受ける　□ **grade**：名 学年、成績　□ **sign up for ...**：…に申し込む

□ **practical**：形 実際の、実用的な　□ **certificate**：名 証明書
□ **enormous**：形 巨大な、莫大な　□ **expertise**：名 専門知識 [技術]
□ **employer**：名 雇用主　□ **register**：動 登録する

実戦問題の解答・解説

問題と訳

Questions 75 through 77 refer to the following broadcast. 107~108

In local news, ① the annual Kanby Film Fest is taking place this week in the Centennial Park Pavilion. Starting Friday, visitors can enjoy a wide variety of movies: from dramas to classics to science fiction. ② Sunday's screenings will be devoted to movies by directors based right here in Kanby. A one-day ticket costs just 18 euros per person. That includes entry to the park and admission to every film showing that day. Tickets can be purchased online in advance or from volunteers at the park's entrance during the event. ③ The usual parking fees will be waived for attendees who use the lot beside the main gate. Visit www.kanbyfilmfest.com for more details.

75. What is happening this weekend?
今週末には何が行われますか。

(A) A charity event will be held.
(A) チャリティーイベントが開催される。

(B) A festival is taking place.
(B) 催し物が開かれる。

(C) A park will host an exhibition.
(C) 公園が展示会を主催する。

(D) A new movie theater will open.
(D) 新しい劇場が開館する。

76. What can attendees who purchase a ticket for Sunday do?
日曜日のチケットを購入した参加者は何ができますか。

(A) View works by local filmmakers
(A) 地元の映画製作者による作品を見る

(B) Enjoy complimentary refreshments
(B) 無料の軽食を味わう

(C) Meet famous artists from Kanby
(C) カンビィの有名なアーティストと会う

(D) Obtain free admission for a companion
(D) 連れの人の入場が無料になる

77. According to the broadcast, how can attendees avoid paying a regular charge?
放送によると、参加者はどのようにして通常料金の支払いを免れることができますか。

(A) By volunteering for a range of duties
(A) さまざまなボランティアの任務をすることで

(B) By parking in a designated area
(B) 指定エリアに駐車することで

(C) By registering on a Web site
(C) ウェブサイトに登録することで

(D) By purchasing tickets early
(D) チケットを早く購入することで

- □ **a wide variety of ...**：さまざまな…
- □ **screening**：名 上映
- □ ***be* devoted to ...**：…をテーマにしている
- □ **director**：名 監督、重役
- □ **based in ...**：…を本拠地としている
- □ **per person**：1人当たり

正解と解説

設問75-77は次の放送に関する問題です。

地域のニュースです。①毎年恒例のカンビィ映画祭がセンテニアル公園パビリオンで、今週開催されます。金曜日から始まり、来場者はドラマからクラシック、SFまで幅広いジャンルの映画を楽しめます。②日曜日の上映会では、ここカンビィを拠点に活動する監督の映画を特集します。1日チケットの価格は、1人たったの18ユーロです。このチケットで公園へ入園でき、その日に上映されるすべての映画が見られます。チケットは事前にオンラインで購入でき、開催期間中は公園入り口のボランティアからも購入できます。③参加者の方はメインゲートそばの駐車場をご利用いただきますと、通常の駐車料金が免除されます。詳しい情報は、www.kanbyfilmfest.com にアクセスしてください。

/ローカルニュースの流れ　①トピック　②内容説明　③注意・条件、今後の展開

ニュースのトピックも冒頭　正解 (B)　470点レベル

設問のキーワードはthis weekend。「この週末に起こること」が問われています。①に「今週の金曜日から、映画祭が開催される」とあるので、正解は(B)。(A)のcharity eventは、終盤に出てくるvolunteersからのひっかけ。また、filmやmoviesから(D)movie theaterを連想してはいけません。

☐ **host** : 動 ～を主催する　☐ **exhibition** : 名 展示(会)

キーワードの「あと」を聞け！　正解 (A)　600点レベル

名詞キーワードはSunday。曜日を限定しているので、その日に何かがあると予想できます。Sundayを耳印にすると、説明文の中盤②がピタリ。directors based right here in Kanby(カンビィを拠点に活動する監督)はlocal filmmakersのこと。正解は(A)。(D)の「入場無料」や「連れの人」については、言及されていません。

☐ **filmmaker** : 名 映画製作者[会社]　☐ **complimentary** : 形 無料の　☐ **refreshment** : 名 軽食
☐ **companion** : 名 連れ、仲間

言い換えに強くなろう　正解 (B)　730点レベル

「参加者が通常料金を払わなくていい方法」が問われています。例外や注意点は終盤で言及されます。③を聞くと、「メインゲートの隣の駐車場を利用する」と、料金を払わなくていいと分かります。lot beside the main gateをdesignated area(指定エリア)に言い換えた(B)が正解。

☐ **avoid** : 動 ～を避ける　☐ **designated** : 形 指定された

☐ **entry** : 名 入場 (許可)　☐ **admission** : 名 入場 (許可)、入場料
☐ **purchase** : 動 ～を購入する　☐ **waive** : 動 ～を免除する　☐ **attendee** : 名 参加者
☐ **lot** : 名 区画、場所

実戦問題の解答・解説

問題と訳

Questions 78 through 80 refer to the following talk. 109~110

Hello, everyone, ① and welcome to Sartell Music Hall. My name is Ralph, and I'll be showing you around this historic building today. It has recently undergone renovation work, including improvements to the lighting, so it looks better than ever. The paintings in the lobby, which have been here ever since the hall first opened, have also been encased in glass to help protect them from dust and moisture. ② Our walk this morning will include the lobby, auditorium, main stage, and even backstage. **I'm sure you won't forget it.** ③ Unfortunately, the gift shop is closed while it's being expanded, so you won't be able to make any purchases there.

78. Who most likely is the speaker?
(A) A musician
(B) A tour guide
(C) A real estate agent
(D) A museum employee

話し手は誰だと考えられますか。
(A) ミュージシャン
(B) ツアーガイド
(C) 不動産業者
(D) 博物館の従業員

79. What does the man mean when he says, **"I'm sure you won't forget it"**?
(A) A procedure is very important.
(B) A performance will be enjoyable.
(C) An explanation is easy to understand.
(D) An experience will be unique.

男性が「みなさんは、きっと忘れられないことでしょう。」と言うとき、何を意図していますか。
(A) 手続きはとても重要である。
(B) 公演は楽しい。
(C) 説明がわかりやすい。
(D) めったにない経験となる。

80. What is being done in the building?
(A) The walls are being repainted.
(B) New lighting is being installed.
(C) Art work is being cleaned.
(D) A store is being renovated.

建物内では何が行われていますか。
(A) 壁が塗り直されている。
(B) 新しい照明装置が設置されている。
(C) 芸術作品が清掃されている。
(D) 店が改装されている。

- □ **show around ...**：…を案内する
- □ **historic**：形 歴史上重要な
- □ **undergo**：動 (変化など) を経験する
- □ **renovation work**：修復作業
- □ **including**：前 ～を含む、～などの
- □ **lighting**：名 照明
- □ **painting**：名 絵画
- □ **encase**：動 ～をケースに入れる
- □ **dust**：名 ほこり、ちり

正解と解説

設問78-80は次のトークに関する問題です。

みなさん、こんにちは。①サーテル・ミュージックホールにようこそ。私の名前はラルフです。本日は、私がこの歴史的建造物のご案内をいたします。つい先日、照明の改善など修復作業を行ったので、建物は以前よりも一段と美しくなりました。ロビーにある絵画は、ホールが開館して以来ずっとそこに展示されていて、ほこりや湿気から絵を守るガラスケースに入れられています。②今朝のツアーでは、ロビー、観客席、大ホールの舞台、さらに舞台裏まで見学します。みなさまにとって、きっと忘れられない思い出になるでしょう。③あいにくギフトショップは規模拡大に伴い休業しているため、そちらでお買い物をすることはできません。

/ツアーの流れ ①あいさつ ②内容紹介・順路説明 ③注意点

選択肢を「タテ読み」チェック　正解 (B)　470点レベル

Whoの設問なので、職業が問われています。選択肢を「タテ読み」して、4つの職業をインプットしましょう。話し手は①で、「私が歴史的建造物を案内する」と言っているので、(B)「ツアーガイド」が正解。Music Hallを聞き逃すと、(D)にひっかかります。

☐ **real estate**：不動産　☐ **agent**：㊔ 代理人、仲介人

ターゲット文を耳印に　正解 (D)　600点レベル

話し手の意図が問われています。セオリー通り、ターゲット文の前後の流れを押さえましょう。②に〈ツアーではロビーや舞台裏を見学する〉→『忘れられないでしょう』→③に〈ギフトショップは休業中〉とあります。普段は入れない舞台裏まで訪れるので、珍しい経験ができることを示唆していますね。ここから、(D)が選べます。今回は、ターゲット文の直前だけで答えられる問題でした。

☐ **enjoyable**：㊒ 楽しい　☐ **explanation**：㊔ 説明

設問のbeingがヒント　正解 (D)　600点レベル

設問のポイントはbeing。現在進行形なので、「建物内で現在行われていること」を述べた箇所にヒントがあるはずです。③に、「規模拡大のため、ギフトショップが休業している」とありますね。よって、正解は(D)。expandedとrenovatedの言い換えに反応しましょう。

☐ **repaint**：㊐ ～を塗り直す　☐ **renovate**：㊐ ～を改装する

☐ **moisture**：㊔ 湿気　☐ **auditorium**：㊔ 観客席　☐ **backstage**：㊔ 舞台裏
☐ **unfortunately**：㊫ 残念ながら　☐ **expand**：㊐ ～を拡大する
☐ **make a purchase**：買い物をする

実戦問題の解答・解説

問題と訳

Questions 81 through 83 refer to the following recorded message. 111~112

① Thank you for calling the downtown branch of Fairline Savings. Please note that we have moved to a new location at 84 Oak Avenue. To speak to one of our customer **service representatives**, ② please call back during our normal business hours, from 10:30 A.M. to 6:30 P.M. every Monday to Saturday, excluding national holidays. ③ The ATMs **in our lobby** are available 24 hours a day for cash deposits, withdrawals, or bank transfer, and you can visit our Web site to learn more about our products and services.

81. Where does the speaker most likely work?
話し手はどこで働いていると考えられますか。

(A) At a bank (A) 銀行で
(B) At a retail store (B) 小売店で
(C) At a post office (C) 郵便局で
(D) At a consulting firm (D) コンサルティング会社で

82. Why are **service representatives** currently unavailable?
サービス担当者がいま応対できないのはなぜですか。

(A) The business is being relocated. (A) 事業所を移転させている最中である。
(B) They are busy helping other customers. (B) ほかの顧客対応で忙しい。
(C) The branch is closed on weekends. (C) 支店は週末に休業する。
(D) Staff only answer calls during opening hours. (D) スタッフは営業時間中にだけ電話に出る。

83. According to the recorded message, what can customers do **in the lobby**?
録音メッセージによると、顧客はロビーで何ができますか。

(A) View a display of new products (A) 新商品の展示を見る
(B) Request information about services (B) サービスに関する情報を請求する
(C) Complete certain transactions (C) 特定の取引を完了させる
(D) Obtain directions to a new location (D) 新しい店舗への道案内を入手する

□ **branch**：㊔ 支店 □ **Please note that**：～にご注意ください。
□ **normal business hours**：通常の営業時間 □ **excluding**：㊐ ～を除いて

正解と解説

設問81-83は次の録音メッセージに関する問題です。

①フェアライン・セイビングズのダウンタウン支店にお電話いただき、ありがとうございます。当支店は、オーク通り84番地の新しい場所に移転しました。顧客サービス担当者とお話しになりたい方は、②国民の祝日を除く毎週月曜日から土曜日の午前10時30分～午後6時30分の営業時間内におかけ直しください。③ロビーに設置されたATMでは、1日24時間いつでも現金の預金や引き出し、振り込みが行えます。また、当行のウェブサイトにアクセスいただくと、商品やサービスについてよりご理解いただけます。

/録音メッセージの流れ　①あいさつ　②連絡事項　③サービス内容説明

ゆるく全体をリスニング　正解 (A)　600点レベル

話し手が働く場所は、冒頭からイメージするのがセオリー。ですが、①のセリフだけでは、何の会社かはっきりしません。こういうときは即断せずに、ゆるく全体を聞きましょう。終盤の③で聞こえる、The ATMs、cash deposits（預金）、bank transfer（銀行振り込み）などがヒント。ここから、(A)の「銀行」と推測できますね。

□ **retail store**：小売店

設問リーディング力をアップしよう　正解 (D)　730点レベル

担当者が応対できない理由が問われています。名詞キーワードはservice representatives。これを待ち伏せすると、キーワード直後の②がピタリ。「営業時間内に電話をかけ直してください」と述べています。つまり、担当者とは営業時間内でないと話せないので、正解は(D)。Part 4では設問の意味が取りづらいケースもしばしば。設問のリーディング力がスコアアップのカギです。

□ **currently**：副 現在(は)　□ **relocate**：動 ～を移転させる　□ **opening hour**：営業時間

待ち伏せリスニングを極めよ　正解 (C)　730点レベル

「顧客はロビーで何ができるか」ですから、名詞キーワードlobbyを待ち伏せしましょう。話し手は③で、「預金や引き出し、振り込み」について言及しています。これをcertain transactions（ある特定の取引）と言い換えた(C)が正解。続く文には、「商品やサービスの紹介はサイトで」とあります。よって、(A)や(B)は誤り。

□ **certain**：形 ある

□ **deposit**：名 預金すること　□ **withdrawal**：名 引き出し
□ **bank transfer**：銀行振り込み

実戦問題の解答・解説

問題と訳

Questions 84 through 86 refer to the following excerpt from a meeting and list. 113~114

As you all know, ① our quarterly sales report will be published tomorrow. I'd like to go over some highlights with you now. Overall, sales are up, but some products could be performing better—especially our newest line. As you can see from this list, ② it had the worst sales growth of our four products last quarter. The board has agreed to increase the marketing budget, so we're going to promote that line more aggressively in the coming months. ③ I'll be e-mailing you a list of tasks shortly. Once you receive that, let me know if you have any questions.

84. What is scheduled to happen tomorrow?
あすは何が予定されていますか。

(A) The release of a document — (A) 文書の発表
(B) A board meeting — (B) 取締役会
(C) The launch of a marketing campaign — (C) 販促キャンペーンの立ち上げ
(D) A sales presentation — (D) 販売プレゼンテーション

85. Look at the graphic. Which product line will receive more promotion?
図を見てください。どの商品がさらなる販促の対象になりますか。

(A) Red Roast Premium Coffee — (A) レッドロースト・プレミアムコーヒー
(B) Brew-Fast Instant Coffee — (B) ブリューファスト・インスタント
(C) Rainforest Blend Coffee — (C) レインフォレスト・ブレンド
(D) Tiger Mountain Coffee — (D) タイガーマウンテン

86. What will the speaker send soon?
話し手は何をすぐに送りますか。

(A) An updated marketing budget — (A) 最新のマーケティング予算
(B) Samples of a new product — (B) 新商品のサンプル
(C) Information about work to be done — (C) やるべき仕事の情報
(D) A finalized sales report — (D) 最終の売上報告書

□ quarterly : 形 四半期の、3カ月ごとの　□ sales report : 売上報告書
□ publish : 動 ～を発行する、～を発表する　□ go over ... : …を検討する
□ highlight : 名 主要な部分　□ overall : 副 全体としては

正解と解説

設問84-86は次の会議の一部と一覧表に関する問題です。

ご存知のように、①当社の四半期売上報告書があす発表されます。今からみなさんと重大な点をいくつか検討したいと思います。全体としては、売り上げは伸びていますが、もっといい結果を出せた商品もあります。特に、最新商品がそうです。一覧表からもわかるように、②この商品は前四半期、当社の4商品の中で最低の売上成長率でした。取締役会がマーケティング予算の増額を承認したので、今後数カ月間は、より積極的にこの商品を販促していきます。③すぐに、私からみなさんにやってもらいたい仕事のリストをメールします。メールを受け取った時点で、質問があればお知らせください。

/会議の一部の流れ ①会議の主題 ②現状説明・対応 ③今度の展開

「これから」問題の変化球

正解 (A) 600点レベル

be scheduled to *do*で「今後の予定」が問われています。設問のキーワードtomorrowを耳印に、説明文を聞きましょう。①に、「四半期売上報告書があす発表される」とあります。quarterly sales reportをdocument(文書)と言い換えた、選択肢(A)が正解。

☐ ***be* scheduled to *do***：～する予定になっている ☐ **release**：名 発表、公開
☐ **board meeting**：取締役会

図表の「数」がポイント

正解 (A) 600点レベル

耳印は、図表中の選択肢にない方の情報(%の列)です。販促の商品が問われているので、中盤の「現状説明・対応」のリスニングに集中しましょう。話し手は②で、「最も売上成長率の低かった商品を販促する」と説明しています。図表を見ると、-4%の商品が最も低いので、(A)が正解。

四半期の売上成長率

商品	成長率
レッドロースト	-4%
ブリューファスト	-2%
レインフォレスト	+3%
タイガーマウンテン	+5%

will は「今後の展開」のサイン

正解 (C) 600点レベル

設問のwillに注目しましょう。「これから送るもの」が問われています。「今後の展開」の耳印はI'll ～.などですね。話し手は③で、「やってほしい仕事のリストをメールする」と述べています。tasksをwork to be doneと言い換えた(C)が正解。説明文で使われた(A) budget、(B)product、(D)sales reportの語句に惑わされてはダメ。

☐ **updated**：形 最新の ☐ **work to be done**：やるべき仕事 ☐ **finalized**：形 仕上げ済みの

☐ **especially**：副 特に ☐ **sales growth**：売上成長率 ☐ **budget**：名 予算
☐ **aggressively**：副 積極的に ☐ **task**：名 仕事、任務 ☐ **shortly**：副 すぐに
☐ **once**：接 ～するとすぐに

スコアに差が出る 頻出フレーズ50

Part4の頻出フレーズです。
ジャンル別にまとめて覚えましょう。

スピーチ		115
① □	**awards banquet**	受賞パーティー
② □	**win a prize**	受賞する
③ □	**address** an audience	聴衆に演説をする
④ □	**celebrate** an anniversary	記念日を祝う
⑤ □	**give a warm welcome**	温かく迎える
⑥ □	**express** *one's* **gratitude**	感謝の意を表す
⑦ □	**distinguished career**	輝かしい経歴
⑧ □	**dedicated service**	献身的な働き
⑨ □	**award-winning author**	受賞歴のある作家
⑩ □	**donation to charity**	慈善団体への寄付

アナウンス(宣伝)		116
⑪ □	**grand opening sale**	開店セール
⑫ □	**offer a discount**	割引する
⑬ □	**featured item**	目玉商品
⑭ □	**regular price**	定価
⑮ □	**get a voucher**	割引券をもらう
⑯ □	**gift certificate**	商品券
⑰ □	a three-year **warranty**	3年保証
⑱ □	**application form**	申込書
⑲ □	magazine **subscription**	雑誌の定期購読
⑳ □	**box office**	チケット売り場

アナウンス(駅・空港)		117
㉑ □	**Please be advised that ~**	~をお知らせいたします。
㉒ □	*be* **temporarily closed**	一時的に閉鎖されている
㉓ □	*be* **in progress**	進行中である
㉔ □	**designated area**	指定地域
㉕ □	**public transportation**	公共交通機関
㉖ □	*be* **bound for** Tokyo	東京行きである
㉗ □	**transit passenger**	乗り継ぎ客

TOEICワールドでは、皆パーティー＆スピーチ大好き。社交的な人ばかりだね。

㉘	□ meal coupon	食事券
㉙	□ suspend service	サービスを一時中断する
㉚	□ until further notice	追って知らせがあるまで

ニュース 118

㉛	□ press conference	記者会見
㉜	□ open to the public	一般向けに公開される
㉝	□ exclusive interview	独占インタビュー
㉞	□ merger with ABC Bank	ABC銀行との合併
㉟	□ formally decide	正式に決める
㊱	□ start operations	操業を開始する
㊲	□ real estate	不動産
㊳	□ retail outlet	小売店
㊴	□ city council	市議会
㊵	□ historical site	名所旧跡

留守録メッセージ、自動音声ガイド 119

㊶	□ You've reached ABC Bank.	こちらはABC銀行です。
㊷	□ We can't take your call.	電話に出ることができません。
㊸	□ I'm calling to remind you of ~	～の確認のためにお電話しています。
㊹	□ connect you to an operator	オペレーターにつなぐ
㊺	□ stay on the line	そのまま（電話を切らずに）待つ
㊻	□ make an inquiry	問い合わせる
㊼	□ set up an appointment	会う約束を取りつける
㊽	□ return *one's* call	～に折り返し電話をする
㊾	□ Please note that ~	～にご注意下さい
㊿	□ business hours	営業時間

基本文法のススメ

TOEICテストの文法は、これまで学んできた文法と変わりません。ですが、なぜかできないという人は多いはず。今回は、**基礎文法力を最大化する方法**をレクチャーします。まずは、以下の問題から始めましょう。

1 SV感覚をつかもう！（基礎編）

Applicants who have successfully passed through the first round of interviews can (　　　) a second-round notification via e-mail.
(A) expected　(B) expecting　(C) expect　(D) to expect

Part 5は、即答問題を解くだけなら簡単です。空所の前はcanなので、空所＝動詞の原形です。正解は(C)。一方、Part 7の場合、文意が取れないと話になりません。以下、易から難への文の変化を見てください。

① Applicants can expect a notice.
　S　V　O

② Applicants can expect a second-round notification via e-mail.

③ Applicants (who have successfully passed through the first round of interviews) can expect a second-round notification via e-mail.

難

（訳 首尾良く最初の面接を通過した応募者には、Eメールで次のお知らせがございます）

文法力は、文構造を見抜く手助けとなります。もし助動詞canがなければ、Applicants (who have passed～) expect～のSV構造を見抜くのは大変かもしれません。①のApplicants can expect a notice.ならば簡単ですが、②では語句が言い換えられ、③では関係詞節（＝プラスαの情報）が増えているので、一気に難化します。**どれだけ難文でも、文の骨子を見抜く力が「文法力」**です。特にSV感覚は、文法力と連動します。文法の学習は、個別の知識の暗記ではダメです。文構造の理解につなげてくださいね。

2 SV感覚をつかもう！（応用編）

では、Part 5形式で、SV感覚のテストをしてみましょう。特に「主述の一致」「動詞の形」に関する問題は、「動詞」サーチがすべての基本です。

1. The Winter Rose perfume collection offered in Berry's department stores (　　) in a variety of scents and attractive bottles.
(A) come　(B) comes　(C) coming　(D) have come

2. Mr. Dominguez (　　) his senior engineers at important points in projects when obstacles have arisen.
(A) gathers　(B) gathering　(C) to gather　(D) was gathered

1. 正解(B)

☞ 主述の一致 **SVを見抜くには、文法力が必須**です。offeredは直前のcollectionを修飾する過去分詞。空所＝述語動詞なので、主部The Winter Rose perfume collectionとの時制を合わせます。主部は三人称単数なので(B)が正解。この文の骨子は、SVだけですね。

The Winter Rose perfume collection[S] (offered in Berry's department stores) comes[V] (in a variety of scents and attractive bottles).

SV感覚が冴えてくると、Part 5の他の設問バリエーションにも対応できます。例えば、offeredが空所の場合はどうでしょうか。collection is offeredは、「コレクションが提供されている」という「受け身」の関係なので、過去分詞のofferedが選べますね。

（訳 ベリーズデパートで提供されているウインターローズ香水コレクションは、様々な香りとすてきな容器で販売されています）

2. 正解(A)

☞ 他動詞gather (〜を招集する)　**自動詞と他動詞のチェックも**大事です。空所の後には名詞(目的語)があるので、Mr. Dominguez[S]（他動詞[V]）his senior engineers[O]という文構造が見えればOK。他動詞gatherを選びましょう。(D)が正解になるには、空所の後の名詞が邪魔ですね。**文法は文構造のなかで使えてナンボ**です。知識を応用し、最大化してくださいね。

（訳 ドミンゲス氏は、障害が生じたとき、プロジェクトの重要なポイントで、シニアエンジニアを招集します）

3 動詞感覚をつかもう！

Part 5のやさしめ問題で、動詞を復習しましょう。適切な語を選んでください。

1. Ninety percent of consumers think that prices will (　　) sharply in the coming months.
(A) raise　(B) rising　(C) raised　(D) rise

2. The concert hall (　　) closed for about two months.
(A) remained　(B) was remained　(C) remain　(D) remaining

3. A welcome party for new recruits (　　) next Saturday.
(A) held　(B) will hold　(C) would hold　(D) will be held

4. Participants have to let the guide (　　) before leaving the group for any reason.
(A) knew　(B) to know　(C) know　(D) known

1．正解(D)

☞ **自動詞rise**（上昇する）　**自動詞rise（上がる）と他動詞raise（～を上げる）**を見分けましょう。助動詞willの後は原型、空所の後には目的語がないのでriseが正解。〈rise-rose-risen〉と〈raise-raised-raised〉の動詞変化もチェック！

（訳 90%の消費者は、物価が今後数ヶ月で急速に上昇すると考えています）

2．正解(A)

☞ **remain＋C**（～のままである）　**S+V+Cのように自動詞は後ろに補語を取ります。** *S* remained closed = *S* was closedのように変換すれば簡単。

（訳 コンサートホールは、約2ヶ月間閉鎖したままでした）

3．正解(D)

☞ **will＋受け身**　**空所(V)の後に目的語(名詞)がないときは「受け身」の可能性大**です。また、next Saturdayがあるので、時制は「未来」。A party will be heldという文構造を見抜けばOK。

（訳 来週の土曜に、新入社員のための歓迎会が開催されます）

4．正解(C)

☞ **使役動詞let＋O＋原型**（Oに～させる）　**使役動詞(～させる、してもらう)の2パターン**を確認しましょう。「make/have/let＋O＋原型」と「get＋O＋to do」。makeは「強制的に～させる」で、ちょっと強めの意味。

（訳 参加者は、いかなる理由があっても、グループを離れる前にガイドに知らせる必要があります）

4 品詞感覚をつかもう！(1)

準動詞(不定詞＆動名詞)の復習です。適切な語句を選びましょう。

1. In an effort (　　) a strike, the labor union finally accepted the compromise deal.
(A) preventing　(B) to prevent　(C) prevent　(D) prevented

2. Wilson Investments is in the process of (　　) an intranet for customers to manage their accounts.
(A) create　(B) to create　(C) creating　(D) created

1．正解(B)

☞ **不定詞の形容詞用法** ここではto preventが前の名詞effortを修飾しています。an effort to *do* (～する努力) など、**名詞＋to *do*のパターンは頻出。** an ability to *do* (～する能力) やa way to *do* (～する方法) は要チェックです。
(訳 ストライキを回避しようと努力して、労働組合はついに妥協案を受け入れました)

2. 正解(C)

☞ **動名詞** 前置詞ofの後には名詞がくるので、正解は(C)。creating an intranet (イントラネットを作ること) は、名詞のカタマリです。動名詞は、**単独で、あるいは目的語を取って「名詞」として機能**します。
(訳 ウィルソン・インベストメント社は、顧客が彼らの口座を管理できるイントラネットを構築中です)

To不定詞は、文中で名詞、形容詞、副詞のように働き、動名詞は名詞として使われます。両者とも「品詞」で捉えると簡単。以下は、不定詞の3用法です。

① **名詞的用法**
☞不定詞が名詞として使われます。主語・目的語・補語になれます。

② **形容詞用法**
☞不定詞が形容詞の役割をします。名詞＋to *do*のパターン。

③ **副詞的用法**
☞不定詞が副詞の役割をします。「目的」(～するため) の意味でよく使われます。他に「原因」「結果」などの意味にもなります。

5 品詞感覚をつけよう！(2)

準動詞（分詞）の復習です。適切な語句を選びましょう。

1. During summer, a lot of guests come to Ocean Fun World to experience (　　　) water creatures and exciting rides.
(A) amazing　(B) amazed　(C) amaze　(D) amazement

2. The annual convention (　　　) for August 19 has been postponed.
(A) scheduling　(B) scheduled　(C) schedules　(D) will schedule

3. (　　　) in 1911, Costa Resort is one of the oldest hotel in California.
(A) Found　(B) Founder　(C) Founded　(D) Founding

1．正解（A）

☞ **現在分詞** **分詞はいわば「形容詞」**。とはいえ、現在分詞（-ing）と過去分詞（-ed）を見分けるのは大変です。空所にどちらが入るかは、**現在分詞＝「能動」**、**過去分詞＝「受動」**で決定します。ここではwater creatures are amazing［能動］なので、正解は（A）。また、分詞には、a burning house（燃えている家）のような限定用法（名詞を修飾する分詞）と、The show is amusing.（そのショーは面白い）のような叙述用法（補語（C）になる分詞）がある点も忘れずに！

（訳 夏の間、驚くべき水生生物や楽しい乗り物を体験するために、多くのお客様がオーシャン・ファン・ワールドにやってきます）

2．正解（B）

☞ **過去分詞** 文の述部はhas been postponedなので、空所には、後ろから前の名詞conventionを修飾する分詞が入ります。現在分詞or過去分詞、どちらが正解？ ここでconventionとscheduleの**主述関係を見抜く**必要があります。The convention is scheduledという「受け身」の関係が分かればOK。

（訳 8月19日に予定されていた年次大会は延期となりました）

3．正解（C）

☞ **分詞構文** **分詞構文は、主文の情報を補完する「プラスα」の句**です。Costa Resort以下が主文なので、空所を含む前半は分詞構文。元の文を考えるとAs it (Costa Resort) was founded in 1911なので、これを分詞構文にすると(Being) founded in 1911となります。分詞や分詞構文では、Costa Resort was foundedのように、**SとVの主述関係を見抜く**ことが重要です。

（訳 コスタリゾートは、1911年に創設された、カリフォルニアで最も古いホテルのひとつです）

第3部 リーディング問題を攻略

Part 5

短文穴埋め問題

Day 9	月	日	分
Day 10	月	日	分

リスニング・セクション								リーディング・セクション					
Part 1		Part 2		Part 3		Part 4		Part 5		Part 6		Part 7	
Day 1	Day 2	Day 3	Day 4	Day 5	Day 6	Day 7	Day 8	Day 9	Day 10	Day 11	Day 12	Day 13	Day 14

いよいよ後半戦です！ Part 5で大事なのは情報処理の力です。ポイントを速攻でつかんで、サクっと解答しましょう。

Day 9

Part 5 基礎知識

リーディング問題へ

Part 4が終わり、This is the end of the listening test. Turn to Part 5 in your test book. End of recording.（これでリスニングテストは終わりです。問題冊子のPart 5を開いてください。放送終了）のアナウンスが聞こえたら、Part 5を始めましょう。途中休憩や、試験官から「Part 5に入るように」といった指示はありません。

パートの特徴

問題数:

30問（実際のテストでは、No. 101～130の問題）

目標正解数:

17問（470点）　22問（600点）　24問（730点）

出題形式:

空所を含む短文を読んで、4つの選択肢の中から、最も適当なものを1つ選びます。

出題パターン:

Part 5の問題は、大きく分けて3パターンです。

①品詞問題…適切な品詞を選ぶ［6～8問程度］

②文法問題…文法ルールが問われる［10～12問程度］

③語彙問題…単語、フレーズの知識が問われる［10～15問程度］

最近の傾向としては、語彙問題の割合が増えています。難問の少ない品詞問題と文法問題で確実に得点を稼ぎ、語彙問題にチャレンジする、というスタイルをとりましょう。

目標解答時間

10分(1問平均20秒)以内

リスニング・セクションでは、各パートに充てる解答時間を自分で決めることができません。ですが、リーディング・セクションでは、合計75分の時間をどう使おうと自由です。別の言い方をすれば、全問解こうとする場合、時間配分が最大のポイントとなります。どのパートにどれくらいの時間をかけるべきか。これを各自で考えなければなりません。

Part 5ではできるだけ時間を貯金して、浮いた時間をPart 7に回しましょう。〈1問平均20秒⇨30問10分〉がPart 5の理想的な解答時間です。実際の試験では、〈30問10分〉だと管理しづらいので、〈15問5分〉の2セットと考えましょう。

指示文の内容

Part 5以降のDirections(指示文)は、文字情報だけになります。ここでは「リーディングテスト全体」と「Part 5」について説明されます。

1 リーディングテストについて

ここからは、読解力を測るテストを行います。リーディングテストの時間は、合計75分です。3つのパートに分かれていて、パートごとに指示が出されます。制限時間内に、できるだけ多くの問題に解答しましょう。答えは、別紙の解答用紙にマークしてください。問題冊子に答えを書き込んではいけません。

2 Part 5について

次の各英文は、単語やフレーズが抜け落ちています。各文の下には、選択肢が4つ与えられています。最も適切なものを、選択肢(A) (B) (C) (D)の中から1つ選んで解答用紙にマークしてください。

(Part 5の[問題冊子]は省略させていただきます)

リスニングのときは、マークシートは「✓」(チェック)だけにして、先読みに集中しましょう。リーディングセクションが始まったら、Part3とPart4のマークを一気に塗れば時短になります。当然、リーディングの指示文は読まずにスルーでOK!

Part 5 攻略しよう！

攻略の基本ルール

品詞問題と文法問題を確実にゲット！

〈15問5分〉の時間を守り、品詞＆文法問題を完答しましょう。

攻略のステップ

いきなり英文から読みはじめてはダメです。まずは選択肢を見て、「品詞問題」、「文法問題」、「語彙問題」のどのタイプかを見極めます。

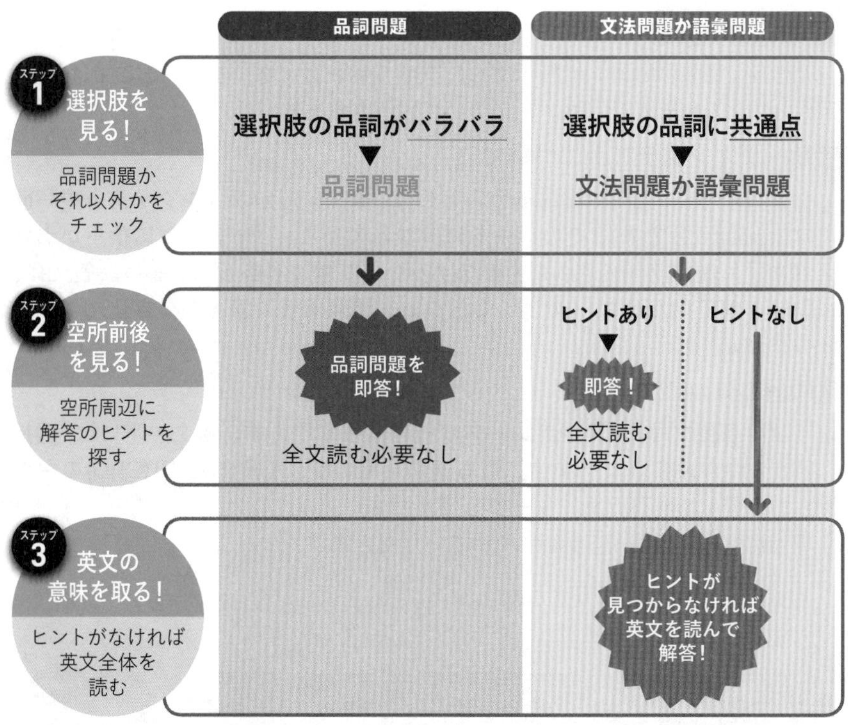
品詞問題
文法問題か語彙問題
ステップ1 選択肢を見る！
品詞問題かそれ以外かをチェック
選択肢の品詞がバラバラ
品詞問題
選択肢の品詞に共通点
文法問題か語彙問題
ステップ2 空所前後を見る！
空所周辺に解答のヒントを探す
品詞問題を即答！
全文読む必要なし
ヒントあり
即答！
全文読む必要なし
ヒントなし
ステップ3 英文の意味を取る！
ヒントがなければ英文全体を読む
ヒントが見つからなければ英文を読んで解答！

Part 5の約7割の問題が、〈ステップ❷〉までで即答可能です。〈選択肢を見る⇒空所の前後を見る⇒即答〉、というステップをテンポよくくり返してください。

ただし、文構造を見ないと解けない接続詞の問題などは〈ステップ❸〉まで必要になります。

ステップ1 選択肢を見る！ 品詞問題かそれ以外かをチェック

選択肢から、「品詞問題」か「それ以外」（文法問題、または語彙問題）なのかを見抜きます。例題を使って、この見分け方を見ていきましょう。

※本書では英文中の「-------」を空所と表現しています。

1 品詞問題

(A) extend 動「～を広げる」
(B) extension 名「延長」
(C) extensive 形「広い」
(D) extensively 副「広く」

品詞がバラバラ
⇒品詞問題

選択肢の単語は、動詞、名詞、形容詞、副詞と品詞がバラバラ。このように、選択肢に異なる品詞が並んでいたら、「品詞問題」です。選択肢の品詞と、空所に入る品詞がわかれば、意味を取らずに即答できます。

品詞は、単語の「後ろ」の部分をチェックするとわかります。例えばextensionのように、-sionで終わるものは、ほとんどが「名詞」。また、-lyで終わるものは「副詞」が多いです。品詞の見分け方については、219ページの『ワンポイントアドバイス』もご覧ください。

2 文法問題（動詞のカタチ）

(A) reviews 動（3人称単数現在形）
(B) to review 動（to＋動詞の原形）
(C) reviewing 動（ing形）
(D) has been reviewed 動（現在完了＋受け身）

品詞が共通
⇒文法問題

選択肢には、動詞review（～を見直す）の変化形がズラリ。このように、品詞に共通点があるときは「文法問題」です。

3 語彙問題

(A) authority 名「権限」
(B) inspection 名「検査」
(C) involvement 名「関与」
(D) operation 名「業務」

品詞が共通、
意味はバラバラ
⇒語彙問題

選択肢には、意味の異なる名詞がズラリ。このタイプは、コロケーションの「語彙問題」です。空所前後にコロケーションをつくるペアを探します。

※コロケーション：よく使われる単語と単語の組み合わせのこと。

ステップ2 空所の前後を見る！ 空所周辺に解答のヒントを探す

どのタイプかわかったら、空所の前後を見て、「解答のヒント」を探します。

1 品詞問題

The successful candidate must have ------- knowledge of both industry and accounting.

ここをチェック！

(A) extend
(B) extension
(C) extensive
(D) extensively

空所の前後から、空所に入る品詞を特定します。ここでは、〈------- knowledge〉が〈(冠詞)＋空所＋名詞〉のカタチをしています。名詞knowledgeを修飾できるのは「形容詞」。なので、正解は**(C) extensive**。品詞問題は、意味を取らないように。

(訳 適任者は、この業界と会計の幅広い知識を有していることが必須です)

2 文法問題(動詞のカタチ)

Stanford Publishing frequently ------- its data security systems to protect client information.

ここをチェック！

(A) reviews
(B) to review
(C) reviewing
(D) has been reviewed

空所の前後に文法のヒントを探します。ここではfrequently(たびたび、頻繁に)をチェック。frequentlyは、現在形と一緒に使われます。したがって、**(A) reviews**が正解。(B)の不定詞や(C)のing形は、文の述語動詞にはなりません。空所の後ろにits data security systemsという目的語があるので、受け身の(D)も×です。

(訳 スタンフォード出版社は顧客情報を守るために、たびたび自社のデータセキュリティ・システムを見直しています)

3 語彙問題

Ms. Diaz makes an ------- of the new medicine's production line once at least every two hours.

ここをチェック！

(A) authority
(B) inspection
(C) involvement
(D) operation

空所の前後に、コロケーションを完成させるパートナーを探します。ここでは、make an ------- がヒント。選択肢の中で、これとペアを組めるのは、**(B)のinspection**。make an inspectionで「点検する」という意味になります。

語彙問題は、深みにはまると時間だけをロスします。選択肢に見慣れない単語が並んでいたら、勘ですぐに答えて「時間貯金する」作戦をとりましょう。

（訳 ディアスさんは少なくとも2時間おきに、新薬の生産ラインを点検します）

ステップ3 英文の意味を取る！ ヒントがなければ英文全体を読む

《ステップ❷》までで解けない場合は、文構造を見て、英文の意味を取る必要があります。

4 文法問題（接続詞）

------- total sales revenue at Barkley Advertising, Inc. rose 7 percent, the company lost market share to its main rivals.

(A) Despite 前「〜ではあるが」
(B) Although 接「〜だけれども」
(C) Unless 接「もし〜でなければ」
(D) Because 接「〜なので」

ステップ❶

選択肢に接続詞と前置詞が並んでいることを確認しましょう。

ステップ❷

次に、空所の後をチェックします。「(　　) + S + V, S + V」という文構造なので、空所には接続詞が入ります。前置詞Despiteだと、Despite + N（名詞）じゃないとだめですね。

ステップ❸

では、(B)、(C)、(D)のどれが正解でしょうか。それには、「,」(コンマ)前後のロジックを読み解く必要があります。

前半（青）が「総売上高が7%上昇した」、後半（赤）が「ライバルに市場を奪われた」という内容です。つまり、「XであるがY」というロジックが正解なので**(B) Although**を選びます。

（訳 バークレー広告社の総売上高は7%上昇したが、1番のライバルに市場シェアを奪われました）

Part 5 攻略問題

それでは、Part 5の問題を実際に8問解いてきましょう。
次の英文の空所に入る、最も適切な語句を選択肢の中から1つ選んで、解答用紙にマークしてください。

▶制限時間は4分

87. The ------- board meeting has been rescheduled from Monday, May 15 to Friday, May 19.

(A) regular
(B) regularly
(C) regularity
(D) regularize

88. Discounts offered by WD Resort are forcing other major hotels to be more ------- in their pricing.

(A) compete
(B) competitor
(C) competitive
(D) competition

89. By the time Ms. Kahn arrives at the seminar house, Mr. Williams will already ------- his presentation.

(A) finish
(B) finished
(C) finishing
(D) have finished

90. TK Electronics recently ------- an audit of their plants to verify the safety of manufactured goods.

(A) conduct
(B) conducted
(C) conducting
(D) will conduct

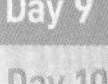

91. All workers in the building should be cautioned not to use any elevators ------- the replacement is in progress.

(A) although
(B) during
(C) while
(D) due to

92. All the visitors to East Toronto Winery ------- to register at the reception desk if they wish to see the storehouse.

(A) require
(B) required
(C) have required
(D) are required

93. To compete on a global scale, CASA-Net decided to reduce its ------- by 20 percent and launch a new project.

(A) refunds
(B) expertise
(C) values
(D) expenses

94. To ------- with the company policy, each applicant must submit an online application form by the deadline.

(A) comply
(B) adhere
(C) conform
(D) abide

次のページからは、今回の問題を使って、Part 5の攻略ポイントを見ていきます。 To Be Continued

Part 5の
攻略
ポイント

品詞問題

空所に入る品詞を見抜け！

品詞問題はPart 5の基本です。テクニックを覚えて、即答・即得点を目指しましょう。

87. The ------- board meeting has been rescheduled from Monday, May 15 to Friday, May 19.

120

(A) regular
(B) regularly
(C) regularity
(D) regularize

88. Discounts offered by WD Resort are forcing other major hotels to be more ------- in their pricing.

121

(A) compete
(B) competitor
(C) competitive
(D) competition

訳

87. 定例役員会議は、5月15日月曜から5月19日金曜に変更になりました。
(A) 形 定期的な
(B) 副 定期的に
(C) 名 規則性
(D) 動 規則化する

88. WDリゾートが行った値引きによって、ほかの主要ホテルは価格競争を余儀なくされました。
(A) 動 競争する
(B) 名 ライバル会社、競争相手
(C) 形 競争に勝てる
(D) 名 競争

【87】□ **regular** : 形 定期的な、いつもの
□ **regularly** : 副 定期的に
【88】□ **discount** : 名 割引、値引き
□ **offer** : 動 ～を提供する
□ **force** : 動 無理に～させる
□ **competitor** : 名 競争相手

攻略1 品詞がバラバラ→品詞問題！

Part 5では、選択肢から問題タイプを特定します。選択肢の品詞がバラバラならば「品詞問題」。**品詞は単語の語尾（後ろの部分）からジャッジ**できます。

攻略2 空所前後だけで解く！

品詞問題は即答が原則！ **英文の意味は取らずに、空所の前後だけを見て解答**します。〈（冠詞）＋空所＋名詞〉のカタチなら、空所に入るのは形容詞です。

87の解答・解説

正解（A）  470点レベル

選択肢の品詞がバラバラ⇒品詞問題。空所の直後に名詞フレーズboard meetingが見えますね。名詞を修飾するのは形容詞なので、正解は(A) regular。品詞問題は、できるだけ英文の意味を取らずに答えましょう。

攻略3 〈be動詞＋副詞＋空所〉には形容詞！

空所周辺の〈be more -------〉をチェック。be動詞と結びつき、かつ副詞moreが修飾するのは形容詞です。〈be動詞＋副詞＋空所〉では、空所＝「形容詞」と覚えましょう。

88の解答・解説

正解（C）  470点レベル

選択肢の品詞がバラバラ⇒品詞問題。〈be動詞＋副詞〉のあとには、形容詞が入ります。語尾が-iveの(C) competitiveが形容詞ですね。語尾から品詞を見分ける「語尾力」は、品詞問題で不可欠です。ちなみにcompetitiveは「競争力のある、他に負けない」の意味。competitive priceで、「競争力のある価格⇒（他より）安い価格」となります。

Part 5の攻略ポイント

文法問題（時制）

時のキーワードを探せ！

Part 5の得点源は品詞問題と文法問題。特に時制問題は、「時のキーワード」だけでシンプルに解答できます。

89. By the time Ms. Kahn arrives at the seminar house, Mr. Williams will already ------- his presentation.

122

(A) finish
(B) finished
(C) finishing
(D) have finished

90. TK Electronics recently ------- an audit of their plants to verify the safety of manufactured goods.

123

(A) conduct
(B) conducted
(C) conducting
(D) will conduct

訳

89. カーンさんがセミナーハウスに到着するころには、ウィリアムズさんはすでにプレゼンを終えているでしょう。
(A) 動（現在形、原形）
(B) 動（過去、過去分詞）
(C) 動（ing形）
(D) 動（現在完了）

90. TK電子は先日、製品の安全性を検証するために、自社工場の視察を行いました。
(A) 動（現在形、原形）
(B) 動（過去、過去分詞）
(C) 動（ing形）
(D) 動（未来の助動詞）

【89】□ **by the time**：～する時までに
【90】□ **recently**：副 最近、先日
□ **audit**：名 検査、監査
□ **verify**：動 ～を検証する
□ **safety**：名 安全（性）
□ **manufactured goods**：製品

攻略1 時のキーワードを探せ!

選択肢は動詞の変化形。このパターンは、時制か受け身の問題です。空所前後に「時のキーワード」があれば時制。例えばsinceやforがあれば、「完了形」を選べば正解です。

攻略2 合わせ技で解く!

By the time(〜するまでに)は、主に「未来完了」のキーワード。さらに、空所直前にもう1つヒントがあります。〈will＋動詞の原形〉のルールから、選択肢を(A)と(D)に絞ることができますね。

89の解答・解説　正解 (D)

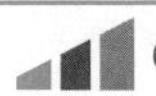

600点レベル

選択肢は動詞finishの変化形⇒文法問題。未来の時点を表すキーワードBy the timeから、時制問題と判断します。空所の前にwillがあるので、セオリー通り未来完了〈will＋have＋過去分詞〉のカタチをつくりましょう。「〜までには…しているだろう」という意味になります。正解は(D) have finished。

攻略3 recentlyがあれば過去形を選べ!

過去形と使うrecently(最近)や現在形と使うfrequently(頻繁に)は頻出です。現在時制のoften(しばしば)やtwice a year(1年に2度)、過去時制のin 2016などは意外な盲点。

90の解答・解説　正解 (B)

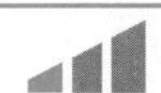

470点レベル

選択肢は動詞conductの変化形⇒文法問題。空所直前に、時のキーワードrecentlyが見つかりますね。これは「過去時制」や「完了形」のキーワード。よって、正解は過去形の(B)。10秒以内で解答したい問題です。

Part 5の
攻略
ポイント

文法問題(接続詞、受け身)

文構造を見抜け！

文構造を問う問題はクセ者です。攻略するにはS+V(主語＋動詞)を意識して、文のカタチを見抜かなければなりません。

91. All workers in the building should be cautioned not to use any elevators ------- the replacement is in progress.

124

(A) although
(B) during
(C) while
(D) due to

92. All the visitors to East Toronto Winery ------- to register at the reception desk if they wish to see the storehouse.

125

(A) require
(B) required
(C) have required
(D) are required

訳

91. ビルの全従業員は、交換が行われている間、エレベーターを使わないようにしてください。
(A) 接 ～だけれども
(B) 前 ～の間中
(C) 接 ～する間に
(D) 前 ～のせいで

92. イーストトロント・ワイナリーにいらしたお客さままで、貯蔵庫の見学を希望される方は、受付で登録する必要があります。
(A) 動 (現在形、原形)
(B) 動 (過去、過去分詞)
(C) 動 (現在完了)
(D) 動 (受け身)

【91】□ caution : 動 ～に警告する
□ replacement : 名 交代、交換
□ in progress : 進行中で
【92】□ visitor : 名 観光客、訪問客
□ winery : 名 ワイン醸造所
□ storehouse : 名 倉庫、貯蔵庫

攻略 1

〈接続詞＋S＋V〉vs.〈前置詞＋名詞(句)〉

接続詞と前置詞が選択肢に並んでいます。このパターンのときは、空所直後をチェックしましょう。ここが文(S+V)のカタチなら接続詞、名詞のカタマリ(名詞句)であれば前置詞が空所に入ります。

攻略 2

文構造から関係性を読もう！

選択肢に接続詞が複数ある場合は、文脈を取らないと答えられません。ポイントは、空所を含む青い文と赤い文の関係。この2文が「譲歩」の関係なら(A)、「継続期間」だったら(C)が正解です。

91の解答・解説　正解 (C)

730点レベル

空所直後を見ると、the replacement isは〈S+V〉のカタチ。〈接続詞＋S＋V〉のルールから、空所に入るのは選択肢(A)か(C)。次に、空所がつなぐ2文の関係を読み解きます。(C)の「交換が行われている間は」と「エレベーターを使わないように」が内容的にピタリ。正解は(C)。

攻略 3

「受け身」のカギは空所直後！

All the visitors ～ at the reception deskの文には述語動詞がありません。空所に述語動詞が来る場合、ポイントは空所の「直後」。目的語(名詞)がなければ、「受け身」が正解です。

92の解答・解説　正解 (D)

600点レベル

選択肢は動詞requireの変化形⇒文法問題。英文には時のキーワードがなく、また、空所直後に名詞がないので、「受け身」の可能性大です。(D) are requiredが正解。*be* required to *do*(～することを義務付けられている)は頻出です。

Part 5の
攻略
ポイント

語彙問題（コロケーション、熟語）

パートナーを見つけよう！

最もやっかいなのが語彙問題。なかでもコロケーションは頻出です。知識の有無が勝負を分けます！

93. To compete on a global scale, CASA-Net decided to reduce its ------- by 20 percent and launch a new project.

126

(A) refunds
(B) expertise
(C) values
(D) expenses

94. To ------- with the company policy, each applicant must submit an online application form by the deadline.

127

(A) comply
(B) adhere
(C) conform
(D) abide

訳

93. グローバル市場で勝負するため、CASA-Net社は支出を20%削減し、新規プロジェクトを立ち上げることに決めました。
(A) 名 返金
(B) 名 専門知識
(C) 名 値段
(D) 名 費用、出費

94. 会社の方針に従って、各応募者は締め切りまでにオンラインで申込書を提出しなければなりません。
(A) 動 従う
(B) 動 忠実である
(C) 動 従う
(D) 動 守る

【93】□ global scale：全世界
□ values：名 価値、値段
【94】□ policy：名 方針
□ applicant：名 応募者
□ submit：動 ～を提出する
□ online：形 オンラインの

攻略1 パートナーを見つけよう！

コロケーション問題では、空所前後の語句とペアが組めるパートナーを答えます。〈動詞＋名詞〉のlaunch a product（製品を発売する）や〈副詞＋形容詞〉のaffordably priced（手ごろな価格の）など、パターンは豊富。

攻略2 解答時間にはメリハリを！

語彙問題は、知識量が勝負のカギです。知っていれば即答、知らなければいくら考えても答えられません。**見覚えのないコロケーションの場合は、すぐに勘でマークして次の問題にGO！**

93の解答・解説

正解 (D)  600点レベル

選択肢は意味の異なる同じ品詞⇒語彙問題。空所直前のreduceとペアが組めるパートナーを答えます。正解は(D)のreduce *one's* expenses（支出を削減する）。reduce ～ by 20 percent（～を20％削減する）もセットフレーズです。ちなみに(A) refunds（返金）だと意味が通りません。

攻略3 直後の前置詞に注目！

空所直後の「前置詞」がヒントです。withとペアを組む動詞を選べばOK。熟語の知識をフル活用しましょう。

94の解答・解説

正解 (A)  600点レベル

選択肢は意味の異なる同じ品詞⇒語彙問題。空所前後にヒントを探します。ここでは、直後の前置詞withがヒント。comply with ... で「（方針など）に従う」の意味。(A)が正解です。(B) adhere to ... / (C) conform to ... / (D) abide by ... はすべて「…に従う」の意味。意味はOKですが、いずれもwithとはつながりません。一瞬で解けるので、もちろん全文を読む必要はありません。

Day 10

Part 5 実戦問題

Day 9で学習した攻略ポイントを使って、次の22問にチャレンジしてみましょう。

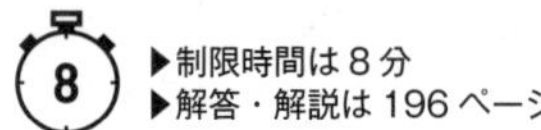

▶解答・解説は196ページ

95. Karen Gupta, a skillful performer of the Hancock Theatre Troupe, ------- the Young Award twice in the last ten years.

(A) received
(B) was received
(C) has received
(D) receiving

96. The Pacific Hotel offers a delightful ------- breakfast served every morning with hot menu options.

(A) accountable
(B) conditional
(C) anticipated
(D) complimentary

97. The travel agency has decided to ------- an online survey targeting tourists with regards to restaurants and cafés.

(A) contact
(B) reserve
(C) advertise
(D) conduct

98. ------- customer satisfaction and manufacturing costs must be considered when updating sales prices in retail stores.

(A) Either
(B) Both
(C) Every
(D) Whether

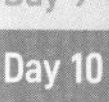

99. It has been ------- announced that TJ Network and Xi COM will merge into a new company, becoming the second largest in Asia.

(A) formal
(B) formalize
(C) formally
(D) formality

100. Customers ------- complete and return a feedback survey will receive two free tickets to Nova World theme park.

(A) which
(B) whom
(C) who
(D) whose

101. This software will be updated ------- to keep the application up-to-date.

(A) significantly
(B) equally
(C) periodically
(D) deliberately

102. While repair work is being carried out, no one is permitted to enter the building ------- permission from the authorities.

(A) without
(B) unless
(C) following
(D) only if

103. The admission fee to get into the amusement park is ------- more expensive than it was ten years ago.

(A) by far
(B) hardly
(C) much
(D) ever

104. The marketing team at Italian Apparel is in charge of ------- the company's image, which has been designed to appeal to consumers.

(A) promoted
(B) promoting
(C) promotion
(D) promotive

GO ON TO THE NEXT PAGE
(次のページに進んでください)

105. Having ------- in 1971, the convention center has undergone many expansions and upgrades over the years.

(A) build
(B) building
(C) been built
(D) being built

106. ------- the application form is filled out, you can submit it to the reception desk and leave the room.

(A) Once
(B) Since
(C) Then
(D) Only

107. PC-Doc customers are ------- to receive special discounts on the purchase of a new smartphone.

(A) accessible
(B) eligible
(C) affordable
(D) usable

108. Located mostly around the beach area, Santa Monica is one of Los Angeles's most ------- tourist sites.

(A) attractive
(B) attract
(C) attraction
(D) attracted

109. If you have any questions ------- your purchase, please contact sales at 555-7971 or visit our Web site.

(A) with
(B) to
(C) among
(D) regarding

110. Legislation to protect workers against low pay and excessive overtime comes into ------- on May 15.

(A) effect
(B) result
(C) outcome
(D) product

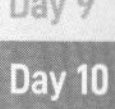

111. The A-Mart located on North Avenue is closed ------- further notice due to an electrical outage in the store.

(A) to
(B) until
(C) by
(D) next

112. Global Partner Institute in Yokohama provides job training to young people who find it difficult to adjust ------- to society.

(A) himself
(B) themselves
(C) ourselves
(D) itself

113. ------- of the participants in the historic event voted against the renovation of Marlot Tower.

(A) Most
(B) Almost
(C) Much
(D) Every

114. Customer service ------- are expected to help customers, handle their complaints, and ensure their satisfaction.

(A) represents
(B) represented
(C) representing
(D) representatives

115. ------- applicants who have submitted all required documents will be contacted to schedule an interview within several days.

(A) Qualify
(B) Qualification
(C) Qualifying
(D) Qualified

116. Modern furniture and home décor featuring various designs are sold on the second and third floors -------.

(A) likewise
(B) respectively
(C) relatively
(D) yet

解答・解説

問題と訳

95. Karen Gupta, a skillful performer of the Hancock Theatre Troupe, ------- the Young Award twice in the last ten years.

128

(A) received 動 (過去、過去分詞)
(B) was received 動 (受け身の過去)
(C) has received 動 (現在完了)
(D) receiving 動 (ing形)

ハンコック劇団の熟練した演者、カレン・グプタ氏は、この10年間で2度ヤング賞を受賞しました。

96. The Pacific Hotel offers a delightful ------- breakfast served every morning with hot menu options.

129

(A) accountable 形 責任がある
(B) conditional 形 条件つきの
(C) anticipated 形 待ち望まれた
(D) complimentary 形 無料の

パシフィックホテルでは毎朝、温かいメニューもお選びいただける、おいしい無料の朝食をご用意しております。

97. The travel agency has decided to ------- an online survey targeting tourists with regards to restaurants and cafés.

130

(A) contact 動 ～に連絡する
(B) reserve 動 ～を予約する
(C) advertise 動 ～を宣伝する
(D) conduct 動 **～を実施する**

その旅行代理店は、レストランやカフェに関して、旅行客を対象としたオンライン調査を実施することに決めました。

98. ------- customer satisfaction and manufacturing costs must be considered when updating sales prices in retail stores.

131

(A) Either 接 または
(B) Both 接 両方とも
(C) Every 形 すべての
(D) Whether 接 ～かどうか

小売店での販売価格を改定するときは、顧客満足度と製造原価のどちらも考慮しなければなりません。

正解と解説

時のキーワードをチェック　正解 (C)　470点レベル

文法問題(現在完了)

選択肢は動詞receiveの変化形⇒文法問題。時のキーワードを探すと、twice in the last ten yearsが見つかります。これは現在完了とセットで使う表現です。よって、正解は選択肢(C)。「2度受賞した(ことがある)」なので、現在完了の「経験」を表す用法。キーワードから速攻で解けるので、意味は取る必要ナシです。

□ **skillful**：形 熟練した、腕のいい　□ **performer**：名 役者、演奏者、歌手
□ **troupe**：名 一座　□ **in the last ... years**：ここ…年間の間に

語彙問題は「決断力」が必要　正解 (D)　470点レベル

語彙問題

選択肢は意味の異なる形容詞⇒語彙問題。空所のあとにbreakfastが見えます。ここからcomplimentary breakfast(無料の朝食)を選べばOK。意味から解こうとすると、どの選択肢も正解に見えてしまいます。語彙問題では、知らないときにあきらめる潔さも大事です。

□ **delightful**：形 楽しい、うれしい　□ **option**：名 選ぶこと、選択　□ **anticipated**：形 待ち望まれた

conductのコロケーションが出る　正解 (D)　600点レベル

語彙問題

選択肢は意味の異なる動詞⇒語彙問題。空所前後にコロケーションを完成させるパートナーを探しましょう。空所直後にsurveyがあるので、(D)のconduct a surveyがピタリ。conduct = do(～をする)のニュアンスで覚えましょう。conduct a study(調査を実施する)やconduct an interview(面接をする)なども頻出です。

□ **with regard to ...**：…に関して(は)　□ **contact**：動 ～に連絡を取る
□ **conduct a survey**：調査を実施する

相関構文のパートナーを探せ　正解 (B)　470点レベル

文法問題(相関構文)

選択肢にbothやeitherがあれば、相関構文の問題。空所のあとにパートナーを探しましょう。ここではandがあるので、(B)のboth *X* and *Y*(XとYの両方とも)が正解。either *X* or *Y*(XかYのどちらか)、neither *X* nor *Y* (XもYも～ない)、not only *X* but also *Y*(XばかりでなくYもまた)もよく出ます。(C) everyは「すべての」の意味だと、〈every＋単数名詞〉のカタチで使います。また、whetherは「～かどうか」という意味なので、(D)だとつながりません。

□ **satisfaction**：名 満足　□ **manufacturing**：形 製造(業)の　□ **consider**：動 ～を考慮する
□ **update**：動 ～を改定する、～を更新する

実戦問題の解答・解説

問題と訳

99. It has been ------- announced that TJ Network and Xi COM will merge into a new company, becoming the second largest in Asia.

132

(A) formal　形 正式な

(B) formalize　動 ～を正式なものにする

(C) formally　副 **正式に**

(D) formality　名 正式であること

TJネットワークとシーコムが統合して新会社を設立し、アジアで2番目に大きな会社になることが正式に発表されました。

100. Customers ------- complete and return a feedback survey will receive two free tickets to Nova World theme park.

133

(A) which　（人以外・主格、目的格）

(B) whom　（人・目的格）

(C) who　**（人・主格、目的格）**

(D) whose　（人・所有格）

意見調査に記入し、返送してくださったお客さまは、ノバワールド・テーマパークへの招待券を2枚受け取れます。

101. This software will be updated ------- to keep the application up-to-date.

134

(A) significantly　副 大いに

(B) equally　副 同じように

(C) periodically　副 **定期的に**

(D) deliberately　副 故意に

このソフトウェアでは、アプリケーションを最新版にする更新が定期的に行われます。

102. While repair work is being carried out, no one is permitted to enter the building ------- permission from the authorities.

135

(A) without　前 **～なしで**

(B) unless　接 ～でない限り

(C) following　前 ～のあとに

(D) only if　接 ～の場合にかぎり

補修工事が行われている間は、当局の許可なくそのビルに入ることは禁じられています。

正解と解説

品詞を見抜いて即答
正解 (C) 470点レベル

品詞問題

選択肢の品詞がバラバラ⇒品詞問題。空所の前後に、〈be動詞 + ------- + 過去分詞〉のカタチが見えますね。過去分詞を修飾できるのは副詞。よって、正解は選択肢(C)。品詞問題はサクっと解いて、次の問題にGO！ 文脈は取らずに時間貯金をしましょう。

☐ **announce** : 動 ～を発表する ☐ **merge** : 動 合併する ☐ **formally** : 副 正式に

関係詞は足りない要素を見抜け
正解 (C) 470点レベル

文法問題(関係詞)

選択肢には関係詞が並んでいるので、文構造を確認します。空所直後がcomplete and return a feedback surveyと〈V + O〉のカタチをしているので、足りない要素は「主語」ですね。先行詞はcustomersと人ですから、空所には主格の関係代名詞whoが入ります。関係詞の問題は、先行詞(人か人以外か)と空所直後の足りない要素をチェックすればOKです。

先行詞	主格	所有格	目的格
人	**who**	**whose**	**who[whom]**
人以外	**which**	**whose**	**which**
人・人以外	**that**	——	**that**

☐ **complete** : 動 ～に記入する ☐ **return** : 動 ～を返送[返品]する

〈動詞＋副詞〉コロケーション
正解 (C) 730点レベル

語彙問題

選択肢には意味の異なる副詞⇒語彙問題。空所前後にヒントを探すと、be updatedが見つかります。これとペアが組める(C)のbe updated periodically(定期的に更新される)が正解。〈動詞＋副詞〉のコロケーションは、increase steadily(着実に増加する)やbe strictly regulated(厳しく規制される)も頻出です。

☐ **up-to-date** : 形 最新式の ☐ **significantly** : 副 大いに、かなり ☐ **equally** : 副 同じように、均等に
☐ **periodically** : 副 定期的に ☐ **deliberately** : 副 故意に、わざと

〈前置詞＋名詞〉パターン
正解 (A) 600点レベル

文法問題(前置詞)

選択肢には前置詞や接続詞⇒文法問題。空所直後に続くのは、名詞permission。〈接続詞 + S+V〉、〈前置詞 + 名詞〉のルールから、空所には前置詞の(A)か(C)が入ります。(C)followingでは意味が通らないので、(A)のwithout permission(許可なく)が正解。without notice(予告なく)、under construction(工事中)、upon arrival(到着時に)など、〈前置詞＋名詞〉のコロケーションもよく出ます。

☐ **carry out ...** : …を実行する ☐ **permit** : 動 ～を許可する ☐ **authorities** : 名 当局
☐ **unless** : 接 ～でない限り

実戦問題の解答・解説

問題と訳

103. The admission fee to get into the amusement park is ------- more expensive than it was ten years ago.

136

(A) by far　はるかに
(B) hardly　副 ほとんど～ない
(C) much　副 **ずっと**
(D) ever　副 これまでの中で

そのアミューズメントパークへの入場料は、10年前よりもずっと高額になっています。

104. The marketing team at Italian Apparel is in charge of ------- the company's image, which has been designed to appeal to consumers.

137

(A) promoted　動（過去、過去分詞）
(B) promoting　動（ing形）
(C) promotion　名 促進
(D) promotive　形 販売促進の

イタリアンアパレル社のマーケティング・チームは、消費者に訴えるように考案された、企業イメージを高める責任を担っています。

105. Having ------- in 1971, the convention center has undergone many expansions and upgrades over the years.

138

(A) build　動（原形、現在形）
(B) building　動（ing形）
(C) been built　動（**受け身**）
(D) being built　動（受け身の進行形）

1971年に建てられて以来、その会議場は何年もかけて多くの拡張工事や改善を行ってきました。

106. ------- the application form is filled out, you can submit it to the reception desk and leave the room.

139

(A) Once　接 **～すれば**
(B) Since　接 ～して以来、～なので
(C) Then　副 そのとき
(D) Only　副 ～だけ

申込用紙に記入したら、それを受付に提出してお帰りください。

正解と解説

比較を強めるmuchを選べ
正解 (C) 600点レベル

文法問題(比較) 選択肢には意味の異なる副詞がズラリ。空所のあとにmore *X* than *Y* (YよりもX)のカタチが見えるので、比較の文法問題です。比較級を修飾するのは、much, far, still, even, a lotが定番。一方、最上級を修飾する副詞はby farとever。

☐ **fee**：名 入場料、手数料　☐ **expensive**：形 値段が高い　☐ **by far**：はるかに

名詞と動名詞の選択がカギ
正解 (B) 730点レベル

品詞問題 選択肢は品詞がバラバラ⇒品詞問題。空所前に前置詞ofがあるので、空所に入るのは名詞。正解は動名詞の(B)か名詞の(C)。選択のカギは、空所のあとです。名詞のカタマリthe company's imageに注目しましょう。空所のあとに名詞(句)があるときは、動名詞が正解。〈promote(V) + the company's image(O)〉のカタチを見抜けばOKです。このパターンは品詞問題の難所です。

☐ **in charge of ...**：…を任されて、…の責任者で　☐ **appeal to ...**：…の心に訴える
☐ **consumer**：名 消費者

時制と受け身を意識しよう
正解 (C) 600点レベル

文法問題(受け身) 選択肢には動詞buildの変化形がズラリ⇒文法問題。Having～の分詞構文の主語はthe convention centerなので、the convention center has been built in 1971という「受け身」がイメージできればOK。選択肢の中で受け身は(C)ですね。選択肢に動詞の変化形が並んでいるときは、「時制」と「受け身」がポイントです。

☐ **convention**：名 会議、大会　☐ **undergo**：動 ～(変化など)を経験する　☐ **expansion**：名 拡大、拡張
☐ **upgrade**：名 性能[機能]の向上　☐ **over the years**：長年にわたって

コンマ前後の関係を見抜け
正解 (A) 600点レベル

文法問題(接続詞) 選択肢には接続詞と副詞⇒文法問題。〈------- X, Y〉という文構造を見て、コンマ前後の関係に注目します。X＝「申込用紙に記入する」とY＝「提出してお帰りください」の関係は、「Xしたら、Yしてください」がピタリ。よって、(A)Onceが正解。即答問題ではないので、文脈を取ることが必要です。

☐ **application**：名 申し込み　☐ **fill out ...**：…に記入する　☐ **since**：接 ～して以来、～なので
☐ **only**：副 ～だけ

実戦問題の解答・解説

問題と訳

107. PC-Doc customers are ------- to receive special discounts on the purchase of a new smartphone.

140

(A) accessible 形 到達できる
(B) eligible 形 資格のある
(C) affordable 形 手ごろな価格の
(D) usable 形 使用できる

PCドックのお客さまは、新しいスマートフォンの購入で、特別割引を受ける資格があります。

108. Located mostly around the beach area, Santa Monica is one of Los Angeles's most ------- tourist sites.

141

(A) attractive 形 魅力的な
(B) attract 動 ～を引きつける
(C) attraction 名 魅力
(D) attracted 動 ～を引きつけた

ほぼビーチエリアに位置しているので、サンタモニカはロサンゼルスの最も魅力的な観光地のひとつです。

109. If you have any questions ------- your purchase, please contact sales at 555-7971 or visit our Web site.

142

(A) with 前 ～一緒に
(B) to 前 ～へ
(C) among 前 ～の間に
(D) regarding 前 ～に関して

ご購入に関するご質問がありましたら、555-7971の販売部までお電話いただくか、ウェブサイトにアクセスしてください。

110. Legislation to protect workers against low pay and excessive overtime comes into ------- on May 15.

143

(A) effect 名 効果、発効
(B) result 名 結果
(C) outcome 名 結果
(D) product 名 成果、製品

低賃金や過剰な残業から労働者を守る法令が、5月15日から施行されます。

正解と解説

文脈タイプの語彙問題も出る　正解 (B)　600点レベル

語彙問題　選択肢は意味の異なる形容詞⇒語彙問題。空所の前後にコロケーションのヒントがないので、文脈を取る必要があります。「スマートフォンを買えば、顧客は割引を受ける〜」という文意なので、選択肢(B)「資格がある」が正解。*be* eligible to *do*（〜する資格がある）は頻出です。最近では文脈を取るタイプの語彙問題が増えているので注意しましょう。

□ **purchase**：名 購入（品）　□ **accessible**：形 到達できる　□ ***be* eligible to *do***：〜する資格がある
□ **affordable**：形 手ごろな価格の　□ **usable**：形 使用できる

空所前後のカタチに注目　正解 (A)　470点レベル

品詞問題　選択肢の品詞がバラバラ⇒品詞問題。空所前後を見て、空所に入る品詞を特定しましょう。〈------- + tourist sites〉のカタチから、空所に入るのは名詞を修飾する形容詞です。よって、正解は(A)。品詞問題は、できる限り文意を取らずに、カタチから判断しましょう。

□ **located**：形 位置して　□ **tourist site**：観光地　□ **attractive**：形 魅力的な
□ **attract**：動 〜を引きつける　□ **attraction**：名 魅力、呼び物

迷ったときのregarding　正解 (D)　600点レベル

語彙問題　選択肢は前置詞がズラリ⇒語彙問題。空所前後の語句をヒントに、questions regarding your purchase（ご購入に関する質問）を見抜きましょう。正解は(D)。Part 7などでは、regardingとconcerningの言い換えが出ます。前置詞regardingは正解の確率が高いので、迷ったらマーク！

□ **regarding**：前 〜に関して

即答タイプの語彙問題　正解 (A)　470点レベル

語彙問題　選択肢には意味が近い名詞がズラリ⇒語彙問題。選択肢はすべて「結果」の意味なので、文脈から解くのは不可能です。空所前後にコロケーションのヒントを探しましょう。もちろんヒントはcomes intoですね。come into effect（実施される、有効になる）を見抜きましょう。(A)が正解。文脈から解く107の語彙問題とは対照的ですね。

□ **legislation**：名 法律　□ **protect**：動 〜を保護する　□ **excessive**：形 過度の
□ **overtime**：名 残業　□ **come into effect**：効力を生じる　□ **outcome**：名 結果

実戦問題の解答・解説

問題と訳

111. The A-Mart located on North Avenue is closed ------- further notice due to an electrical outage in the store.

144

(A) to　前 ～へ
(B) until　前 ～まで
(C) by　前 ～までに
(D) next　形 次の

北大通りのAマートは店内の停電のため、追って通知があるまで閉店します。

112. Global Partner Institute in Yokohama provides job training to young people who find it difficult to adjust ------- to society.

145

(A) himself　代 彼自身
(B) themselves　代 彼ら自身
(C) ourselves　代 われわれ自身
(D) itself　代 それ自身

横浜のグローバルパートナー協会は、社会に適合するのが困難な若者のために職業訓練を行っています。

113. ------- of the participants in the historic event voted against the renovation of Marlot Tower.

146

(A) Most　形 ほとんどの人
(B) Almost　副 ほとんど
(C) Much　形 多量
(D) Every　形 あらゆる

歴史的イベントの大半の参加者は、マロット・タワーの改修工事に反対票を投じました。

114. Customer service ------- are expected to help customers, handle their complaints, and ensure their satisfaction.

147

(A) represents　動（3人称単数現在形）
(B) represented　動（過去、過去分詞）
(C) representing　動（ing形）
(D) representatives　名 担当者

顧客サービス担当者は、お客さまの役に立ち、苦情に対処して、満足してもらうことが求められています。

正解と解説

わからなければ、次へGO　正解 (B)　600点レベル

語彙問題

選択肢は意味の異なる前置詞⇒語彙問題。空所の直後にfurther noticeがありますね。until further notice（追って通知があるまで）を知っていれば即答できます。コロケーション問題は割り切りが大事。文意を取らずに即答し、わからなければ、次へGO！ サクッと次へ行くことで、時間のロスが防げます。

☐ **until further notice**：追って通知があるまで　☐ **due to ...**：…が原因で、…のせいで
☐ **electrical outage**：停電

再帰代名詞は、主語の人称をチェック　正解 (B)　600点レベル

文法問題（代名詞）

再帰代名詞（oneself）の問題では、主語の人称を確認しましょう。ここでは、whoの先行詞であるyoung peopleが動詞adjustの主語ですね。これは3人称複数（=They）なので、(B) themselvesが正解。adjust *oneself* to ...（…に適合する）も大事なフレーズです。

	単数	複数
1人称	**myself**（私自身）	**ourselves**（私たち自身）
2人称	**yourself**（あなた自身）	**yourselves**（あなたたち自身）
3人称	**himself**（彼自身）／**herself**（彼女自身）／**itself**（それ自身）	**themselves**（彼ら[彼女たち、それら]自身）

☐ **institute**：名 協会、機関　☐ **provide**：動 ～を提供する
☐ **find it difficult to *do***：～することが難しいと思う　☐ **adjust *oneself* to ...**：…に適応する

〈Most of the＋複数名詞〉を見抜く　正解 (A)　470点レベル

文法問題

「ほとんど」の意味を持つ語は、語句の並びが大事です。(A) Most of the participants（大半の参加者）、(B) Almost all (of) the participants（ほとんどすべての参加者）、(D) Every participant（すべての参加者）のように使います。(A) Most of the participants（大半の参加者）が正解。(C) muchは数えられない名詞につくので、不正解。

☐ **vote against ...**：…に反対票を投じる

〈名詞＋名詞〉コロケーションをチェック　正解 (D)　600点レベル

品詞問題

選択肢の品詞がバラバラ⇒品詞問題。空所前後を見て、空所に入る品詞を見抜きます。空所の部分は主語なので、名詞のCustomer service representatives（顧客サービス担当者）が正解。〈名詞＋名詞〉コロケーションは頻出です。safety regulations（安全規則）やexpiration date（有効期限）も一緒に覚えましょう。

☐ **handle**：動 ～に対処する　☐ **ensure**：動 ～を保証する
☐ **represent**：動 ～を表す、～の代表を務める

実戦問題の解答・解説

問題と訳

115. ------- applicants who have submitted all required documents will be contacted to schedule an interview within several days.

148

(A) Qualify　動（現在形、原形）
(B) Qualification　名 資格
(C) Qualifying　動（ing形）
(D) Qualified　動（過去、過去分詞）

必要な書類をすべて提出した資格のある応募者には、数日以内に面接の予定を決めるための連絡があります。

116. Modern furniture and home décor featuring various designs are sold on the second and third floors -------.

149

(A) likewise　副 同じように
(B) respectively　副 **それぞれ**
(C) relatively　副 比較的
(D) yet　副 まだ

さまざまなデザイン性を備えた現代的な家具や室内装飾品は、それぞれ2階と3階で販売されています。

正解と解説

ing形かed形かを見抜こう

正解 (D)　600点レベル

文法問題(過去分詞)

選択肢は動詞qualifyの変化形⇒文法問題。空所のあとに名詞applicantsがあるので、空所には形容詞の働きをするものが入ります。現在分詞の(C) ing形か過去分詞の(D) ed形かの2択。ここで、空所と意味上の主語applicantsとの関係を見ると、applicants are qualified(応募者は資格がある)と「受け身」になっています。したがって、正解は(D)。現在分詞か過去分詞かの判断は、意味上の主語との関係が「能動」なら現在分詞、「受け身」なら過去分詞を選びましょう。

□ **required** : 形 必須の　□ **document** : 名 文書　□ **interview** : 名 面接、インタビュー
□ **qualify** : 動 ～に資格を与える

「AとB、それぞれ」はrespectively

正解 (B)　730点レベル

語彙問題

選択肢は意味の異なる副詞がズラリ⇒語彙問題。空所前後にコロケーションのヒントがないので、文脈を取りましょう。*X* and *Y* are sold on the second and third floorsなので、Xは2階、Yは3階と対応しています。「Xは2階、Yは3階で(それぞれ)販売されている」という文意なので、正解は(B)。「XとYがそれぞれ～」のパターンでは、respectivelyが頻出です。

□ **modern** : 形 現代的な、最新の　□ **décor** : 名 装飾(品)　□ **likewise** : 副 同じように
□ **respectively** : 副 それぞれ　□ **relatively** : 副 比較的(に)

語彙問題では、
①コロケーションのヒントあり→即答
②コロケーションのヒントなし→文意を取る
とざっくり覚えてね。どちらも深入りはダメです。

スコアに差が出る

頻出フレーズ50 Part 5&6編①

Part5&6の頻出フレーズです。〈名詞＋名詞〉〈動詞＋名詞〉のパターンを覚えて、品詞感覚をみがきましょう。

〈名詞＋名詞〉SET1	150
① □ production facilities	製造施設
② □ assembly line	(工場の)組立ライン
③ □ instruction manual	取扱説明書
④ □ safety procedure	安全手順
⑤ □ construction materials	建築資材
⑥ □ road work	道路工事
⑦ □ labor cost	人件費
⑧ □ employee layoffs	人員整理
⑨ □ budget allocation	予算配分
⑩ □ cost comparison	コスト比較

〈名詞＋名詞〉SET2	151
⑪ □ office regulation	就業規則
⑫ □ office personnel	事務職員
⑬ □ board meeting	取締役会
⑭ □ media coverage	メディア報道
⑮ □ application form	申込用紙
⑯ □ acceptance letter	採用通知書
⑰ □ performance review	勤務評価
⑱ □ insurance premium	保険料
⑲ □ housing complex	集合住宅
⑳ □ convention venue	会議の会場

〈動詞＋名詞〉SET1	152
㉑ □ **launch** a campaign	キャンペーンを開始する
㉒ □ **operate** a business	事業を運営する
㉓ □ **clarify** differences	違いを明確にする
㉔ □ **raise** funds	資金を調達する
㉕ □ **improve** productivity	生産性を改善する
㉖ □ **gain** popularity	人気を得る
㉗ □ **boost** profits	利益を押し上げる

〈名詞＋名詞〉のパターンはクセ者です。数は多くないので全部暗記しちゃいましょう！

㉘	□ **enhance** security	安全性を高める
㉙	□ **conduct** an inspection	検査を行う
㉚	□ **evaluate** a product	製品を評価する

〈動詞＋名詞〉SET2 153

㉛	□ **issue** a statement	声明を発表する
㉜	□ **acquire** a company	会社を買収する
㉝	□ **observe** a procedure	手順を守る
㉞	□ **assume** responsibilities	責任を引き受ける
㉟	□ **fulfill** requirements	必要条件を満たす
㊱	□ **follow** a rule	ルールに従う
㊲	□ **finalize** a contract	契約を取りまとめる
㊳	□ **review** an estimate	見積もりを再検討する
㊴	□ **relocate** an office	オフィスを移転する
㊵	□ **recruit** new staff	新しいスタッフを採用する

〈動詞＋名詞〉SET3 154

㊶	□ **process** an order	注文を処理する
㊷	□ **track** an order	注文を追跡する
㊸	□ **verify** an account	アカウントを認証する
㊹	□ **sign** an agreement	契約に署名する
㊺	□ **assign** the work	仕事を割り当てる
㊻	□ **earn** a reputation	評判を得る
㊼	□ **deserve** a promotion	昇進に値する
㊽	□ **receive** a paycheck	給料を受け取る
㊾	□ **reimburse** travel expenses	旅費を払い戻す
㊿	□ **undergo** a checkup	健康診断を受ける

設問リーディングをあなどるな！
―リーディング勉強法―

設問、ちゃんと読めてますか？

TOEICテストでスコアを上げるには、リーディング力が不可欠です。ですが、長文のパッセージに対し、設問なら短いから「パッと」読めると思っていませんか？ TOEICテストの設問（＋選択肢）の英文は、実はかなりクセ者です。例えば、以下のPart 7の設問はどうでしょうか。

1. With which aspect of the service was the customer NOT satisfied?
（顧客が満足しなかったサービスはどの項目ですか）
2. To whom should Mr. Porter probably speak for more information?
（さらなる情報を入手するために、Porter氏は誰と話すべきだと思われますか）

WhatやWhen以外の設問は苦手、と思う人は多いはず。設問が分からないと、本文をどれだけ丁寧に読んでも無意味です。**Part 7は速読力や情報処理能力が問われるパートですが、設問ではピンポイントの「精読」が重要**です。設問リーディングに自信がない人は、復習の際に、**「設問だけを読む」トレーニングが効果的**です。パッと見て意味が取れるように、何度も繰り返して下さいね。（ちなみに1はフォームに対する設問で、評価の低い項目が正解。2は文書の最後に書かれる「追加情報」に関しての設問ですね）

リスニングでも設問リーディング力が重要！

設問リーディングは、Part 3&4でも重要です。ポーズ時間での設問「先読み」など、速読・速解が必須だからです。**聞こえても読めないと得点できません。** Part 3&4が苦手な人は、実はリスニングではなくて、設問（＋選択肢）リーディングが苦手という場合が結構多いんです。設問リーディング力を上げて、リスニングも攻略しましょう。

第3部 リーディング問題を攻略

Part 6

長文穴埋め問題

Day 11	月 日	分
Day 12	月 日	分

リスニング・セクション								リーディング・セクション					
Part 1		Part 2		Part 3		Part 4		Part 5		Part 6		Part 7	
Day 1	Day 2	Day 3	Day 4	Day 5	Day 6	Day 7	Day 8	Day 9	Day 10	Day 11	Day 12	Day 13	Day 14

Part 6では、「文脈５（ファイブ）」の攻略が重要です。
文脈を取りながら、スパっと設問に答えるスタイルを
身につけましょう。

Day 11

Part 6 基礎知識

パートの特徴

■ 問題数：

16問／文書4セット（実際のテストでは、No. 131〜146の問題）

■ 目標正解数：

8問（470点）　10問（600点）　12問（730点）

■ 出題形式：

メールや記事などの文書に、空所が4つあります。それぞれの空所に入る最も適切な単語、フレーズ、1文を選択肢の中から選びます。

■ 出題パターン：

Part 6の問題は、品詞問題、文法問題、語彙問題、文選択問題の4パターン。

このうち、文脈理解が必要なのは、①時制、②接続副詞、③代名詞の「文法問題」、そして④「語彙問題」と⑤「文選択問題」です。本書では、これら要注意の難問を「文脈5（ファイブ）」と呼びます。「文脈5」は、毎回10〜12問ほど出題されます。

文脈を取らずに解ける「即答問題」としては、「品詞問題」、「文法問題」、「（コロケーションで解く）語彙問題」があります。「即答問題」は、4〜6問出題されます。これらは、空所の前後だけを見て、スパッと解答するのが基本です。

（→詳しくは214ページから解説します！）

目標解答時間

■ 10分以内（1セット4問を2分30秒で解答）

〈1セット4問⇨2分30秒〉が目標ラインです。実際の試験では、〈2セット8問⇨5分〉のように、5分間隔でペースをつかみましょう。

気をつけたいのは、「文脈5」の解答時間です。Part 5の「1問20秒」に対して、解答時間が増えるので、「Part 6はゆっくりできるな」と考えてはダメです。「文脈5」を解くには、1問1分以上かかります。

「即答問題」を素早く解いて、「文脈5」に浮いた時間を回す、時間貯金をしなければなりません。Part 6に与えられた10分間を効率よく使いましょう。

指示文の内容

部分的に単語、フレーズ、1文が抜けている不完全な文書があります。その文書を完成させるため、空所に入る最も適切な単語などを選択肢(A) (B) (C) (D)の中から1つ選んで解答用紙にマークしてください。

問題冊子 *Part 6の問題冊子はこんな感じ！*

1ページに1セット掲載されています。また、選択肢は文書の下に4つまとめて並べられています。

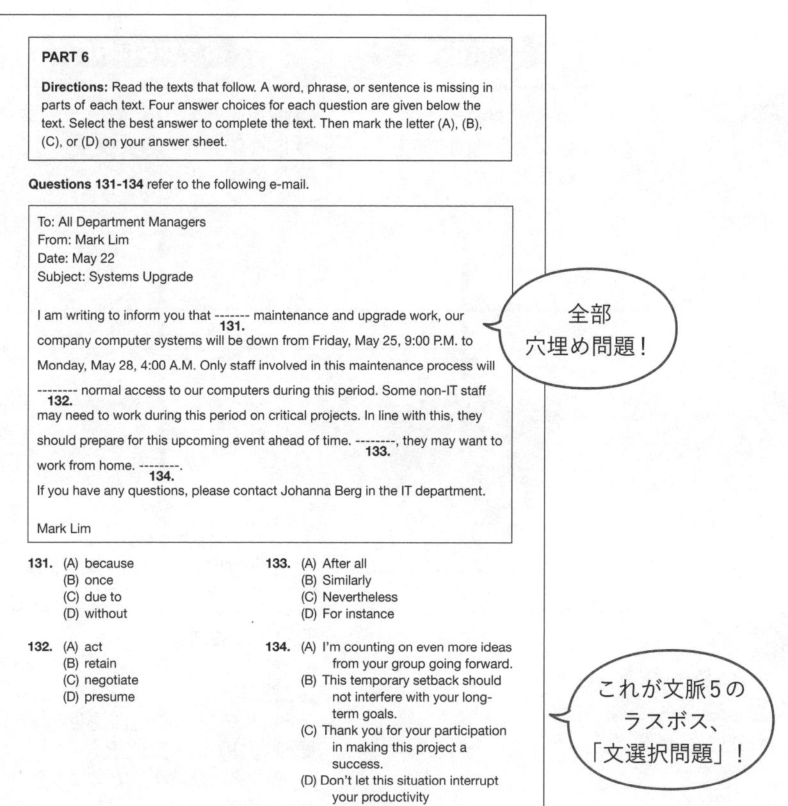

PART 6

Directions: Read the texts that follow. A word, phrase, or sentence is missing in parts of each text. Four answer choices for each question are given below the text. Select the best answer to complete the text. Then mark the letter (A), (B), (C), or (D) on your answer sheet.

Questions 131-134 refer to the following e-mail.

To: All Department Managers
From: Mark Lim
Date: May 22
Subject: Systems Upgrade

I am writing to inform you that ------- (**131.**) maintenance and upgrade work, our company computer systems will be down from Friday, May 25, 9:00 P.M. to Monday, May 28, 4:00 A.M. Only staff involved in this maintenance process will -------- (**132.**) normal access to our computers during this period. Some non-IT staff may need to work during this period on critical projects. In line with this, they should prepare for this upcoming event ahead of time. -------- (**133.**), they may want to work from home. -------- (**134.**).
If you have any questions, please contact Johanna Berg in the IT department.

Mark Lim

131. (A) because
(B) once
(C) due to
(D) without

132. (A) act
(B) retain
(C) negotiate
(D) presume

133. (A) After all
(B) Similarly
(C) Nevertheless
(D) For instance

134. (A) I'm counting on even more ideas from your group going forward.
(B) This temporary setback should not interfere with your long-term goals.
(C) Thank you for your participation in making this project a success.
(D) Don't let this situation interrupt your productivity

全部
穴埋め問題！
これが文脈5の
ラスボス、
「文選択問題」！

Part 6 攻略しよう！

攻略の基本ルール

全文を読みながらスパッと解く！

まずは、空所周辺にヒントのある「即答問題」を解きます。次に、文書全体を読みながら、文脈理解が必要な問題（「文脈5」）にトライしましょう。

攻略ステップ

選択肢を見て、問題のタイプを見極めましょう。「即答問題」の攻略ステップは、Part 5と同じです。例えば品詞問題であれば、秒で解けますね。

一方、「文脈5」は空所前後だけでは解けません。文書を頭から読んでいき、空所が出てきたら順次問題に答えていきます。

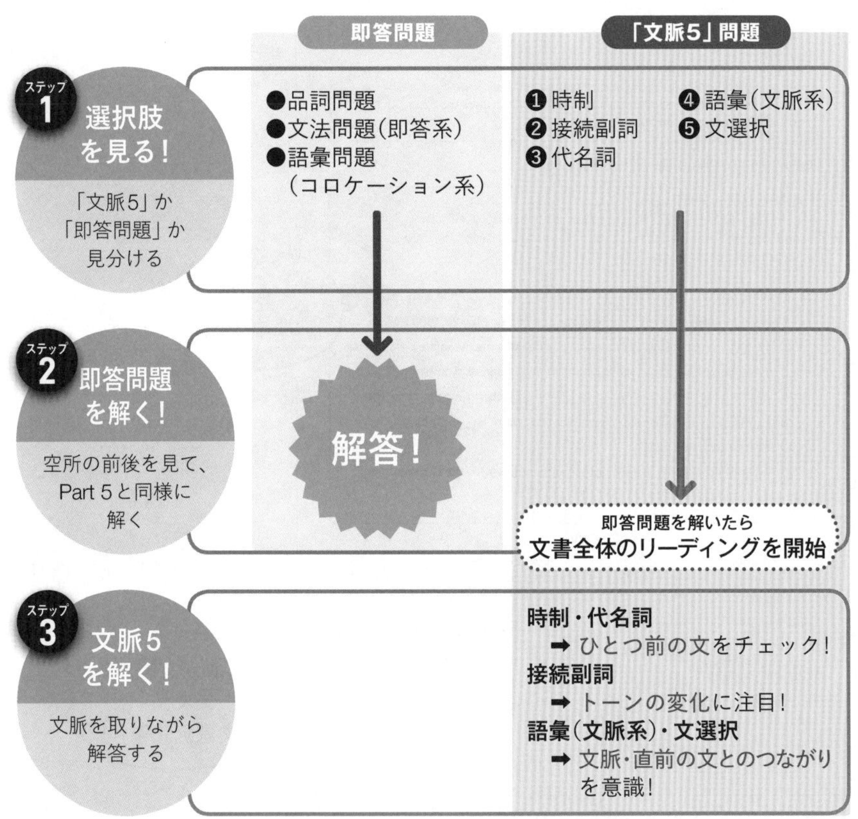

即答問題
「文脈5」問題
ステップ1 選択肢を見る！
「文脈5」か「即答問題」か見分ける
●品詞問題
●文法問題（即答系）
●語彙問題（コロケーション系）
❶時制
❷接続副詞
❸代名詞
❹語彙（文脈系）
❺文選択
ステップ2 即答問題を解く！
空所の前後を見て、Part 5と同様に解く
解答！
即答問題を解いたら
文書全体のリーディングを開始
ステップ3 文脈5を解く！
文脈を取りながら解答する
時制・代名詞
➡ ひとつ前の文をチェック！
接続副詞
➡ トーンの変化に注目！
語彙（文脈系）・文選択
➡ 文脈・直前の文とのつながりを意識！

選択肢を見る！「文脈5」か「即答問題」か見分ける

選択肢から、「文脈5」か「即答問題」かを見極めます。「即答問題」の場合は、Part 5と同じ方法で判別できます。もう一度、Part 5の〈ステップ❶〉を確認しておきましょう。「文脈5」の問題タイプの見分け方は以下の通りです。

文脈5（10〜12問程度）

1 時制（文法問題）

(A) will speak 未来
(B) spoke 過去形
(C) have spoken 現在完了
(D) speak 現在形

時制がバラバラ
⇒時制問題

選択肢は、未来、過去形、現在完了、現在形と時制がバラバラ。このように、選択肢に時制が異なる動詞が並んでいたら、文脈5の「時制」問題。空所がある文の1つ前の文を見て、時制のヒントを探します。

2 接続副詞（文法問題）

(A) Furthermore 接続副詞「さらに」
(B) However 接続副詞「しかしながら」
(C) Therefore 接続副詞「そのために」
(D) Likewise 接続副詞「同じように」

すべて接続副詞
⇒接続副詞問題

接続副詞とは、その名の通り接続詞のような働きをする副詞のこと。選択肢に、この「つなぎ語」としての接続副詞が並んでいるときは、文脈5の「接続副詞」問題です。空所前後の文の関係性を見抜きましょう。

3 代名詞（文法問題）

(A) himself 代名詞「彼自身」
(B) ourselves 代名詞「私たち自身」
(C) themselves 代名詞「彼ら（彼女たち）自身」
(D) itself 代名詞「それ自身」

すべて代名詞
⇒代名詞問題

選択肢には、人称代名詞がズラリ。このパターンは、文脈5の「代名詞」問題です。前の文の人称をヒントに、答えを選びましょう。

	1人称		2人称	3人称			
主格（〜は）	I	we	you	he	she	it	they
所有格（〜の）	my	our	your	his	her	its	their
目的格（〜を／〜に）	me	us	you	him	her	it	them

4 語彙問題

(A) publication　名「公開」
(B) shipment　名「発送」
(C) deposit　名「貯金」
(D) currency　名「通貨」

品詞は共通、
意味はバラバラ
⇒語彙問題

選択肢に並ぶのは、意味の異なる同じ品詞の単語。このパターンはPart 5の「語彙問題」と同じです。ですが、同じ語彙問題でも、文脈を取って解くのが文脈5の語彙問題です。

5 文選択問題

(A) I'm counting on hearing even more ideas from all of you.
(B) This setback should not interfere with our goals.
(C) Thank you for your interest and participation.
(D) Don't let this situation interrupt your productivity.

選択肢が文
⇒文選択問題

空所に入る適切な1文を選ぶ問題です。選択肢にズラッと文が並んでいるので、一目瞭然。文脈を理解しないと解けない問題です。1〜4問目のどこ出てきても、必ず最後に解きましょう。時間がない場合は、すぐに勘でマークし、時間貯金を増やす戦略もアリです。

ステップ2 即答問題を解く！ 空所の前後を見て、Part 5と同様に解く

即答問題（4〜6問程度）

「即答問題」はサービス問題です。これらをいかにスピーディーに乗り切れるかが、Part 6攻略の決め手となります。解き方もPart 5と変わりません。

ただし、注意点が1つ。「語彙問題」は2タイプあります。空所前後にコロケーションのヒントを探す語彙問題は「即答問題」。空所前後にヒントがない場合は、文脈理解が必要な「文脈5」の語彙問題です。

ステップ3 文脈5を解く！ 文脈を取りながら解答する

Part 6では、「文脈5」をどれだけ多く答えられるかが、スコアアップのカギになります。では、実際に5つのパターンを見ていきましょう。

1 時制（文法問題）

ここをチェック！

This new system will enable us to improve the productivity of the liquid crystal panel. We hope you ------- to our factory manager when you visit us.

(A) will speak
(B) spoke
(C) have spoken
(D) speak

空所を含む文だけでなく、ひとつ前の文にも時制のヒントを探しましょう。ここでは、ひとつ前の文のwill enableがヒント。未来の話をしていることがわかるので、**(A) will speak**が正解です。

（訳 新しいシステムによって、液晶パネルの生産性を向上させることができるでしょう。あなたがいらした際に、工場長とお話しいただけたらと思います）

2 接続副詞（文法問題）

ここをチェック！

Your shipment had been scheduled for July 4. -------, the item you ordered is currently out of stock in our warehouse and on backorder.

(A) Furthermore
(B) However
(C) Therefore
(D) Likewise

接続副詞の問題は、空所前後を見て、トーンの変化に気づくことが大事です。前後が「逆接」の関係ならHowever、「結果」ならTherefore、「追加」ならFurthermore、「並列」ならLikewiseが正解です。

ここでは、「発送は7月4日を予定していた」と「現在、在庫がなく取り寄せ中」なので、「逆接」の**(B) However**が最適です。

（訳 お客さまへの発送は、7月4日を予定していました。しかしながら、ご注文いただいた商品は、現在、倉庫に在庫がなく取り寄せ注文中です）

3 代名詞（文法問題）

ここをチェック！

Travelers who are transferring to connecting flights at St. Louis Airport should give ------- enough time to get from one terminal to another.

(A) himself
(B) ourselves
(C) themselves
(D) itself

代名詞が指すものを見抜く必要があります。代名詞問題も、ひとつ前の文を見るのが鉄則。ですが、空所を含む文が長い場合は、その文中にヒントがあるので、ケースバイケースで対応しましょう。

ここでは、Travelers should give ～. という〈S + V〉の関係をチェックします。Travelersは3人称複数（= they）なので、**(C) themselves**が正解。

（訳 セントルイス空港で接続便にお乗り換えになるお客さまは、ターミナルからターミナルへの移動時間を十分にお取りください）

4 語彙問題

ここをチェック!

We will soon post on our Web site some of the best e-mails we received from our readers. Their ------- will assist other amateur at-home gardeners.

(A) publication
(B) shipment
(C) deposit
(D) currency

「文脈5」の語彙問題は、文脈を見る必要があります。

「読者からのメールをサイトに掲載します」という空所の前文に注目しましょう。サイトに載せれば、誰でも目にすることができるわけですよね。これを言い換えた**(A) publication**（公開）が正解。

（訳 読者からいただいた最もすてきなメールを、ウェブサイトに掲載する予定です。それらを公開すれば、ほかのアマチュア園芸家の参考になるでしょう）

5 文選択問題

ここをチェック!

I'm writing to inform you that, due to maintenance, our company computer systems will be down from Friday, May 25. ～途中省略～ We should prepare for this upcoming event ahead of time. -------.

(A) I'm counting on hearing even more ideas from all of you.
(B) This setback should not interfere with our goals.
(C) Thank you for your interest and participation.
(D) Don't let this situation interrupt your productivity.

Part 6最大の難所。選択肢を読むだけでも、かなり時間がかかります。目標解答時間が近づいてきたら、勘でマークするのも手です。

文選択問題では、前後の内容との「つながり」を見なければなりません。このときヒントになるのが、選択肢中の代名詞です。(A)のIやyou、(D)のthis situationなどが何を指すのか考えてみましょう。

空所の前では、コンピューターシステムがダウンすることと、今後に備えてほしいという注意が書かれています。この流れから、同じく注意喚起を促す内容の**(D)**が正解。選択肢のthis situationは、1文目の「コンピューターシステムがダウンしている状況」を指しています。
（訳 メンテナンスのため、5月25日（金）から、コンピューターシステムがダウンすることをお知らせします。～途中省略～来たる出来事に、事前に備えてください。この状況のせいで、みなさんは生産性を下げることがないようにしてください）

ワンポイントアドバイス

品詞見極めの基本ルール

Part 5や6の「品詞問題」では、選択肢に並ぶ単語の意味がわからなくても、品詞さえわかれば正解が選べます。チェックするのは、単語の「後ろ」（語尾）の部分です。

名詞を示す語尾

-tion/-sion	reservation（予約）、extension（拡張）
-ance/-ence	acceptance（受け入れ）、reference（照会先）
-ity	productivity（生産性）
-ness	business（会社）
-ment	payment（支払い）

動詞を示す語尾

-en	lighten（～を明るくする）
-fy	notify（～に知らせる）
-ize	finalize（～を終わらせる）

形容詞を示す語尾

-able/-ible	available（利用できる）、possible（可能な）
-ful	careful（注意深い）
-ous	various（さまざまな）
-ic/-ical	economic（経済の）、economical（安価な）
-ive	extensive（広い）

副詞を示す語尾

-ly	recently（最近）、extensively（広く）

Part 6 攻略問題

それでは、Part 6の問題を実際に8問解いてみましょう。
次の英文の空所に入る、最も適切な語句や1文を選択肢の中から1つ選んで、解答用紙にマークしてください。

▶制限時間は7分

Questions 117-120 refer to the following article.

TOKYO (July 14) – Green Mobile announced that Masami Tamura has been appointed as the company's new CEO. Ms. Tamura ------- (**117.**) her position at the telecommunications giant on August 1. According to reports, the sudden decision to ------- (**118.**) existing CEO, Kenji Hashimoto, was based on the company's poor performance since the start of the fiscal year. -------. (**119.**) Ms. Tamura, who has spent the past eight years as chief of operations at market-leading Horizon Broadband, is expected to bring some innovative ideas and cost-cutting strategies to improve the ------- (**120.**) of Green Mobile.

117. (A) begin
(B) will begin
(C) began
(D) has begun

118. (A) replace
(B) reward
(C) reply
(D) refer

119. (A) A replacement will likely be determined by the end of July.
(B) Both have agreed to share responsibilities at the company.
(C) The board had no choice but to proceed with the change.
(D) With profits on the rise, shareholders could not be happier.

120. (A) profited
(B) profitable
(C) profitably
(D) profitability

Questions 121-124 refer to the following e-mail.

To: Emily Pearson, entertainment writer
From: Sabrina Young, editor in chief
Date: February 26
Re: Upcoming Interview

Hi Emily,

Thanks for agreeing to cover the exclusive story on Hugh Macaulay. There has been one change, however, to the schedule I already e-mailed you. Mr. Macaulay's manager has informed me ------- **121.** he will no longer be available on Friday as discussed. ------- **122.** requested that the interview be brought forward to next Tuesday. I realize this does not give you much time to prepare. -------, **123.** I'd like you to send me an overview of your interview questions by the end of the week. -------. **124.** If you have any questions, I will be in my office for most of the afternoon.

Sabrina

121. (A) as
(B) from
(C) that
(D) with

122. (A) They
(B) It
(C) I
(D) He

123. (A) Instead
(B) Nevertheless
(C) Although
(D) Whereas

124. (A) The publication distribution will be the largest in our history.
(B) There is no change to the due date for your article draft.
(C) Applications close soon, so you had better start preparing.
(D) There are just a few minor changes that need to be made.

次のページからは、今回の問題を使って、Part 6の攻略ポイントを見ていきます。 To Be Continued

Part 6の攻略ポイント

文脈5①（時制、文選択）

文脈５はロジカルに解く！

Part 6の難所は、時制や文選択などの「文脈５」です。これらはロジカルな思考を試す問題なので、即答は不可。ロジカル・リーディングで攻略しましょう。

Questions 117-120 refer to the following article. 155

TOKYO (July 14) – Green Mobile announced that Masami Tamura has been appointed as the company's new CEO. Ms. Tamura ------- (117.) her position at the telecommunications giant on August 1. According to reports, the sudden decision to ------- (118.) existing CEO, Kenji Hashimoto, was based on the company's poor performance since the start of the fiscal year. -------. (119.) Ms. Tamura, who has spent the past eight years as chief of operations at market-leading Horizon Broadband, is expected to bring some innovative ideas and cost-cutting strategies to improve the ------- (120.) of Green Mobile.

攻略 1

時制⇒空所前後を広く見よ！

時制問題のヒントは、いつも近くとは限りません。空所前後を広く見ましょう。その際、前文の時制だけでなく、「日付」など、複数のヒントを意識します。

117. (A) begin
(B) will begin
(C) began
(D) has begun

攻略2 語彙⇒ロジカルに解く

この語彙問題は文脈問題です。ここではnew CEO(新CEO)就任から、existing CEO(現CEO)の解任という流れをロジカルに読んで答えましょう。

118. (A) replace
(B) reward
(C) reply
(D) refer

攻略3 文選択⇒プラス／マイナスで解く!

文選択問題も文脈で解きます。ここでは〈X(poor performance＝マイナス)＋空所＋Y(is expected to ～＝プラス)〉という展開。業績不振をまねいたハシモト氏(X)と、今後に期待されているタムラ氏(Y)が対比されています。空所は、Xに関わる文が来ますね。

119. (A) A replacement will likely be determined by the end of July.
(B) Both have agreed to share responsibilities at the company.
(C) The board had no choice but to proceed with the change.
(D) With profits on the rise, shareholders could not be happier.

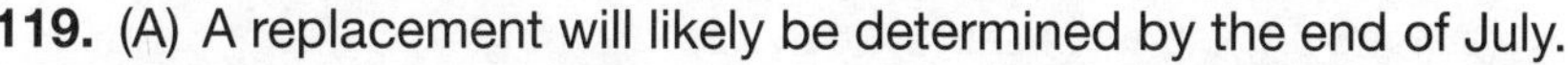

選択肢もプラス／マイナスでチェックしよう

攻略4 品詞⇒秒で解く!

品詞問題は速攻で解き、確実に得点しましょう。ミスは許されません！　ここでは、〈the＋空所＋前置詞〉なので、空所＝名詞ですね。

120. (A) profited
(B) profitable
(C) profitably
(D) profitability

文書の訳

設問117-120は次の記事に関する問題です。

東京(7月14日)—グリーン・モバイル社は、マサミ・タムラが新しいCEOに任命されたと発表した。タムラ氏は8月1日から、この電気通信の巨大企業で、その地位の仕事 117 を始める。複数の報道によると、現在のCEOであるケンジ・ハシモト 118 を更迭する突然の決定は、年度初めからの業績不振が原因であった。 119 取締役会は、(トップの交代という)改革を推し進めるほかに選択の余地はなかった。タムラ氏は、この8年間、市場のトップを走るホライズン・ブロードバンド社で最高執行責任者を務めており、グリーン・モバイル社の 120 収益性を向上させる革新的なアイデアや、経費削減戦略をもたらすことが期待されている。

選択肢の訳

117. (A) 動 (現在形、原形)
(B) 動 (未来の助動詞)
(C) 動 (過去形)
(D) 動 (現在完了)

118. (A) 動 ～に取って代わる
(B) 動 ～に報いる
(C) 動 返事をする
(D) 動 言及する

119. (A) 交代は、7月末までに決定されそうだ。
(B) 両者は、会社での責任を共有することで合意した。
(C) 取締役会は、改革を推し進めるほかに選択の余地はなかった。
(D) 利益が上昇したので、株主はとても喜んだ。

120. (A) 動 もうかった(過去形)
(B) 形 もうかる
(C) 副 有利に
(D) 名 収益性、採算性

【文書】
- □ appoint : 動 ～を任命する　□ CEO : 最高経営責任者
- □ telecommunication : 名 電気通信　□ giant : 名 巨大企業
- □ existing : 形 現在の　□ performance : 名 業績　□ fiscal year : 事業年度
- □ chief of operations　最高執行責任者
- □ market-leading : 形 市場のトップを走る　□ innovative : 形 革新的な
- □ strategy : 名 戦略

【118】□ reward : 動 ～に報いる　□ refer : 動 参照する、言及する

【119】□ determine : 動 ～を決定する　□ responsibility : 名 責任、義務
□ proceed with ... : …を進める　□ shareholder : 名 株主

【120】□ profitable : 形 利益になる、もうかる

117の解答・解説　正解 (B)

600点レベル

選択肢は時制がバラバラ⇒文脈5の時制問題。時制問題を攻略するには、空所前後を広く見て、「時」のヒントを探しましょう。記事が書かれた日付がJuly 14で、空所を含む文の最後にAugust 1が見つかりますね。つまり、空所の文には「7月14日の時点で、8月1日に起こること」(＝タムラ氏の仕事開始)が書かれているので、未来を表す選択肢(B) will beginが正解。

118の解答・解説　正解 (A)

600点レベル

選択肢は意味の異なる動詞⇒語彙問題。コロケーションのヒントがないので、文脈をチェックします。空所直後には、「ハシモト氏が現在のCEOで、会社の業績が不振」と書かれていますね。つまり、業績を理由に「交代させられる」という流れがマッチします。よって、(A) replaceが正解。

119の解答・解説　正解 (C)

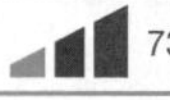
730点レベル

まず、選択肢の内容をプラス／マイナスでザックリつかみます。(A)交代決定の時期(＋)、(B)合意事項(＋)、(C)交代の事情(－)、(D)株主の現状(＋)。次に、空所前後を広く見ると、〈現CEOのハシモト氏が更迭→理由は業績不振→(空所)→新CEOの実績と今後への期待〉という文脈です。つまり、ハシモト氏がアカンので、取締役会がクビにしたという流れがわかればOK。よって、正解は(C) The board had no choice but to proceed with the change.。交代の時期は8月1日に決まっているので、(A)は誤り。(B)や(D)は、この箇所とは無関係の話題です。

120の解答・解説　正解 (D)

470点レベル

選択肢は品詞がバラバラ⇒品詞問題。空所前後にヒントを探し、即答します。前後のカタチは〈冠詞＋------- ＋前置詞〉。このとき空所に入るのは「名詞」なので、(D) profitabilityが正解。品詞問題は即答が基本です。単語の語尾をみて、品詞を見極めるトレーニングは継続してくださいね。

Part 6の攻略ポイント

文脈5②(代名詞、接続副詞)

トーンの変化を見抜く!

文選択や関係副詞などでは、空所前後のトーンの変化を読み取りましょう。変化に気づけば、解答は意外と簡単です。

Questions 121-124 refer to the following e-mail. 156

To: Emily Pearson, entertainment writer
From: Sabrina Young, editor in chief
Date: February 26
Re: Upcoming Interview

ここもチェック!

Hi Emily,

Thanks for agreeing to cover the exclusive story on Hugh Macaulay. There has been one change, however, to the schedule I already e-mailed you. Mr. Macaulay's manager has informed me ------- **121.** he will no longer be available on Friday as discussed. ------- **122.** requested that the interview be brought forward to next Tuesday. I realize this does not give you much time to prepare. -------, **123.** I'd like you to send me an overview of your interview questions by the end of the week. -------. **124.** If you have any questions, I will be in my office for most of the afternoon.

Sabrina

攻略 1

語法⇒即答して次!

Part 6では、文脈5以外は即答できます。取れるところから取るのはテストの鉄則! ここはinformの語法です。

121. (A) as
(B) from
(C) that
(D) with

攻略 2

代名詞⇒ひとつ前の文にヒント!

代名詞の主格問題なので、ひとつ前文の主語Mr. Macaulay's managerを見ましょう。「格」「人称」「単数or複数」のチェックを忘れずに!

122. (A) They
(B) It
(C) I
(D) He

攻略 3

接続副詞⇒迷ったらHowever!

接続副詞の問題では、空所前後の変化を見抜きましょう。〈X→(空所)→Y〉で、XとYが逆接の関係ならば、HoweverやNeverthelessが正解!

123. (A) Instead
(B) Nevertheless
(C) Although
(D) Whereas

攻略 4

文選択⇒トーンを見抜く!

文選択問題では、空所前文がプラスの文脈か、マイナスかを見抜いて解答します。I'd like you to ～.の赤の文と、空所との関係をみると、赤の文=期日までに資料を送って、空所=締切日に変更はない、というマイナスの文脈ですね。

124. (A) The publication distribution will be the largest in our history.
(B) There is no change to the due date for your article draft.
(C) Applications close soon, so you had better start preparing.
(D) There are just a few minor changes that need to be made.

文書の訳

設問121-124は次のメールに関する問題です。

宛先：エミリー・ピアーソン、エンタメ記事のライター
送信者：サブリナ・ヤング、編集長
日付：2月26日
件名：今度のインタビュー

こんにちは、エミリー

ヒュー・マコーレーの独占取材に応じてくれてありがとう。でも、すでにメールで伝えたスケジュールに変更があるの。すでに話したように、マコーレーのマネージャーが金曜日に会えなくなった 121 と知らせてきたわ。122 彼は、インタビューを次の火曜日に前倒ししたいって。この変更で、あなたの準備時間が少なくなることは承知しているわ。123 それでも、今週末までにインタビューで行う質問の概要を送ってほしいの。124 記事の締め切り期日に変更はないわ。もし質問があったら、私は午後の大半はオフィスにいるから。

サブリナ

選択肢の訳

121. (A) 接 なので／前 ～のように　(B) 前 ～から
(C) 接 ということ　(D) 前 ～と一緒に

122. (A) 代 彼らは　(B) 代 それは
(C) 代 私は　(D) 代 彼は

123. (A) 副 代わりに　(B) 副 それにもかかわらず
(C) 接 ～だけれども　(D) 接 ～である一方で

124. (A) 出版物の流通量は、わが社始まって以来の最多になるわ。
(B) 記事の締め切り期日に変更はないわ。
(C) 応募はすぐに締め切られるので、準備を始めたほうがいいわ。
(D) 加えなきゃならない細かな変更が数箇所あるわ。

【文書】
- □ **editor in chief**：編集長
- □ **upcoming**：形 今度の
- □ **cover**：動 ～を取材する
- □ **exclusive**：名 独占記事、特ダネ
- □ **inform＋人＋that**：(人に) ～を知らせる
- □ **no longer**：もはや～ではない
- □ **as discussed**：すでに述べたように
- □ **bring forward**：繰り上げる
- □ **overview**：名 要旨、概観

【123】
- □ **nevertheless**：副 それにもかかわらず
- □ **although**：接 ～ではあるが
- □ **whereas**：接 ～ではある一方で

【124】
- □ **distribution**：名 流通、分配
- □ **due date**：締め切り日
- □ **application**：名 申し込み、応募
- □ **had better *do***：～したほうがいい

121の解答・解説　正解 (C)　470点レベル

選択肢には、接続詞と前置詞がズラリ。文法の「即答問題」なので、空所前後にヒントを探します。〈S has informed me ------- S + V〉のカタチを見抜きましょう。空所のあとにS + V(節)が続いていますね。節をつなげられるのは、接続詞の選択肢(A)と(C)。as(～なので)では意味が通らないので、(C) thatが正解。〈inform + 人 + that S V〉(人に～を知らせる)のように、〈V + O + that S V〉のパターンを取る動詞は、tell(言う)、persuade(説得する)、remind(思い出させる)、show(示す)などがあります。

122の解答・解説　正解 (D)　　600点レベル

文脈5の代名詞問題なので、前文を見ましょう。Mr. Macaulay's manager has informed me ～. で、続く文は ------- requested that ～. というように、主語が空所になっています。空所にはMr. Macaulay's managerの代わりになるものが入ると予想できますね。よって、主格、3人称、単数の(D) Heが正解。

123の解答・解説　正解 (B)　　730点レベル

接続副詞問題なので、空所の前後をチェックしましょう。コンマがあるので、空所に接続詞の(C)や(D)は入りません。続いて、トーンの変化を見ます。〈時間がないことはわかっている→(空所)→週末までに質問を送ってほしい〉という流れですね。これは、「事情は察するが、希望を聞いてほしい」というロジックなので、正解は「逆説」の(B) Nevertheless。

124の解答・解説　正解 (B)　　730点レベル

文選択問題では、空所前後との繋がり(トーンの一致)が重要です。文脈を見ると、〈週末までに質問事項を送って→(空所)→質問があれば連絡して〉という流れです。ここでのポイントは、by the end of the week(週末まで)。「期日」に言及しているので、due date(締切期日)に触れている(B)が正解。忙しいけど締切に変更はないわ、という「マイナス」の文脈ですね。通常、マイナスの文脈には、マイナスの選択肢を選べばOK。ですが、今回は(B)(C)(D)がマイナスなので、「期日」をヒントに答えを選びます。

Day 12

Part 6 実戦問題

Day 11 で学習した攻略ポイントを使って、次の８問にチャレンジしてみましょう。

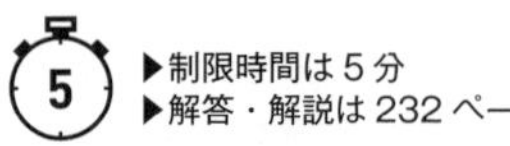

▶制限時間は５分
▶解答・解説は 232 ページ

Questions 125-128 refer to the following information.

All Smiles Dental Clinic is conducting a survey to help it improve the service provided to patients. The gathered ------- (**125.**) will be used to establish a long-term plan to better serve the needs of local residents. ------- (**126.**). Alternatively, a paper version is also available from the reception desk. All survey participants ------- (**127.**) a complimentary toothbrush for their time. For further information, call 555-3765 ------- (**128.**) regular business hours.

125. (A) inform
(B) informed
(C) information
(D) informative

126. (A) The survey can be completed online at www.allsmiles.com.
(B) Clinic hours will not be affected by the proposed changes.
(C) Patients are asked to provide their contact details to reception.
(D) Based on the results, management is now working on a plan.

127. (A) received
(B) are receiving
(C) have received
(D) will receive

128. (A) for
(B) in
(C) during
(D) while

Questions 129 -132 refer to the following notice.

Dear valued customer,

Please be advised that Joe's Seafood Restaurant -------(**129.**) on Tuesday, May 13. Customer safety is our number one priority. -------(**130.**), our kitchen appliances will undergo scheduled servicing. We sincerely apologize for this inconvenience. -------(**131.**). Also, don't forget about our popular 2 for 1 special on Thursdays. Order a main dish and receive another -------(**132.**) the same value for free. From all of us at Joe's, thank you for your business. We look forward to seeing you again soon.

129. (A) closes
(B) closed
(C) has been closed
(D) will be closed

130. (A) Otherwise
(B) As such
(C) Similarly
(D) Due to

131. (A) Parking is available at the rear of the restaurant.
(B) The new menu is expected to be quite popular.
(C) Normal trading hours will resume on Wednesday.
(D) Bookings can be made by visiting our Web site.

132. (A) up to
(B) along with
(C) instead of
(D) just as

パート5 パート6 Day 11 Day 12 パート7

解答・解説

実戦問題の解答・解説

問題文

Questions 125-128 refer to the following information. 157

All Smiles Dental Clinic is conducting a survey to help it improve the service provided to patients. The gathered **--125.--** will be used to establish a long-term plan to better serve the needs of local residents. **--126.--**. Alternatively, a paper version is also available from the reception desk. All survey participants **--127.--** a complimentary toothbrush for their time. For further information, call 555-3765 **--128.--** regular business hours.

125. (A) inform　(A) 動 ～を知らせる
(B) informed　(B) 形 情報に通じた
(C) information　**(C) 名 情報、データ**
(D) informative　(D) 形 参考になる

126. **(A) The survey can be completed online at www.allsmiles.com.**　**(A) 調査にはwww.allsmiles.comからオンラインでお答えいただけます。**
(B) Clinic hours will not be affected by the proposed changes.　(B) 診療時間は、変更案の影響を受けないでしょう。
(C) Patients are asked to provide their contact details to reception.　(C) 患者は、詳細な連絡先を受付に伝えるよう求められます。
(D) Based on the results, management is now working on a plan.　(D) 結果を踏まえて、経営陣は今ある計画に取り組んでいます。

127. (A) received　(A) 動（過去形、過去分詞）
(B) are receiving　(B) 動（現在進行形）
(C) have received　(C) 動（現在完了形）
(D) will receive　**(D) 動（助動詞＋動詞の原形）**

128. (A) for　(A) 前 ～の間
(B) in　(B) 前 ～後に
(C) during　**(C) 前 ～の間中**
(D) while　(D) 接 ～する間に

正解と解説

設問125-128は次の案内に関する問題です。

スマイルズ歯科では、患者に提供するサービス向上のため、アンケート調査を行っています。集められた 125 データは、さらに地元住民のニーズに応えていく長期計画を立てるために使われます。126 調査にはwww.allsmiles.comからオンラインでお答えいただけます。また、印刷されたアンケート用紙も受付窓口に置いています。お答えいただいた方全員は、お礼として歯ブラシを無料で 127 受けとれます。詳細につきましては、診療時間 128 中に555-3765までお電話ください。

品詞問題で時間貯金しよう　正解 (C)　470点レベル

品詞問題

選択肢の品詞がバラバラ⇒品詞問題。空所前後から即答します。The gathered ------- will be usedのカタチから、空所にはこの文の主語が入るとわかります。主語になれるのは、選択肢(C)の名詞のみ。

□ informative : 形 参考[勉強]になる

空所直後のAlternativelyがヒント　正解 (A)　730点レベル

文選択問題

セオリー通り、空所前後の関係性をチェックします。〈データは地元住民のために使われる→(空所)→あるいは、印刷されたアンケート用紙もある〉という流れ。ここで注目したいのは、空所直後の副詞Alternatively(あるいは)です。オンライン、あるいは紙のアンケート用紙もあるという2択に気づけばOK。正解は、(A)の「オンラインで回答できる」。

□ affect : 動 ～に影響を与える

お礼は未来の文脈　正解 (D)　600点レベル

文法問題(時制)

選択肢は動詞receiveの変化形。文脈を見ると、〈アンケートに協力→歯ブラシが無料でもらえる〉という流れが予想できます。つまり、歯ブラシは「これから」もらえるものなので、正解は未来を表す(D)。

〈前置詞＋名詞〉VS.〈接続詞＋節〉　正解 (C)　600点レベル

文法問題(前置詞)

選択肢は前置詞と接続詞。空所直後には、名詞句regular business hoursが見えます。〈前置詞＋名詞句〉のルールから、空所に入るのは前置詞の(A)～(C)。「営業時間中に」と言う場合は(C) duringを使います。forやinは、for three hours(3時間)やin three hours(3時間後)のように、〈for/in＋時間単位〉のカタチで使われます。

実戦問題の解答・解説

問題文

Questions 129-132 refer to the following notice. 158

Dear valued customer,

Please be advised that Joe's Seafood Restaurant --**129.**-- on Tuesday, May 13. Customer safety is our number one priority. --**130.**--, our kitchen appliances will undergo scheduled servicing. We sincerely apologize for this inconvenience. --**131.**--. Also, don't forget about our popular 2 for 1 special on Thursdays. Order a main dish and receive another --**132.**-- the same value for free. From all of us at Joe's, thank you for your business. We look forward to seeing you again soon.

129. (A) closes　(A) 動（現在形）
(B) closed　(B) 動（過去形、過去分詞）
(C) has been closed　(C) 動（現在完了）
(D) will be closed　(D) 動（助動詞）

130. (A) Otherwise　(A) さもなければ
(B) As such　**(B) したがって**
(C) Similarly　(C) 同様に
(D) Due to　(D) ～が原因で

131. (A) Parking is available at the rear of the restaurant.　(A) レストランの後ろにある駐車場がご利用いただけます。
(B) The new menu is expected to be quite popular.　(B) 新しいメニューは、大人気になること間違いなしです。
(C) Normal trading hours will resume on Wednesday.　**(C) 水曜日には通常の営業に戻ります。**
(D) Bookings can be made by visiting our Web site.　(D) ご予約は、当店のウェブサイトから受け付けています。

132. (A) up to　**(A) ～までの**
(B) along with　(B) ～にそって
(C) instead of　(C) ～の代わりに
(D) just as　(D) ～とちょうど同じように

正解と解説

設問129-132は次のお知らせに関する問題です。

大切なお客さまへ

ジョーズ・シーフード・レストランは、5月13日火曜日に 129 お休みすることをお知らせします。お客さまの安全が当店の最優先事項です。 130 したがって、調理器具の定期点検を受ける予定です。ご迷惑をおかけして誠に申し訳ございません。 131 水曜日には通常の営業時間に戻ります。また、毎週木曜に行う、1品の注文で2品食べられる人気の特別メニューもお忘れなく。メインディッシュを注文すれば、同じ値段 132 までの料理をもう1品、無料でサービスいたします。ジョーズのスタッフ一同、ご利用くださるお客様に感謝いたします。みなさまのご来店をお待ちしています。

時制で迷ったら未来形

正解 (D) 600点レベル

文法問題（時制）

選択肢には動詞の変化形がズラリ。セオリー通り、空所前後に、「時」のヒントを探します。空所直後にTuesday, May 13とありますが、少しあとを読むと、その日には調理器具の点検が行われることがわかります。our kitchen appliance will undergo ～. と未来を表す助動詞を使っているので、空所にもwillを使った(D)が入ります。

「ダカラ」のas such

正解 (B) 600点レベル

文法問題（前置詞句）

選択肢(A)、(C)は接続副詞、(D)は群前置詞。空所直後にコンマがあるので、まずは、後ろに名詞が続く(D)をカットします。次に前後の文脈を見ると、「だから」などの原因と結果をつなぐ語句が入ることがわかります。よって、(B)の前置詞句As suchが正解。

キーワードから文選択問題を解く

正解 (C) 730点レベル

文選択問題

セオリー通り、選択肢をシンプルにとらえましょう。(A)駐車場の利用、(B)新メニューへの自信、(C)水曜日に営業再開、(D)ネット予約が可能、といった内容です。空所前後の流れを見ると、〈火曜日の休業へのおわび→（空所）→木曜日の人気サービスの案内〉。空所は火曜日と木曜日の間なので、水曜日に起こることを述べた(C)が正解です。

☐ **resume**：動 再開する

前置詞問題の注意点

正解 (A) 600点レベル

文法問題（前置詞）

選択肢は群前置詞がズラリ ⇒ 文法問題。空所の前文の2 for 1 specialが、次の文で説明されています。Order a main dish and receive another (dish) （空所） the same value for freeは、「メイン料理を注文すれば一品無料」という文脈です。空所以下は「同じ値段までの」という＋αの情報ですね。正解は(A)。前置詞問題でも文脈を取るケースもあります。

スコアに差が出る

頻出フレーズ50

Part 5&6の頻出フレーズです。〈形容詞＋名詞〉〈動詞＋副詞〉〈副詞＋形容詞〉をチェックして、品詞感覚をさらにアップしましょう。

〈形容詞＋名詞〉SET1	159
① □ **promising** applicant	**有望な**候補者
② □ **dominant** figure	**有力な**人物
③ □ **primary** duties	**主な**任務
④ □ **adequate** explanation	**十分な**説明
⑤ □ **advance** notice	**事前の**通知
⑥ □ **outstanding** organization	**優れた**組織
⑦ □ **comprehensive** service	**総合的な**サービス
⑧ □ **economic** outlook	**経済の**見通し
⑨ □ **financial** assistance	**財政**援助
⑩ □ **urgent** request	**緊急の**依頼

〈形容詞＋名詞〉SET2	160
⑪ □ **existing** product	**従来の**製品
⑫ □ **profitable** business	**もうかる**商売
⑬ □ **affordable** price	**手頃な**値段
⑭ □ **stable** supply	**安定した**供給
⑮ □ **dependable** cars	**信頼できる**車
⑯ □ **reliable** system	**信頼できる**システム
⑰ □ **costly** research	**費用のかかる**調査
⑱ □ **remarkable** progress	**注目すべき**進歩
⑲ □ **sufficient** budget	**十分な**予算
⑳ □ **controversial** issue	**議論の的になる**問題

〈形容詞＋名詞〉SET3	161
㉑ □ **exclusive** restaurant	**高級**レストラン
㉒ □ **renowned** hotel	**有名な**ホテル
㉓ □ **grocery store**	**食料雑貨店**
㉔ □ **quarterly magazine**	**季刊誌**
㉕ □ **valid** coupon	**有効な**クーポン
㉖ □ **previous engagement**	**先約**
㉗ □ **fresh** ingredients	**新鮮な**材料

TOEICワールドの社員は、仕事熱心で、有望で、評価が高い。サボってる奴はゼロです。

No.		Phrase	意味
㉘	□	**substantial** amount	かなりの量
㉙	□	**generous** donation	寛大な寄付
㉚	□	**state-of-the-art** technology	最新技術
〈動詞＋副詞〉			162
㉛	□	renew **automatically**	自動更新する
㉜	□	check **periodically**	定期的に調べる
㉝	□	occur **frequently**	頻繁に起こる
㉞	□	discuss **thoroughly**	徹底的に議論する
㉟	□	contact **immediately**	すぐに連絡を取る
㊱	□	work **independently**	単独で働く
㊲	□	respond **promptly**	素早く返答する
㊳	□	*be* exposed **directly**	直にさらされる
㊴	□	increase **considerably**	かなり増える
㊵	□	rise **sharply**	急に増える
〈副詞＋形容詞（過去分詞含む）〉			163
㊶	□	*be* **prominently** featured	目立って特集される
㊷	□	*be* **regularly** updated	定期的に更新される
㊸	□	*be* **fully booked**	予約で一杯である
㊹	□	*be* **highly** probable	可能性が極めて高い
㊺	□	*be* **considerably** lower	かなり安い
㊻	□	*be* **fairly** common	かなり普通の
㊼	□	*be* **relatively** easy	比較的簡単な
㊽	□	*be* **easily** accessible	アクセスしやすい
㊾	□	*be* **environmentally** friendly	環境に優しい
㊿	□	*be* **strictly** prohibited	厳しく禁じられる

トップダウン＆ボトムアップ・リーディング

スラッシュリーディング　カタマリで英文を理解する練習

みなさんは英文を読むとき、何を意識していますか。**大事なのは、単語を1つずつ見るのではなく、「意味のカタマリ」で理解すること**です。その練習として、下記のようなスラッシュ・リーディングを試したことがある方もいるでしょう。

Your Opportunity to Learn / at Crescent Community Center

Crescent Community Center / in downtown Karachi / will be holding / a series of basic personal finance seminars. / These will be held / every Saturday / from May 1- June 5 / at 2:00 P.M.//

主部(S)　目的語(O)　述部(V)

カタマリで読むことは、「息継ぎ」すること

一文が長いときは、スラッシュで切って息継ぎすればなんとか読み切れます（泳ぎ切れます）。スラッシュリーディングに慣れてくると、主部と述部、修飾語の切れ目などが分かるようになり、よりコアな部分だけをつかむことも可能です。例題でいえば、青字の部分。ここが分かるだけでも大分ラクですね。

トップダウン＆ボトムアップ・リーディング　TOEIC読解に必要な2つのアプローチ

スラッシュ・リーディングは、ゆっくり読む時間があるときには有効です（復習では効果的な勉強法）。ですが、実際のTOEICテストではそうはいきません。時間が全然足らないからです。ならば、英文の内容を素早くつかむにはどうすればいいでしょうか。ここで大事なのは、トップダウン＆ボトムアップ・リーディングという、２つの英文理解のアプローチです。

《トップダウン・リーディング》

スキーマ／パターンから文書の展開を予測する

1つ目はトップダウン処理です。これは読み手の持つ「スキーマ」(情報や知識)から、文書の内容を推測する読み方です。あまり難しく考えないでくださいね。**スキーマとは、言い換えれば形式的なパターン**のことです。

例えば、「通知(Notice)」の文書を読むとき、みなさんはどうしますか。頭のなかでスラッシュしながら英文を読む、というのはもちろんダメ。それでは時間がいくらあっても足りません。ですが、もし「通知」の文書の流れが予測できていれば、相当ラクですよね。

「通知」は、《①通知の目的⇒②内容説明⇒③追加情報》というスキーマ／パターンで文書が展開します。具体的に言えば、イベントの通知ならば、「見出し」と文書の冒頭で「何のイベントか」が書かれます(①)。そして、イベントの「見所」や「詳細」が説明され(②)、最後にイベントの注意点などで締められます(③)。文書の書かれ方は一定で、多少単語が変わっても大筋は同じ。つまり、**スキーマ／パターンが分かれば、文書を読む前に「全体」の流れが予測できる**のです。

《ボトムアップ・リーディング》

語彙という《部分》から、《全体》をイメージする

そして2つ目は、ボトムアップ処理です。これは、**単語やフレーズをつなげて、語彙レベルで内容を予測する方法**。意味の変化が少ない「名詞」は、内容をつかむのに重要です。

例えば冒頭にWelcome to ABC Jazz Festival(ジャズフェルティバルにようこそ)やannual event(年次イベント)とあれば、イベント案内の文書とわかりますね。中盤では、highlights(見所)やperformers(出演者)の説明があり、最後は*(アスタリスク)で注意点が述べられます。このように**語彙という「部分」をつなげて、「全体」をイメージする**のがボトムアップ処理です。

文書を見て、単語・フレーズが目に飛びこんでくれば、ざっと全体を予想できますね！

では、例題を見ながらトップダウン＆ボトムアップ・リーディングに挑戦してみましょう！　スキーマ（赤色部分）、ボキャ（青色部分）を参考に！

The Ninth Farber City Jazz Festival

❶Welcome to the Farber ❶Jazz Music Festival, / an important part / of the Farber City community and landmark ❶annual event. // Since our beginning, / we have been sponsored / by local businesses and art groups / and operated entirely by volunteers. // This year, / we plan to ❶make the festival better than ever. // ❶

➡ ❶ 通知の目的（ジャズ・フェスティバルの案内）

Please find some ❷highlights / of the event below.* ❷

❷Date	Performers	Performance Start Time	Notes
June 4	Night Journey	7:00 P.M.	Exact performance time may change
June 9	Sally Nakamura	11: 00 A.M.	-----
June 12	Wind and Snow	8:30 P.M.	Only Festival group to win a National Music Prize
June 18	Cool Taste	10:45 A.M.	-----

➡ ❷ 内容説明（見所、日時、演者、演奏開始時間等）

❸Entry to the festival / is free / but ❸donations are welcome. // All proceeds are used / toward current and future operating costs. //
❸*A list / that includes all performances / can be found / at www.farberjazzfest.org. ❸
[This notice was posted / with the permission / of the Farber City Government. // Permit number / is on the other side of this document.]

➡ ❸ 追加情報（料金無料、寄付歓迎、リストはウェブで）

Top down

全体

⬇

部分

トップダウンの思考

＝スキーマ／パターンで先を予測！

見出し Jazz Festival

❶（通知の）目的　「イベント開催」の案内

見出しと冒頭部分に注目！

❷ 内容説明　「見所」

見所（出演者や開演時間など）がラインナップ

⬇

❸ 追加情報　「注意点等」

イベントの注意点や寄付などで締めくくり

ボトムアップの思考

＝ボキャを繋げて全体をイメージ

Bottom up

部分

⬇

全体

❶ **Welcome to~**（～にようこそ）、**annual event**（年１度のイベント）

❷ **highlights**（見所）、**date**（日程）、**performers**（出演者）

⬇

❸ **entry**（入場）、**donation**（寄付）、*****（アスタリスクの注記）

トップダウンで文書の流れを予測して、ボトムアップでキーワードを押さえていくだけでも、かなり内容がつかめます。

スキーマによる「トップダウン処理」と、語彙による「ボトムアップ処理」は、ビジネス英語のリーディングでは特に有効です。スラッシュで意味のカタマリを取るよりも、スキーマで「全体」を捉え、語彙という「部分」から内容を固めることで、リーディングの効率は飛躍的にアップします！

【訳】

第9回ファーバー市ジャズ・フェスティバル

❶ようこそファーバー・❶ジャズ・フェスティバルへ。このイベントは、ファーバー市で重要で象徴的な❶年1度のイベントです。当初から、地元企業やアートグループが支援し、ボランティアがすべてを運営してきました。今年、我々は❶フェスティバルをこれまでで最高のものにしたいと考えています。 ❶

❷イベントの見所は以下の通りです。*

❷日付	出演者	開演時間	注記
6月 4日	ナイト・ジャーニー	午後7時	正確な公演時間は変更の可能性があります
6月 9日	サリー・ナカムラ	午前11時	-----
6月12日	ウインド・アンド・スノー	午後8時30分	全米音楽賞受賞の唯一のグループ
6月18日	クール・テイスト	午前10時45分	-----

❷

フェスティバルへの❸入場は無料ですが、❸寄付は歓迎いたします。収益の全額は、現在そして今後の運営費として使われます。

*❸すべての公演を掲載したリストは、www.farberjazzfest.org.でご覧いただけます。

[このお知らせは、ファーバー市当局の許可のもと掲載されました。許可番号は、この書類の裏側にあります] ❸

スキーマから設問も攻略

当然、**設問もスキーマの流れと一致**します。

What is the main purpose of the notice?（お知らせの主な目的は何ですか）ならば、①冒頭を見ればOK。To announce an upcoming eventなどが正解になり得ます。また、**Where can people read more information about the event?**（イベントについての詳しい情報はどこで読めますか）ならば、③追加情報なので最後にヒント。On a Web pageなどが正解ですね。

第3部 リーディング問題を攻略

Part 7

読解問題

Day 13	月	日	分
Day 14	月	日	分

リスニング・セクション								リーディング・セクション					
Part 1		Part 2		Part 3		Part 4		Part 5		Part 6		Part 7	
Day 1	Day 2	Day 3	Day 4	Day 5	Day 6	Day 7	Day 8	Day 9	Day 10	Day 11	Day 12	Day 13	Day 14

Part 7は、素早く読み、効率よく答えることが大事です。トップダウンとボトムアップのリーディングスキル、そしてテクニックを駆使して、基礎力を最大化しましょう!

Day 13

Part 7 基礎知識

パートの特徴

問題数:

54問(実際のテストでは、No. 147〜200の問題)

・シングル・パッセージ(1つの文書を読む問題):10セット/29問

・ダブル・パッセージ(2つの文書を読む問題):2セット/10問

・トリプル・パッセージ(3つの文書を読む問題):3セット/15問

目標正解数:

22問(470点)　32問(600点)　36問(730点)

出題形式:

メールや広告・記事などを読んで、その内容に関する複数の設問に答えます。

出題パターン:

シングル・パッセージの設問数は2〜4問。一方、ダブル・パッセージやトリプル・パッセージでは、1セットに必ず5つの設問があります。

シングル・パッセージが29問、続いてダブル・パッセージが10問、最後にトリプル・パッセージが15問という順序で出題されます。

目標解答時間

55分(1問平均1分)

設問の難易度の見極めがポイントです。簡単な設問は1分以内に解答し、「時間貯金」をしましょう。貯金した分は、248ページで紹介するNOT問題など、解くのに時間がかかる問題へ回します。

Part 7のペース配分としては、まずはシングル・パッセージ10セット(29問)を30分、ダブル・パッセージ2セット(10問)を10分、トリプル・パッセージ3

セット（15問）を15分が目標です。大量の英文に圧倒されないように。「最後まで解く！」という強い気持ちでチャレンジすれば大丈夫です！

リーディング解答ペースまとめ

※SP=シングル・パッセージ問題　DP=ダブル・パッセージ問題　TP=トリプル・パッセージ問題

もし途中で目標タイムを過ぎてしまったら、残りは勘でマークし、次に移る割り切りも必要です！

指示文の内容

Part 7ではメールや記事、テキストメッセージなどの文書を読みます。各文書、または文書のセットには複数の設問があります。最も正しいと思われるものを選択肢(A) (B) (C) (D)の中から1つ選んで解答用紙にマークしてください。

問題冊子　*Part 7の問題冊子はこんな感じ！*

PART 7

Directions: In this part you will read a selection of texts, such as magazine and newspaper articles, e-mails, and instant messages. Each text or set of texts is followed by several questions. Select the best answer for each question and mark the letter (A), (B), (C), or (D) on your answer sheet.

Questions 147-148 refer to the following announcement.

VISIT US JUST NOW!

WoodLabo Fine Furniture Corporation
Proudly announces our newest outlet at 22 Street, New York

Come in to find out what shoppers in New York and Boston have long known: WoodLabo sells the best. You can choose from traditional or modern designs or pieces imported from Europe, especially Sweden and Norway. Don't settle for low-cost, low-quality products. Instead, come to us to see what true luxury means.

Store Hours
Monday - Friday　9:00 A.M. - 7:00 P.M.
Saturday/Sunday 10:00 A.M. - 6:00 P.M.

147. What is the main purpose of the advertisement?
(A) To announce a discount sale
(B) To inform people of a new shop
(C) To recruit new employees
(D) To survey store shoppers

148. When does the store close on Sundays?
(A) At 6:00 P.M.
(B) At 7:00 P.M.
(C) At 8:00 P.M.
(D) At 9:00 P.M.

文書の内容は、「メール」「広告」「記事」「テキストメッセージ」などで、ビジネスの現場や日常生活でよく目にするものばかり！

Part 7 攻略しよう！

攻略の基本ルール

設問の難易度を見極めて、全文を読んで解く！

設問の先読みと難易度の見極めが大事。また、文書のジャンルを意識して、効率よく文書を読み進めましょう。

攻略のステップ

ステップ❶「設問の先読み！」で、設問タイプと難易度を見極めます。また、文書全体を読みきる前に、全体を問う設問を解いておくのもポイントです。

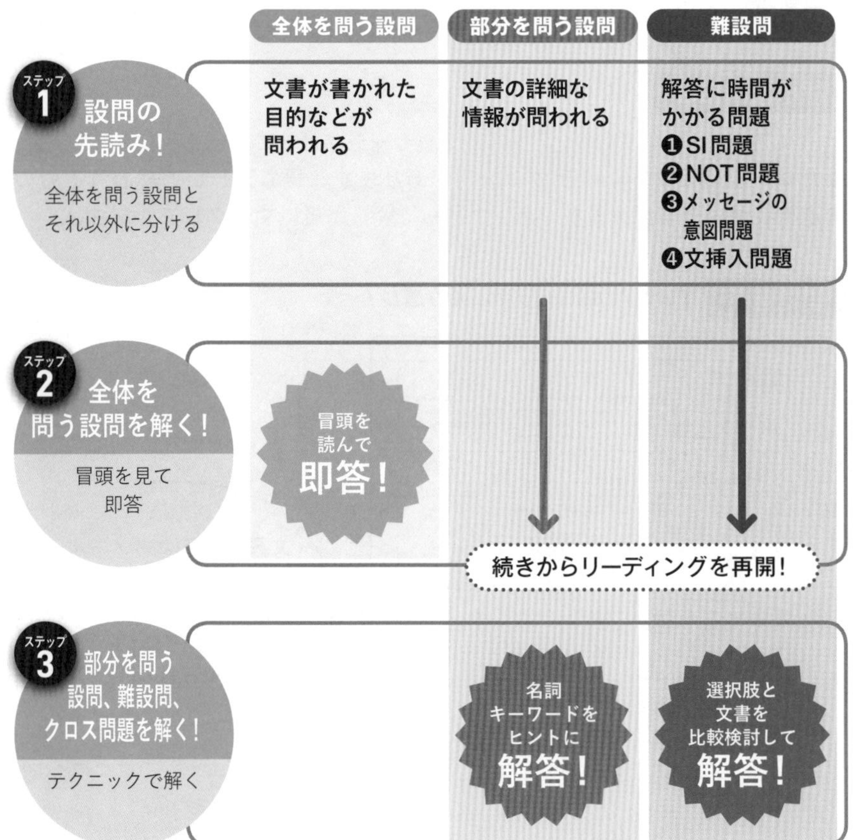

全体を問う設問
部分を問う設問
難設問
ステップ1 設問の先読み！
全体を問う設問とそれ以外に分ける
文書が書かれた目的などが問われる
文書の詳細な情報が問われる
解答に時間がかかる問題
❶SI問題
❷NOT問題
❸メッセージの意図問題
❹文挿入問題
ステップ2 全体を問う設問を解く！
冒頭を見て即答
冒頭を読んで即答！
続きからリーディングを再開！
ステップ3 部分を問う設問、難設問、クロス問題を解く！
テクニックで解く
名詞キーワードをヒントに解答！
選択肢と文書を比較検討して解答！

設問の先読み！ 全体を問う設問とそれ以外に分ける

Part 7の設問は、テーマに関する「全体を問う設問」、詳細な情報に関する「部分を問う設問」、加えて、警戒すべき「難設問」の3パターンです。順番にそれぞれの特徴を見ていきましょう。

全体を問う設問（8～10問程度）

文書の目的やテーマを問う設問。大半は文書の冒頭を読めば答えられますが、文書全体からヒントを拾って推測しないと答えられないものもあります。1問目に出ることが多く、定型が多いのも特徴です。

(1) What is the purpose of the article?
（記事の目的は何ですか）

(2) What is being advertised?
（何が宣伝されていますか）

(3) Why was the e-mail sent?
（メールはなぜ送られましたか）

大半は冒頭だけでOK！
すぐに解けないときは
次へGO!

部分を問う設問（20～25問程度）

文書の細部に関する設問。設問に「名詞キーワード」が含まれている場合が多いです。このキーワードが解答のヒント（目印）になるので、文書を読む前に必ずチェックしておきましょう。

(1) Who most likely is **Whittier**?
（ウィッティアさんは誰だと考えられますか）

レッドの部分が
名詞キーワード

(2) When are the **workshops** scheduled?
（研修会はいつ予定されていますか）

(3) According to the article, what is included in ***Modern East Asia***?
（記事によると、『現代の東南アジア』には何が書かれていますか）

(4) In the Web page, the word "**provides**" in paragraph 2, line 5, is closest in meaning to
（ウェブページの第2段落・5行目の"provides"に最も近い意味の語は）

難設問

難設問は、①SI問題、②NOT問題、③メッセージの意図問題、④文挿入問題の4パターン。文書全体から情報を取らなければ解けないので、時間も手間もかかります。時間があればトライ、ないときは深入りせずに次の問題へGO！

1 SI問題（15問程度）

設問に**suggest**（示唆する）、**state**（述べる）、**indicate**（示唆する）、**imply**（ほのめかす）を含む問題。通称**「SI」問題**。文書で読み取った情報から、答えを推測しなければなりません。

設問には名詞キーワードが含まれていますが、部分を問う設問とは違って、キーワードだけでは解答できないので注意が必要です。出題数も多く、600点を目指す上でクリアしなければならない関門です。

「SI」パターンのほかに、**most likely**（おそらく）や**mention**（述べる）を含む設問も推測が必要です。

SIは○さがし、
NOTは×さがしです。

(1) What **is indicated about** the trade show?
（見本市について何が示されていますか）

(2) What **is suggested about** Ms. Wilcox?
（ウィルコックスさんについて何がわかりますか）

(3) What **is stated about** the work schedule?
（作業予定について何が述べられていますか）

(4) Where was the survey **most likely** conducted?
（調査はどこで行われたと考えられますか）

2 NOT問題（2～4問程度）

設問に大文字のNOTを含む問題。選択肢と文書の内容を比較検討して、消去法で解かなければならないので、かなり時間がかかります。

ただし、比較する情報が、文書ではX, Y and Zというように、「並んで」記載されていることも多いので、SI問題よりは簡単です。

(1) What information is **NOT** available on the Web site?
（ウェブサイトに載っていない情報は何ですか）

(2) What is **NOT** true about the features of the restaurant?
（レストランの特徴として、正しくないものは何ですか）

3 メッセージの意図問題（2問程度）

あるメッセージについて、なぜそのように書いたのかという書き手の「意図」が問われます。テキストメッセージとチャットで、毎回1問ずつ出題されます。

(1) At 8:10 A.M., what does Mr. Cole mean when he writes, **"That's everything"**?
（午前8時10分にコールさんが「これで全部」と書くとき、何を意図していますか）

4 文挿入問題（2問）

設問で指示された1文が入る、最もふさわしい場所を選ぶ問題。シングル・パッセージ問題で、毎回2問出題されます。

(1) In which of the positions marked [1], [2], [3], and [4] does the following sentence best belong?
"Apart from that, I enjoyed the seminar very much."
（次の文が入るのに最も適切な箇所は、[1], [2], [3], [4] と記載された箇所のうちのどこですか。
「そのことを除けば、私はセミナーをとても楽しみました」）

ステップ2 全体を問う設問を解く！ 冒頭を見て即答

全体を問う設問

〈ステップ❶〉で、設問を「全体」「部分」「難」に分けたら、速攻で「全体を問う設問」を解答しましょう。メール、手紙、広告、お知らせなどでは、冒頭部分からテーマがつかめます。例えば、What is the purpose of the e-mail?（メールの目的は何ですか）の設問には、メールの「件名」や最初の2〜3行を読めば答えられます。

冒頭だけで即答できなければ、解答を保留し、全体のリーディングをしながら対処します。この場合、難問であることが多いので、深入りは禁物です。

Part 7解答の流れ

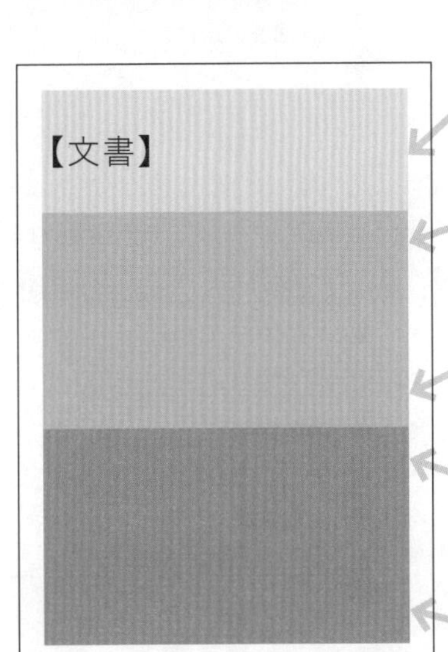

1 文書の冒頭を読んで、1問目の「全体を問う設問」を解く。

2 続きを読みはじめる。

3 2つ目の設問に関連する情報が出てきたら、読むのをやめて解答する。

4 再度、続きから読みはじめる。

5 3つ目の設問に関連する情報が出てきたら、読むのをやめて解答する。

1問目の「全体を問う設問」を解いたら、その続きからリーディングを再開します。このとき、文書ジャンルと文書パターンの知識が役に立ちます。文書ジャンルは、メールや広告などの文書のバリエーションのことです。一方、文書パターンは、文書の展開の仕方（書かれ方）を指します。文書パターンは「スキーマ」でしたね。

トップダウン／ボトムアップ・リーディングで触れたように（238ページ）、「スキーマ」の知識があると、文書の先に何が書かれているか予測可能です。当然、先が分かれば、速く正確に読めますね。以下、文書ジャンルと文書スキーマを見ていきましょう。

文書ジャンルと文書スキーマ

文書ジャンルと、文書スキーマをチェックしましょう。ジャンルはPart 4と同じように、問題番号を示すイントロ部分 Question XXX-YYY refer to the following e-mail. からわかりますね。

1 メール（e-mail）、手紙（letter）、連絡メモ（memo）

特徴

Part 7で最もよく出るのがメールです。**商品の発注やクレーム、求人広告への問い合わせ**などが好例。**社員への業務連絡**なども出題されます。
メールでは、**Subject（件名）もチェック**するようにしましょう。

★手紙では、**クレームへの謝罪や契約成立の謝辞**など、メールよりも**フォーマルな内容**のものが多いです。

メールのスキーマ

① **挨拶と用件**
例 従業員満足度の調査

② **説明と対応**
例 今回の調査内容や目的

③ **追加情報**
例 回答の送付先

2 広告（advertisement）、パンフレット（brochure）、クーポン（coupon）

特徴

広告では**販売広告、サービス案内、求人広告**などが出ます。
<u>出題ポイントは、**割引、特典、適用条件、期間、例外**の5つ。</u>毎回どれかは必ず出題されます。

★求人広告では、**①求人案内⇨②求めている人材・業務内容⇨③応募の注意点や連絡先等**の流れが定番です！

広告のスキーマ

① **うたい文句、案内**
例 新規開店のあいさつ

② **内容説明**
例 サービス・ロケーション

③ **追加情報**
例 特典、条件、連絡先

3 お知らせ（notice）、情報（information）、案内（announcement）

特徴

お知らせのパターンは以下の3つ。

(1)社員通知：
イベント案内、社内規定の変更や工事案内

(2)社外関係者向け：
役員人事や本社移転の通知

(3)一般向け：
公共施設の工事、イベント告知の「案内」

お知らせ・情報のスキーマ

① **通知の目的**
例 社内エレベーター点検の案内

② **内容説明**
例 日時、代わりの経路

③ **追加情報**
例 運転再開の案内、注意点

4 記事（article）、レビュー（review）

特徴

株式市場、金融、ビジネス、環境などのテーマが出題されます。企業買収・合併や、都市計画など、語彙力が要求されるので、後まわしもアリです。

商品の「お客様レビュー」は、プラス／マイナスの評価を押さえると、割と簡単に解けます。

記事のスキーマ

① **トピック**
例 事業拡大に伴う企業移転

② **内容説明**
例 移転の背景、計画

③ **追加情報**
例 賛否や、移転がもたらす影響

5 テキストメッセージ（text message chain）、チャット（online chat）

特徴

複数の人物がメッセージをやりとりしている画面が出題されます。**SNSなどのグループメッセージ**をイメージするといいでしょう。何かしらの**トラブルが発生し、助けや解決策を求める内容**が多いです。

1文が短く会話表現が多いので、得点源になりますが、慣れていないと逆に難しく感じます。

チャットのスキーマ

① **用件（トラブル多し！）**
例 会議前にプリンターが動かない！

② **反応、解決策の検討**
例 ヘルプデスクに連絡した？

③ **問題解決への提案**
例 プリンターに詳しい同僚を向かわせる

6 記入用紙・フォーム（form）、アンケート（survey）、リスト（list）

特徴

注文書（order form）、請求書（invoice）、スケジュール（schedule）など。図表や記入欄が多く、**文字量が少ない**点が特徴です。

＊（アスタリスク）、または小さな文字で書かれた「申込方法・例外・条件」については、よく問われるのでチェックしましょう！

請求書のスキーマ

① **請求書の概要**
例 請求者、請求先会社名

② **請求書の明細**
例 品目・数量・金額など

③ **追加情報**
例 支払い情報、返品ポリシー

7 説明書(instructions)、保証書(warranty)

特徴

商品の取扱説明書や保証書が出題されます。**使用上の注意、管理方法、修理、保証**に関してなどが定番。語彙レベルは、記事と同程度に高いので、後まわしもアリです。

説明書のスキーマ

① **取扱説明書の概要**
例 掃除機モデルの紹介

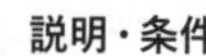
② **説明・条件**
例 手入れ方法、保管・使用上の注意

③ **注意点・連絡先**
例 カスタマーサービスの案内

8 ウェブページ(web page)

特徴

ウェブページでは、**広告、商品の購入画面、レビュー、記事など、ウェブ上で閲覧できる情報**が幅広く出題されます。SI問題やNOT問題が多く、レベルは高めなので、深入りは×。

ウェブページのスキーマ

① **見出し**
例 夏季セールの案内

② **説明**
例 セールの内容、対象

③ **注意点・連絡先**
例 条件、期間など注意点

部分を問う設問、難設問、クロス問題を解く!
テクニックで解く

部分を問う設問

文書を読む際は、設問の名詞キーワードを意識します。だらだらと全体を読むのではなく、キーワードに関係する箇所に集中し、メリハリの効いた読み方を実践しましょう。

難設問

「部分を問う設問」が名詞キーワードで解答できるのに対し、「難設問」はそうはいきません。

suggestなどを含むSI問題は推測が必要ですし、NOT問題は選択肢と文書の比較検討が不可欠です。したがって、部分を問う設問に比べ、時間も手間もかかります。

Part 7は1問1分が目標解答時間。1分をオーバーしそうなときは、難設問に見切りをつけるのもアリです。まずは、「攻略ポイント」の各ページで、しっかりと解き方を身につけてください。

Part 7のクロス問題とは？

マルチプルパッセージ(ダブル＆トリプル・パッセージ)での最大の難所が「クロス問題」です。これは複数の文書に書かれた情報を関連づけて(クロスさせて)答える問題です。1セット5問中、1〜2問出題されますが、クロスさせるのは、通常2文書まで。トリプルパッセージでも、2つの文書をクロスさせれば答えは見つかります。

難しそうですか？　いえいえ、クロス問題の目印は、「時」「数」「日付・地名」です。選択肢に曜日や日付などの「時」や、「数」「日付・地名」が並んでいたら、かなりの確率で「クロス問題」です。難問ですが、事前に心の準備ができると、意外と解けるものですよ。

【設問例】On what day will Mr. Gordon attend the seminar?
(ゴードンさんは何曜日にセミナーに参加しますか)

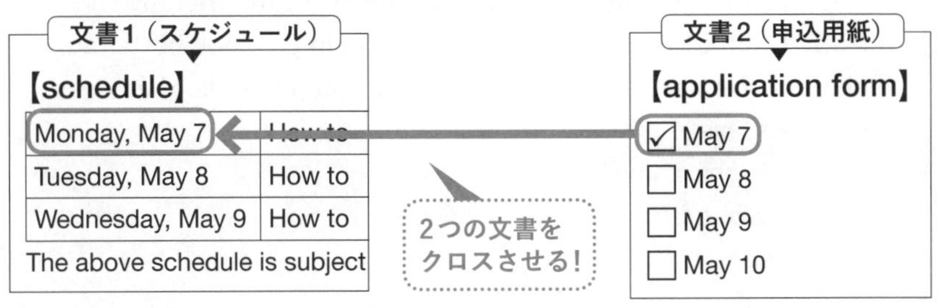

【解き方】

まず、文書2(申込用紙)から、ゴードンさんが「5月7日」のセミナーに申し込んでいることを押さえます。続いて、文書1(スケジュール)で、「5月7日」が何曜日かを確認します。これで、正解Monday(月曜日)を選べますね。

SI問題、NOT問題は、まずシングル・パッセージで練習しよう！　テクニックにも慣れが必要です

Part 7 攻略問題

それでは、Part 7の問題を実際に19問解いてみましょう。
それぞれの文書に関する設問に関して、最も適切な選択肢を(A)〜(D)の中から1つ選んで、解答用紙にマークしてください。

▶制限時間は30分

Questions 133-134 refer to the following advertisement.

Heat Health and Fitness

Thinking about shaping up for the summer? Let the friendly and qualified staff at Heat Health and Fitness help you look better and feel great. We have a range of programs to suit people of all ages and fitness levels.

- Weight training
- Aerobics
- Yoga
- Pilates

To celebrate our grand opening, we are offering half-price membership to anyone who signs up by the end of the month.
To register, please visit us at www.heat.com.
*A valid credit card required for payment at time of registration.

133. What is the main purpose of the advertisement?
(A) To promote a business opening
(B) To announce a program change
(C) To invite members to an event
(D) To celebrate an anniversary

134. What are people wishing to register asked to do?
(A) Respond to an e-mail
(B) Attend an information session
(C) Make an online payment
(D) Agree to the terms and conditions

Questions 135-136 refer to the following memo.

MEMO

From: Patrick Meninga, Human Resources
To: All employees
Date: March 12
Subject: Timecard System Change

As discussed at last week's general meeting, we will be changing our timecard system. From the beginning of next month, the outdated punch card machine will be replaced by a new digital system. Your new time card contains an electronic chip that keeps a digital record of hours worked. Simply place your card on the touch panel when you commence your shift and repeat the process when you leave. Touch panels will be installed on each floor beside the elevator. The card will also double as your employee identification, providing security access to the basement car park. Please see Trish Barnwell in administration no later than March 31 to obtain your card.

135. When will the change come into effect?

(A) On March 9
(B) On March 12
(C) On March 31
(D) On April 1

136. What will employees most likely do by the end of the month?

(A) Obtain a password
(B) Visit a co-worker
(C) Complete a form
(D) Send an e-mail

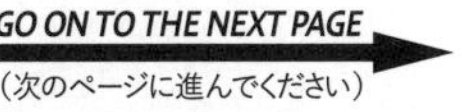
GO ON TO THE NEXT PAGE
(次のページに進んでください)

Questions 137-139 refer to the following e-mail.

From:	Lynn Su <sulynn@castlemainehotel.com>
To:	Felipe Ramirez <framirez@cgcfinance.com>
Subject:	Forthcoming Stay
Date:	September 19

Dear Mr. Ramirez,

Thank you for choosing to stay at Castlemaine Hotel. We have you booked for a two-night stay starting on September 26. A continental breakfast and airport transfer have been included with your booking. Being a regular guest, I am delighted to inform you that your room has been upgraded to a deluxe suite. Of course, you will not incur any additional charges.

Regarding the conference facilities, I had planned to offer you your usual room. However, the Albatross Room will be undergoing maintenance on the date of your request. Instead, I have made arrangements for you to use the adjacent Eagle Room. It is slightly smaller, but has the same features, including audiovisual equipment, wireless Internet, and tea and coffee service. For an additional charge, I can arrange for a selection of pastries to be made available. Please let me know if you would like to include this.

If you have any questions about your booking, please do not hesitate to contact us. We look forward to welcoming you next week.

Sincerely,

Lynn Su
Front Office Manager

137. What is the purpose of the e-mail?
(A) To offer a refund
(B) To request a payment
(C) To confirm a booking
(D) To apologize for an error

138. What is indicated about Mr. Ramirez?
(A) He has stayed at the hotel before.
(B) He has been charged an extra amount.
(C) He will stay a smaller room than planned.
(D) He will be traveling with a colleague.

139. What is NOT a feature of the Eagle Room?
(A) Internet access
(B) Complimentary food
(C) A beverage service
(D) Video equipment

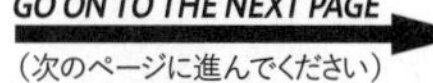
GO ON TO THE NEXT PAGE
（次のページに進んでください）

Questions 140-141 refer to the following text message chain.

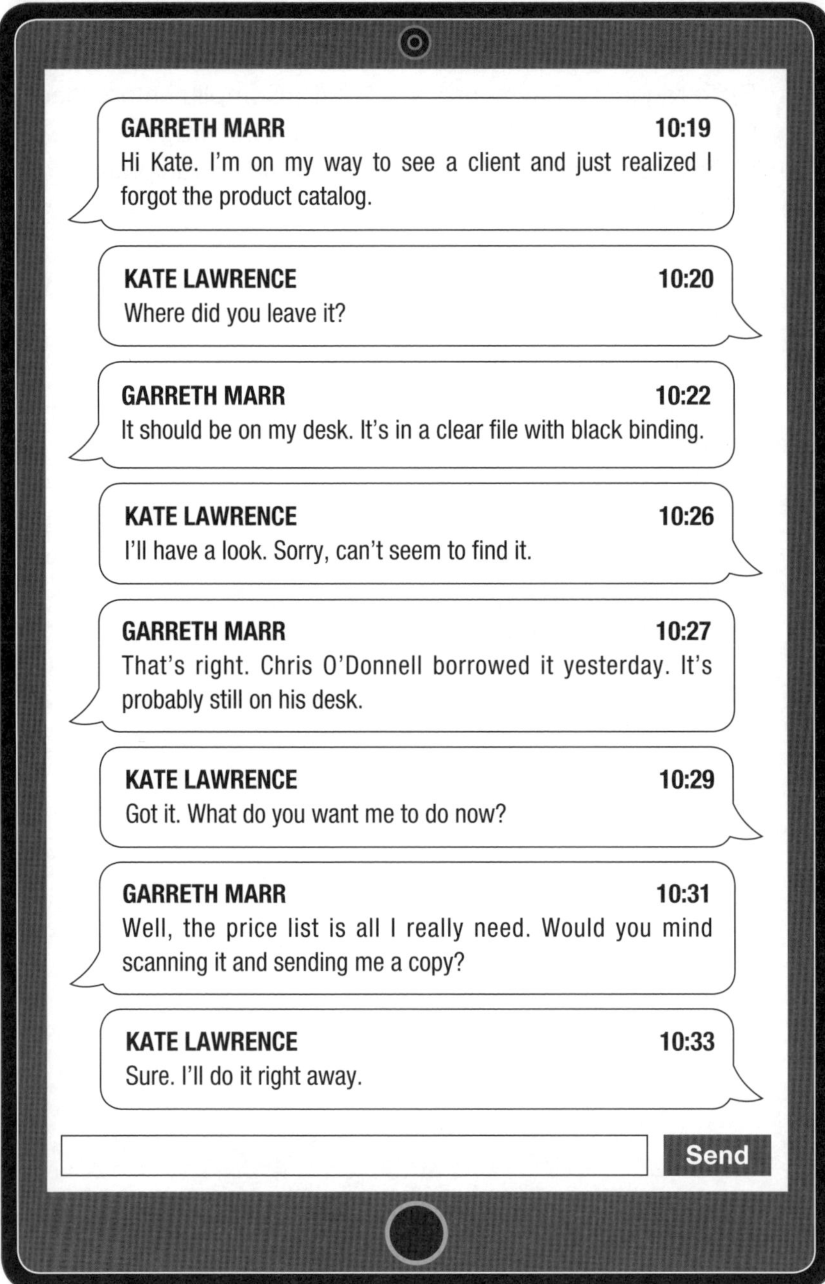

GARRETH MARR 10:19
Hi Kate. I'm on my way to see a client and just realized I forgot the product catalog.
KATE LAWRENCE 10:20
Where did you leave it?
GARRETH MARR 10:22
It should be on my desk. It's in a clear file with black binding.
KATE LAWRENCE 10:26
I'll have a look. Sorry, can't seem to find it.
GARRETH MARR 10:27
That's right. Chris O'Donnell borrowed it yesterday. It's probably still on his desk.
KATE LAWRENCE 10:29
Got it. What do you want me to do now?
GARRETH MARR 10:31
Well, the price list is all I really need. Would you mind scanning it and sending me a copy?
KATE LAWRENCE 10:33
Sure. I'll do it right away.
Send

140. At 10:27, what does Mr. Marr mean when he writes, "That's right"?

(A) He agrees with the colleague's suggestion.
(B) He feels responsible for a mistake.
(C) He planned to check with a co-worker.
(D) He remembered a document's location.

141. What does Ms. Lawrence agree to do?

(A) Send Mr. Marr a file
(B) Contact the manager
(C) Amend a price list
(D) Search for a catalog

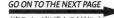

GO ON TO THE NEXT PAGE
（次のページに進んでください）

Questions 142-146 refer to the following notice and Web page.

Gatton Historical Society presents...

WAGONS AND WINDMILLS

Not many people are aware that the city of Gatton played a major role in the region's history. The convention center site was once the largest timber mill in the state. Also, the current tourist information center on Whyalla Road served as the region's first bank over one hundred years ago.

Join Margaret Bishop, long-term resident and president of the Gatton Historical Society, as she takes you on an informative journey back in time. A two-hour presentation, supported by never-seen-before footage and images, will be held at the Society's headquarters on Saturday, October 14 at 6:30 P.M.

Admission is free with seating for up to 100 people. For bookings, contact Kaye Dawson at 555-3187 between 9:00 A.M. and 3:00 P.M. weekdays. Limit of four seats per booking.

---

http://www.gattonhs.org

Home	Events	Archives	Comments

I had the pleasure of attending a presentation at your headquarters last Saturday evening. I was surprised to learn that the speaker's grandfather and my great grandfather once worked together at the old timber mill. On this matter, I am currently teaching a course on forestry at James Sturt University. I would be delighted if Ms. Bishop could speak to the students about this topic sometime next month. The head of faculty has approved the visit and requires an outline of the content. If interested, she can e-mail Mr. Steven Boyd directly at boyds@jsu.edu.au. Thank you for your consideration.

Judy Gresham

142. What is the purpose of the notice?

(A) To advertise a community event
(B) To celebrate the life of a local resident
(C) To announce the release of a film
(D) To attract tourists to a region

143. In the notice, the word "images" in paragraph 2, line 4 is closest in meaning to

(A) styles
(B) replicas
(C) photographs
(D) recounts

144. According to the notice, what is suggested about Ms. Bishop?

(A) She recently moved to Gatton.
(B) She used to work at a bank.
(C) She charges a fee for her services.
(D) She will give a two-hour speech.

145. Who is Mr. Boyd?

(A) An editor at a local newspaper
(B) A colleague of Ms. Gresham
(C) A secretary of an organization
(D) A distant relative of Ms. Bishop

146. When does Ms. Gresham want Ms. Bishop to visit the university?

(A) In September
(B) In October
(C) In November
(D) In December

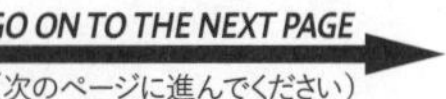

GO ON TO THE NEXT PAGE
(次のページに進んでください)

Questions 147-151 refer to the following advertisement, review, and coupon.

CHARLIE'S

For over 25 years, Charlie's has been serving up the best steak, seafood, pizza and pasta in town. Renowned chef, Pierre Belliveau, invites you to try his latest creation. It uses only the best local seafood caught daily in the clear waters of the Whitsunday Islands. Dine during the month of August and receive a Blue Tropics discount coupon. Open 7 days a week from 6:00 P.M. till midnight. Bookings essential.

Shop 2A, 109 Airlie Beach Road, Shute Harbor
www.charlies.com.au

CUSTOMER FEEDBACK FORM

Name:(optional) Fiona Kennedy Table # 34 Waiter: Jacob

Meal Quality: 5 Service: 5 Cleanliness: 4

1 = very poor; 2 = poor; 3 = average; 4 = good; 5 = very good

Comments:
I celebrated a birthday with some friends tonight at your restaurant. It was recommended that we try the chef's newest addition to the menu. It was larger than we had imagined, and the quality and freshness of the seafood was exceptional. We asked to be seated outside to enjoy the ocean view. However, it suddenly began to rain, so our waiter found a table for us inside. He also arranged a complimentary dessert for our troubles. The biggest surprise was when Pierre Belliveau posed with us for a group photo after our meal. Overall, it was a wonderful evening, but I recommend you install some screens, or do something about the outdoor dining area to fix the weather issue.

SPECIAL OFFER!

Fiona Kennedy is invited to enjoy Blue Tropics for half price! *

The recipient is entitled to a 50 percent discount off the standard fare.

Trip includes: free transfer to our office (next to Charlie's), island cruise, buffet lunch with drink bar, snorkeling, and glass bottom boat ride.

* Not valid on weekends and public holidays.
** Expires December 31.

147. Why most likely did Ms. Kennedy receive the coupon?

(A) She frequently dines at Charlie's.
(B) She completed a customer survey.
(C) She visited Charlie's in August.
(D) She ordered a particular menu item.

148. What did Ms. Kennedy order at Charlie's?

(A) Steak
(B) Seafood
(C) Pizza
(D) Pasta

149. Who did Ms. Kennedy have her photograph taken with?

(A) A chef
(B) A waiter
(C) An actor
(D) A singer

150. What type of business is the coupon for?

(A) A diving school
(B) A bus company
(C) A seafood restaurant
(D) A cruise boat operator

151. What is probably true about Blue Tropics?

(A) It is closed on public holidays.
(B) It is located in Shute Harbor.
(C) It is owned by Mr. Belliveau.
(D) It is popular among tourists.

次のページからは、今回の問題を使って、Part 7の攻略ポイントを見ていきます。 To Be Continued

シングル・パッセージの読み方

Part 7では、10セットの「シングル・パッセージ」が出題されます。1セットにつき設問は2〜4問、標準的な解答時間は1問1分です。メール、広告、通知など、文書ジャンルが多岐にわたるので、臨機応変さが必要です。

シングル・パッセージでは、設問を先読みし、文書ジャンルをチェックして、スキーマ／パターンを意識します。

シングル・パッセージの攻略STEP

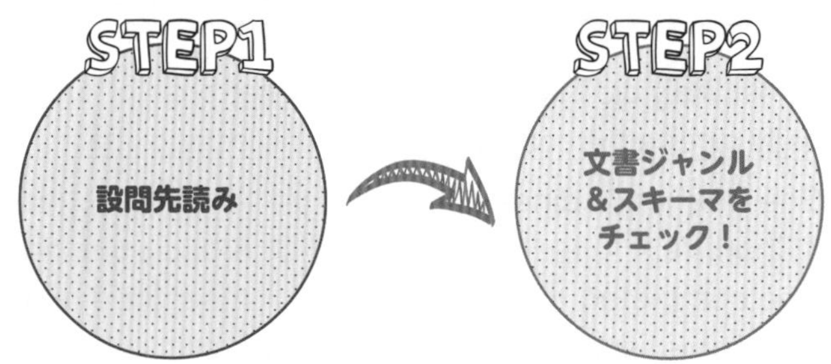

① 設問先読み

「Part 7を攻略しよう！」でも述べたように、「全体」や「部分」を問う設問、SI問題やNOT問題などの難設問など、設問には多くのバリエーションがあります。そして、設問は難易度を示すだけでなく、文書中のヒントの場所も示してくれます。What is being advertised?（何が広告されていますか）ならば、「全体」の問いなので冒頭にヒント。What is Mr. Davis asked to do?（Davisさんは何をするように求められていますか）ならば、「部分」のお願い問題なので、終盤のお願い文Please call us at～.（電話して）などにヒントがあります。設問を見れば、どこを重点的に読めばいいかがわかるのです。

② 文書ジャンルとスキーマ

今回は、254ページのシングル・パッセージを例に取ります。まず、Questions 133-134 refer to the following advertisement. を見て、文書ジャンル「広告」を確認しましょう。「広告」は、《❶商品・サービス案内⇒❷内容説明⇒❸追加情報》という流れです。リーディングのコラム（238ページ）でも指摘しましたが、ビジネス文書は同型のパターン＝「スキーマ」で書かれます。語彙などの表現に多少の違いはありますが、《❶⇒❷⇒❸》のスキーマ／パターンは変わりません。そして、設問もここにリンクします。

では、実際にスキーマと設問をつなげてみましょう。

【広告(advertisement)】フィットネスの広告

1 商品・サービス案内　➡[設問]広告の目的は?(全体)

広告では、最初に「何の商品・サービスか(=広告の目的)」が書かれます。見出し(Heat Health and Fitness)と冒頭(Thinking about shaping up for summer?)を見れば、フィットネスの広告と分かりますね。

▶「全体」を問う設問133は、見出しと冒頭だけで解けます。

2 内容説明　➡[設問]どんなサービス?(部分)

広告の中盤では、「どういう商品・サービスか(=広告の内容)」が詳しく説明されます。今回は、We have a range of programs〜.のあとに、フィットネスメニュー(Weight trainingなど)が4点並んで書かれていますね。

▶今回は設問がありませんが、例えばWhat is NOT mentioned as the fitness menu?(フィットネスメニューに書かれていないものは何ですか)とあれば、このフィットネスメニューの並記箇所を見ればOK。例えばDanceなどが選択肢にあれば、それが正解です。

3 追加情報　➡[設問]登録方法や注意点は?(部分)

広告の終盤では、「注意点、例外、登録、問い合わせ先」などが締めにきます。To register, please visit us at〜.では、登録の連絡先(ウェブ)が書かれ、直後の*(アスタリスク)では支払い方法について書かれています。

▶「登録」に関する設問134は、この箇所を見ればOK。

シングル・パッセージでは、エッセイで紹介した読解アプローチを十分に活用できます。「トップダウン」(スキーマ)で文書の流れや設問のヒントを予測し、「ボトムアップ」で語彙を拾いながら、全体をイメージしましょう。TOEICの文書はやみくもに読んではダメです。スキルを駆使して、効率的に読むことが大事です。

最後に、時間配分に関して。シングル・パッセージ10セットは、全部で25〜30分で終えるのが理想です。時間セーブがハイスコアの近道です。

ビジネス文書は「定型」だから、文書パターン=スキーマが役に立つんです。

Part 7の攻略ポイント

広告

〈設問の先読み＋スキーマ〉を駆使せよ！

最初に設問を先読みして、何が問われているかをチェックしましょう。次に、文書のスキーマから、設問のヒントの場所を予測します。

Questions 133-134 refer to the following advertisement. 164

133 ***Heat Health and Fitness***

133 Thinking about shaping up for the summer? Let the friendly and qualified staff at Heat Health and Fitness help you look better and feel great. We have a range of programs to suit people of all ages and fitness levels.

- Weight training
- Aerobics
- Yoga
- Pilates

133 To celebrate our grand opening, we are offering half-price membership to anyone who signs up by the end of the month.

134 **To register,** please visit us at www.heat.com.

*A valid credit card required for payment at time of **registration**.

スキーマは文書パターンのことでしたね。
先をイメージして読むことが大事です。

攻略 1 「広告」スキーマ

広告は《見出し⇒①商品・サービスの案内⇒②内容説明⇒③追加情報》という流れ。ここでも、広告の「目的」は冒頭、フィットネスメニューは中盤、登録などの注意点は終盤に書かれます。

攻略 2 「目的」は冒頭にアリ！

文書の「目的」は冒頭に書かれます。「全体」を問う設問は、確実に得点するのがセオリーです。目的がはっきりしない時は、すこし先まで見ることも大事。

133. What is the main purpose of the advertisement?

(A) To promote a business opening
(B) To announce a program change
(C) To invite members to an event
(D) To celebrate an anniversary

攻略 3 「登録」は、本文終盤にヒント！

文書の終盤では、追加情報が書かれます。***（アスタリスク）はナイスな目印。登録、連絡先、条件、注意に関する設問は、終盤にヒント**があります。

134. What **are** people wishing to register **asked to do**?

(A) Respond to an e-mail
(B) Attend an information session
(C) Make an online payment
(D) Agree to the terms and conditions

設問でaskを見たら、
本文中に
Please ～.を探そう！

文書の訳

設問133-134は次の広告に関する問題です。

133 ヒートヘルス＆フィットネス

133 近日オープン

133 夏に向けて、シェイプアップしたいとお考えですか？　親切で、資格を持つヒートヘルス＆フィットネスのスタッフが、みなさんをとても美しく、いい気分にするお手伝いをいたします。当ジムでは、あらゆる年齢の方、様々な運動レベルの方に満足していただける、幅広いメニューをご用意しています。

・ウエイト・トレーニング
・エアロビクス
・ヨガ
・ピラティス

133 グランド・オープンを記念して、今月末までにお申し込みいただいたすべての方に、会員権を半額でご提供しています。134 ご登録は、www.heat.comまでアクセスください。

134 *登録のお支払いには、有効なクレジットカードが必要です。

設問・選択肢の訳

133. 広告の主な目的は何ですか。
(A) 開店を宣伝すること
(B) メニューの変更を発表すること
(C) 会員をイベントに招待すること
(D) 記念日を祝うこと

134. 登録を希望する人は何をするよう求められていますか。
(A) メールに返信する
(B) 説明会に出席する
(C) オンラインで支払う
(D) 契約条件に同意する

☐ **shape up**：体を鍛える　☐ **qualified**：形 有能な、資格のある
☐ **a range of ...**：ある範囲の…、さまざまな…
☐ **suit**：動 ～に合う、～を満足させる　☐ **celebrate**：動 ～を祝う、～を記念する
☐ **sign up**：署名する　☐ **valid**：形 有効な、期限切れでない
☐ **required for ...**：…に必要である　☐ **registration**：名 登録
【133】☐ **invite**：動 ～を招待する　☐ **anniversary**：名 記念日、～周年
【134】☐ **respond**：動 答える、返事をする　☐ **information session**：説明会
☐ **make a payment**：支払う　☐ **terms and conditions**：契約条件

133の解答・解説　正解 (A)

470点レベル

全体を問う設問　見出しと本文最初の数行をチェックしましょう。見出しの*Heat Health and Fitness*や冒頭Thinking about shaping up for the summer?から、「フィットネスクラブの広告」とわかりますね。さらに、見出し横のキャッチCOMING SOONからは、「オープンの告知」であることがわかるので、正解は選択肢(A) To promote a business opening。終盤、To celebrate our grand opening, ～.までチェックできれば、確実に答えられます。

134の解答・解説　正解 (C)

470点レベル

部分を問う設問　「登録したい人は何をするように求められているか」というask問題(「お願い」問題)です。この問題のヒントは、本文のPlease *do* ～.などの近くにあります。終盤のTo register, please visit us at www.heat.com.と、続く*A valid credit card required for payment at time of registration.がヒント。「登録はウェブサイトで。登録時の支払いにはクレジットカードが必要」と書いてあるので、正解は(C) Make an online payment。

ここでは3つのテクニックを確認しましょう。覚えておくと役立ちますよ。

①「ask問題はPleaseにヒント！」
②「登録方法はウェブが出る！」
③「*(アスタリスク)も要注意！」

解法チャート　ask問題

ask問題(「お願い」問題)は頻出です。 **設問にaskを見たら、本文ではPleaseを探しましょう。**

❶ 設問のaskをチェック！
1. What is *S* asked to do?(Sは何を求められていますか？)
2. What does *X* ask *Y* to do?(XはYに何を求めていますか？)

今回の設問134は、1と同じパターンですね。

⬇

❷ 本文のPleaseやI hopeが答えの目印！
Please *do* ～.(～して下さい)やI hope S V.(SにVして欲しいです)を見つけて即答します。

Part 7の
攻略
ポイント

お知らせ

「時」の言い換えに反応せよ！

Part 7に限らず、TOEICテストでは「時」の言い換え表現が頻出です。選択肢の「時」、設問の「時」は、本文中では言い換えられています。

Questions 135-136 refer to the following memo. 165

MEMO

From: Patrick Meninga, Human Resources
To: All employees
Date: 135 March 12
Subject: Timecard System Change

As discussed at last week's general meeting, we will be changing our timecard system. 135 From the beginning of next month, the outdated punch card machine will be replaced by a new digital system. Your new time card contains an electronic chip that keeps a digital record of hours worked. Simply place your card on the touch panel when you commence your shift and repeat the process when you leave. Touch panels will be installed on each floor beside the elevator. The card will also double as your employee identification, providing security access to the basement car park. 136 Please see Trish Barnwell in administration no later than March 31 to obtain your card.

攻略 1

「連絡メモ」スキーマ

社内通知は《Subject（件名）⇒①通知の目的⇒②内容説明⇒③追加情報》という流れ。Subjectと冒頭ではタイムカードのシステム変更、中盤では新システムの説明、最後に注意点が書かれています。

攻略 2 設問キーワードをサーチ!

設問の名詞キーワード(change)を確認したら、それを本文中でサーチします。Subjectや冒頭でヒットしたら、その周辺をしっかり読みましょう。

135. When will the **change** come into effect?

(A) On March 9
(B) On March 12
(C) On March 31
(D) On April 1

「時」はクセ者!
トリッキーなので
注意して!

攻略 3 will doを見たら、Pleaseを探せ!

will doを含む設問では、「これから」のことが問われます。本文中の**Please *do* ～.やWould you ～?などの「お願い」表現にヒント**があります。

攻略 4 「時」の言い換えが出る!

TOEICの「時」問題はクセ者です。ここでは、設問136のby the end of the month ⇒本文のno later than March 31という言い換えが解答のカギ! 設問135でも、the beginning of next monthを具体的な日付に変換する必要がありましたね。

136. What will employees most likely do by the end of the month?

(A) Obtain a password
(B) Visit a co-worker
(C) Complete a form
(D) Send an e-mail

文書の訳

設問135-136は次の連絡メモに関する問題です。

連絡メモ

差出人：パトリック・メニンガ、人事部

宛先：全従業員

日付：135 3月12日

件名：タイムカードシステムの変更について

社内通知では、
ルールの変更が
定番です！

先週の全体会議で話したように、タイムカードのシステムを変更します。135 来月の初めから、旧式のパンチカード式機械が新しいデジタル式システムに入れ替わります。みなさんの新しいタイムカードには、勤務時間のデジタル記録を保存する電子チップが埋め込まれています。勤務を始めるときにカードをタッチパネルにかざし、退社するときにも同じことを繰り返してください。タッチパネルは、各階エレベーターのそばに設置されます。カードは、地下駐車場への出入りにも使える社員IDの役割も果たします。136 このカードを入手するには、3月31日までに、管理部のトリッシュ・バーンウェルさんの所に行ってください。

設問・選択肢の訳

135. 変更はいつ実施されますか。
   (A) 3月9日に
   (B) 3月12日に
   (C) 3月31日に
   (D) 4月1日に

136. 従業員は今月末までに何をすると考えられますか。
   (A) パスワードを取得する
   (B) 同僚のもとを訪れる
   (C) 書類に記入する
   (D) メールを送る

- □ **Human Resources**：人事部
- □ **outdated**：形 時代遅れの
- □ **hours worked**：労働時間
- □ **commence**：動 ～を開始する
- □ **shift**：名 シフト、交代時間
- □ **repeat the process**：同じ手順を繰り返す
- □ **double as ...**：…を兼ねる
- □ **identification**：名 身分証明書
- □ **security**：名 警備、セキュリティ
- □ **administration**：名 管理
- □ **no later than ...**：…までに

【136】□ **co-worker**：名 同僚

135の解答・解説　正解 (D)  600点レベル

部分を問う設問　「変更の実施時期」に関する設問です。名詞キーワードchangeをチェックしてから、文書を読みはじめます。Subjectや冒頭We will be changing our timecard system.に、キーワードが見つかりますね。その直後、From the beginning of next month, 〜.がヒント。「来月初め」からシステムが変更されるようです。お知らせの日付は「3月12日」ですから、来月は「4月」。よって、正解は(D) On April 1。135は「時」の言い換え問題でもあるので、出題パターンを身につけてね。

136の解答・解説　正解 (B)  600点レベル

部分を問う設問　「今月末までに従業員がすること」が問われています。設問のチェックポイントは2つ。「これから」のサインwill doと、「時」のキーワードby the end of the monthです。前者のヒントはPlease do 〜.で、後者はDateのMarch 12から「3月末」と理解すればOKです。これらを意識しながら読み進めると、最終文Please see Trish Barnwell in administration no later than March 31 to obtain your card.がピタリ。「カードを入手するには、3月31日までにバーンウェルさんの所に行ってください」とのことです。no later than March 31→by the end of the monthの言い換えを見破り、(B) Visit a co-workerを選びます。

解法チャート　will do問題

will doやwill do nextを含む設問では、「これから」のことが問われます。設問136も、月末までに何をするか、という問いですね。

❶ 設問のwill *do*やwill *do* nextをチェック！

⬇

❷ 本文のPlease *do* 〜.やI'll *do* 〜.が答えの目印！

⇒他人に指示を出すときはPlease *do* 〜.、自分がするときはI'll *do* 〜.が答えの目印です。

Part 7の攻略ポイント

メール

SI問題、NOT問題の攻略法！

Part 7の難所は、suggestやindicateを含むSI問題とNOT問題です。選択肢と本文の比較検討はかなり時間がかかるので、ポイントを押さえたリーディングが必須です。

Questions 137-139 refer to the following e-mail. 166

From:	Lynn Su <sulynn@castlemainehotel.com>
To:	**Felipe Ramirez** <framirez@cgcfinance.com>
Subject:	137 Forthcoming Stay
Date:	September 19

Dear Mr. Ramirez,

Thank you for choosing to stay at Castlemaine Hotel. 137 We have you booked for a two-night stay starting on September 26. A continental breakfast and airport transfer have been included with your booking. 138 (A) Being a regular guest, I am delighted to inform you that 138 (C) your room has been upgraded to a deluxe suite. 138 (B) Of course, you will not incur any additional charges.

（276ページに続く）

攻略 1

「メール」スキーマ

メールは《Subject(件名)⇒①挨拶と用件⇒②説明と対応⇒③追加情報》という流れ。Subjectには「今度の滞在」とあり、その内容は1段落ではホテルの「部屋」、2段落では「会議施設」について書かれています。

攻略 2

セオリーで速攻解く!

メールの「目的」は、Subjectと冒頭を確認します。時短で効率よく解くことが大事です。

137. What is the purpose of the e-mail?

(A) To offer a refund
(B) To request a payment
(C) To confirm a booking
(D) To apologize for an error

攻略 3

SI問題は3ステップで解く!

indicateを含むSI問題。**選択肢の中で合っているものを選ぶ、○探し問題**です。1ステップでは、設問の名詞キーワード・チェック。2ステップでは、選択肢をざっとタテ読みして、(部屋の)情報をインプット。そして3ステップでは、本文の部屋情報を意識してリーディングします。

138. What is indicated about **Mr. Ramirez**?

(A) He has stayed at the hotel before.
(B) He has been charged an extra amount.
(C) He will stay in a smaller room than planned.
(D) He will be traveling with a colleague.

ざっと
タテ読みで
情報ゲット!

（274ページの続き）

Regarding the conference facilities, I had planned to offer you your usual room. However, the Albatross Room will be undergoing maintenance on the date of your request. Instead, I have made arrangements for you to use the adjacent **Eagle Room**. 139 It is slightly smaller, but has the same features, including audiovisual equipment, wireless Internet, and tea and coffee service. For an additional charge, I can arrange for a selection of pastries to be made available. Please let me know if you would like to include this.

If you have any questions about your booking, please do not hesitate to contact us. We look forward to welcoming you next week.

Sincerely,

Lynn Su
Front Office Manager

解法チャート SI問題

SI問題は、3ステップで解きます。

❶ 設問の名詞キーワードをチェック！
設問138ならばMr. Ramirez。今回は「あて名」だと分かればOK。
（キーワード・サーチだけで解ける場合も多いぞ）

⬇

❷ 選択肢タテ読み＆情報インプット！
⇒「名詞」中心にざっと情報を取りましょう。

⬇

❸ 本文と選択肢の比較検討！
⇒本文中に、選択肢の名詞をサーチします。言い換えに注意！

【本文】		【選択肢】
・Being a regular guest	⇒	(A) stayed at the hotel before と一致
・You will not incur any additional charges	⇒	(B) charged an extra amount と不一致
・Upgraded to a deluxe suite	⇒	(C) smaller room と不一致
		(D) traveling with a colleague とは言及なし

攻略 4

NOT問題は「並列」にヒント！

NOT問題は、**文書とは関係のない選択肢を選ぶ×探し問題。**設問キーワードのEagle Roomを本文中でサーチしましょう。ヒントはその近くです。特に**X, Y, and Zのように、項目が「並ぶ」箇所が重要。**この項目は、選択肢と対応しています。

139. What is NOT a feature of the **Eagle Room**?

(A) Internet access
(B) Complimentary food
(C) A beverage service
(D) Video equipment

解法チャート NOT問題

NOT問題も、3ステップで解きましょう。

❶ 設問の名詞キーワードチェック！
⇒設問139ならばEagle Room。これが本文サーチの目印になります。
⬇
❷ 本文で、〈X, Y, and Z〉のような「並列」箇所をサーチ！
⇒including X, Y, and Zの箇所や、タテにX, Y, Zと項目が並ぶ箇所を見ます。
⬇
❸ 〈X, Y, and Z〉と選択肢の比較検討！

【本文】		【選択肢】
・audiovisual equipment,	⇒	(D) Video equipment
・wireless Internet, and	⇒	(A) Internet access
・tea and coffee service	⇒	(C) A beverage service

文書の訳

設問137-139は次のメールに関する問題です。

送信者：リン・スー<sulynn@castlemainehotel.com>
宛先：フェリペ・ラミレス<framirez@cgcfinance.com>
件名：137 今度の滞在
日付：9月19日

ラミレスさま
キャッスルメイン・ホテルでのご滞在をお選びいただき、ありがとうございました。137 9月26日から2泊の滞在で予約をしました。予約には、ヨーロッパ風の朝食と空港への送迎が含まれています。138(A) 定期的にご利用いただいていますので、お客さまのお部屋をデラックススイートにアップグレードさせていただきました。138(B) もちろん、追加費用などは生じません。

会議施設に関しては、いつものお部屋をご提供させていただく予定でした。しかしながら、アルバトロス・ルームは、ご要望の日にメンテナンスが行われます。その代わりに、隣のイーグル・ルームをご利用いただけるよう手配いたしました。139 わずかに狭いのですが、視聴覚機材、無線インターネット、お茶やコーヒーのサービスなど、同じ機能を有しています。追加料金をお支払いいただければ、パイやタルトなどをお楽しみいただけるよう準備することもできます。このサービスをご利用いただくかお知らせください。

ご予約に関する質問がございましたら、どうぞ遠慮なくご連絡ください。来週、お客さまをお迎えするのを楽しみにしています。

敬具

リン・スー
フロントマネージャー

設問・選択肢の訳

137. メールの目的は何ですか。
(A) 返金を申し出ること
(B) 支払いを請求すること
(C) 予約を確認すること
(D) 不手際を謝罪すること

138. ラミレスさんについて何が示されていますか。
(A) 以前、このホテルに宿泊したことがある。
(B) 余分な金額を請求された。
(C) 予定より狭い部屋に泊まる。
(D) 同僚と出張する。

139. イーグル・ルームの特徴にないものはどれですか。
(A) インターネット接続
(B) 無料の食事
(C) 飲みもののサービス
(D) 映像機器

137の解答・解説

正解 (C)  470点レベル

全体を問う設問　「メールの目的」が問われています。主題・目的ですから、セオリー通り冒頭をチェック。We have you booked for a two-night stay starting on September 26. がピタリ。「滞在の予約をしました」という確認メールです。ここから(C) To confirm a bookingを選びます。

138の解答・解説

正解 (A)  730点レベル

難設問（SI問題）　「ラミレスさんについてわかること」を答えるSI問題です。前半、Being a regular guestとあるので、彼がこのホテルの常連とわかります。よって、(A) He has stayed at the hotel before. は○です。(B)は、前半最後のyou will not incur any additional chargesの内容に反するので×。第2段落にsmallerがでてきますが、これは会議室のイーグル・ルームのことです。2段落目からはconference facilitiesの話に切り替わっていますね。ラミレスさんが泊まる部屋は逆にアップグレードされるようなので、(C)は×。(D)の同僚に関しては全く触れられていないので、こちらも×。

139の解答・解説

正解 (B)  600点レベル

難設問（NOT問題）　「イーグル・ルームの機能にないもの」を問うNOT問題です。名詞キーワードEagle Roomを意識しながら読み進めると、第2段落に見つかります。その直後、It is slightly smaller, but has the same features, including audiovisual equipment, wireless Internet, and tea and coffee service. がヒント。including以下に、X, Y, and Zのカタチが見えますね。選択肢と比較すると、(A)はwireless Internet、(C)はtea and coffee service、(D)はaudiovisual equipmentと一致します。よって、特徴にないのは(B) Complimentary food。

- □ **forthcoming**：形 今度の、間近に迫った
- □ **continental**：形 ヨーロッパ風の
- □ **transfer**：名 移動
- □ ***be* delighted to *do***：喜んで～する
- □ **upgrade**：動（品質など）を高める
- □ **incur**：動 ～を負担させる
- □ **facility**：名 施設、設備
- □ **make an arrangement**：準備［手配］をする
- □ **adjacent**：形 隣接した
- □ **slightly**：副 わずかに、若干
- □ **feature**：名 特徴、機能
- □ **hesitate**：動 ちゅうちょする、ためらう
- 【137】□ **refund**：名 返金
- □ **error**：名 間違い、落ち度
- 【138】□ **complimentary**：形 無料の
- 【139】□ **indicate**：動 ～を示す、～を意味する

Part 7の攻略ポイント

テキストメッセージ

トラブル解決のプロセスを読む！

テキストメッセージでは、何らかのトラブルから始まります。それをどう解決するかというプロセスが、設問とリンクします。短いけれど侮ってはダメ。

Questions 140-141 refer to the following text message chain.

167

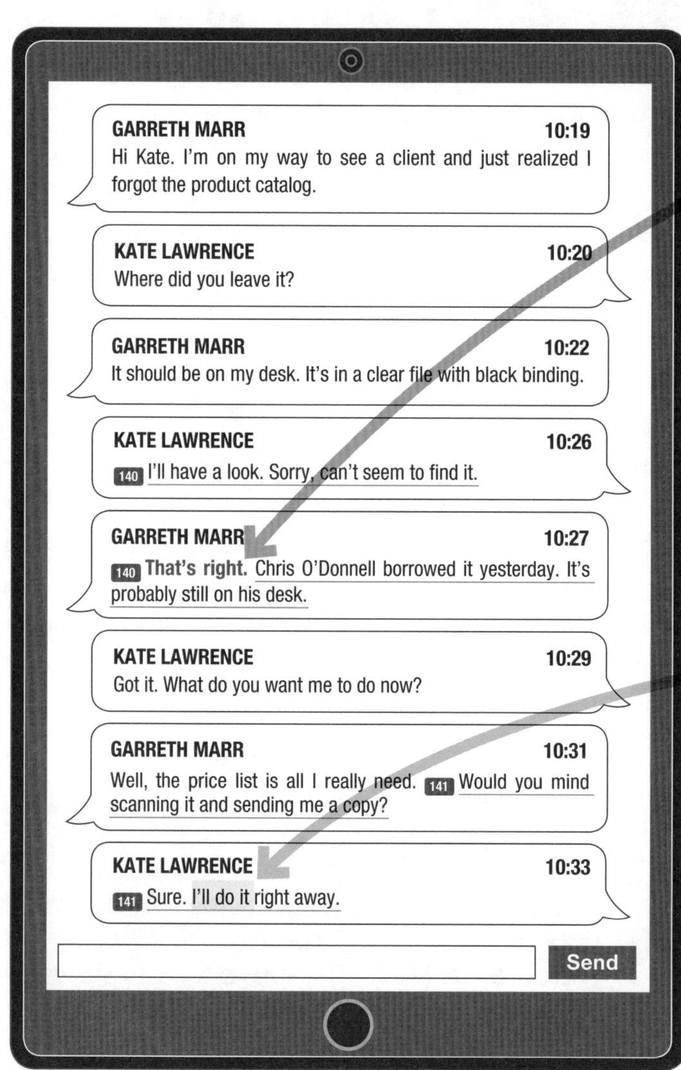

GARRETH MARR 10:19
Hi Kate. I'm on my way to see a client and just realized I forgot the product catalog.
KATE LAWRENCE 10:20
Where did you leave it?
GARRETH MARR 10:22
It should be on my desk. It's in a clear file with black binding.
KATE LAWRENCE 10:26
140 I'll have a look. Sorry, can't seem to find it.
GARRETH MARR 10:27
140 That's right. Chris O'Donnell borrowed it yesterday. It's probably still on his desk.
KATE LAWRENCE 10:29
Got it. What do you want me to do now?
GARRETH MARR 10:31
Well, the price list is all I really need. 141 Would you mind scanning it and sending me a copy?
KATE LAWRENCE 10:33
141 Sure. I'll do it right away.
Send

攻略 1 「テキストメッセージ」スキーマ

テキストメッセージは《①用件（トラブル）⇒②対応・解決策⇒③（問題解決への）提案》という流れ。①カタログを忘れる⇒②どこにあるかを探してもらい、見つかる⇒③スキャンして送って、とお願いする流れですね。

攻略 2 意図問題は「文脈」理解がカギ！

ターゲット文（That's right.）前後の文脈が問われます。即答しようとすると確実にミスするので注意。〈X + That's right. + Y〉が、どのように展開しているかを読み解きましょう。

140. At 10:27, what does Mr. Marr mean when he writes, **"That's right"**?

(A) He agrees with the colleague's suggestion.
(B) He feels responsible for a mistake.
(C) He planned to check with a co-worker.
(D) He remembered a document's location.

攻略 3 女性の行動を見抜け！

女性のI'll do it. の内容が問われます。これは前文を受けているので、流れが分からないと解けません。

141. What does Ms. Lawrence agree to do?

(A) Send Mr. Marr a file
(B) Contact the manager
(C) Amend a price list
(D) Search for a catalog

文書の訳

設問140-141は次のテキストメッセージのやり取りに関する問題です。

ガレス・マー **10時19分**
やあ、ケイト。クライアントに会いに行く途中なんだけど、商品カタログを忘れたことに気づいたんだ。

ケイト・ローレンス **10時20分**
どこに置き忘れたんですか。

ガレス・マー **10時22分**
ぼくの机にあるはずなんだけど。綴じ部分が黒いクリアファイルの中に。

ケイト・ローレンス **10時26分**
140 見てみます。すみません、見当たりません。

ガレス・マー **10時27分**
140 そうそう。クリス・オドネルがきのう借りていったんだ。たぶんまだ彼の机にあるかも。

ケイト・ローレンス **10時29分**
ありました。それで、私はどうすればいいですか。

ガレス・マー **10時31分**
そうだな、必要なのは価格表だけなんだ。141 スキャンして、そのコピーを送ってくれないかな？

ケイト・ローレンス **10時33分**
140 わかりました。すぐやります。

TOEICワールドでは「これから」のことがよく出るぞ。

設問・選択肢の訳

140. 10時27分にマー氏が「そうだ。」と書いたのはどんな意味ですか。
(A) 同僚の提案に賛成している。
(B) 間違いに責任を感じている。
(C) 同僚と一緒に確認するつもりだった。
(D) 書類がある場所を覚えていた。

141. ローレンス氏は何をすることに同意していますか。
(A) マー氏にファイルを送る
(B) 部長に連絡する
(C) 価格表を改定する
(D) カタログを探す

□ ***be* on *one's* way**：途中にいる　□ **realize**：動 ～に気がつく
□ **product catalog**：商品カタログ　□ **price list**：価格表
【140】□ **agree with ...**：…に賛成する　□ **suggestion**：名 提案
□ **feel responsible for ...**：…に責任を感じる　□ **location**：名 場所、位置
【141】□ **amend**：動 ～を改正［修正］する

140の解答・解説　正解 (D)　 730点レベル

難設問（メッセージの意図問題）　ガレス・マーがThat's right.と書いた意図が問われています。このメッセージの前後の流れを整理してみましょう。彼の「商品カタログを探してほしい」という依頼に対して、〈ケイト「探したが、見当たらない」〉→〈ガレス「That's right.クリスがきのう持って行ったんだ」〉という流れ。彼は、忘れていたことを思い出したようですね。That's right.は、「そうそう」とか「そういえば」という使い方です。ここから、正解(D) He remembered a document's location.が選べます。That's right.を「その通り」の意味だけで考えると確実にまちがう問題です。

141の解答・解説　正解 (A)　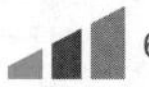 600点レベル

部分を問う設問　「ローレンスさんは何をすることに同意しているか」が問われています。テキストメッセージの最後、Sure. I'll do it right away.がヒント。これは、ひとつ前のガレスのメッセージ、Would you mind scanning it and sending me a copy?への応答です。つまり、ケイトは価格表をスキャンして、そのデータを送ることに同意をしているので、正解は(A) Send Mr. Marr a file。「これから」の行動は、I'llを目印に文書をサーチすればOK。

解法チャート　メッセージの意図問題

意図問題は、文脈理解が大事です。設問140では、That's right.を「その通り」と思い込むと間違えます。

❶ ターゲット文前後の文脈を取り、ターゲット文の意味は取らない！
X（ケイト）「（商品カタログが）見当たらない」→（ガレス）「That's right. (Y) クリスが借りていった。彼の机にあるかも」
⬇
❷ Yのニュアンスで選択肢を選ぶ！
⇒下線をヒントに(D)を選ぶ。

ダブル・パッセージの読み方

Part 7では、2つの文書を読んで5つの設問を解く「ダブル・パッセージ」問題が2セット出題されます。ダブル・パッセージは、次の3ステップで攻略しましょう。

ダブル・パッセージの攻略STEP

① 2つの文書の「共通点」を見抜く

最初に、2つの文書の形式(ジャンル、見出し、メールのTo/From/Subjectなど)をチェックして、2つの文書の関係性を確認します。今回260ページの攻略問題で解いたのは、文書1(お知らせ)がイベント案内(Margaret Bishopの講演会)で、文書2(ウェブページ)は講演に対するコメントですね。

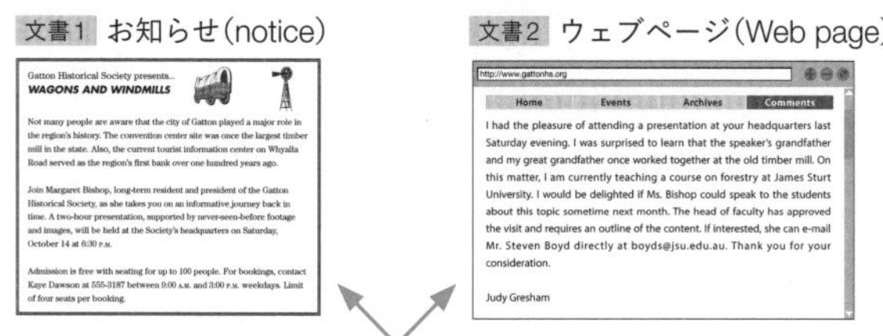

文書1 お知らせ(notice)

Gatton Historical Society presents...
WAGONS AND WINDMILLS

Not many people are aware that the city of Gatton played a major role in the region's history. The convention center site was once the largest timber mill in the state. Also, the current tourist information center on Whyalla Road served as the region's first bank over one hundred years ago.

Join Margaret Bishop, long-term resident and president of the Gatton Historical Society, as she takes you on an informative journey back in time. A two-hour presentation, supported by never-seen-before footage and images, will be held at the Society's headquarters on Saturday, October 14 at 6:30 P.M.

Admission is free with seating for up to 100 people. For bookings, contact Kaye Dawson at 555-3187 between 9:00 A.M. and 3:00 P.M. weekdays. Limit of four seats per booking.

文書2 ウェブページ(Web page)

http://www.gattonhs.org

Home | Events | Archives | Comments

I had the pleasure of attending a presentation at your headquarters last Saturday evening. I was surprised to learn that the speaker's grandfather and my great grandfather once worked together at the old timber mill. On this matter, I am currently teaching a course on forestry at James Sturt University. I would be delighted if Ms. Bishop could speak to the students about this topic sometime next month. The head of faculty has approved the visit and requires an outline of the content. If interested, she can e-mail Mr. Steven Boyd directly at boyds@jsu.edu.au. Thank you for your consideration.

Judy Gresham

「共通点」(つながり)をチェック！
➡1と2の関係は「イベント案内」と「そのイベントに対するコメント」

② 文書1のリーディング

2つの文書の関係性を確認したら、設問2～3つを先読みして、文書1を読みましょう。基本的にシングル・パッセージ問題と対処法は同じです。

イベント案内は、《1イベント案内⇒2内容説明⇒3追加情報(注意点等)》というスキーマ／パターンです。〈誰がどこで何をするか〉を意識して読むことが大事です。

文書1 【お知らせ(notice)】歴史協会主催のイベント

1 案内

Gatton歴史協会の情報。設問と無関係なのでスルーします。

2 内容説明

2段落では、Margaret Bishopの講演会(WAGON AND WINDMILLS)に関する情報が書かれています。どういう講演かを意識してリーディングしましょう。

▶設問142(noticeの目的)、143(imagesの意味)、144(Ms. Bishop)がここでまとめて解答できます。

3 追加情報

文書1と関連する設問を解いたあとは、残りの設問を先読みして、文書2を読みます。文書2では「情報」を拾う読み方がベターです。

③ 文書2のリーディング+クロス問題

文書1と関連する設問を解いたあとは、残りの設問を先読みして、文書2を読みます。文書2は、文書1との関連を意識しましょう。情報(ボキャ&フレーズ)を拾う読み方が有効です。ボトムアップ・リーディングも使えますよ。

文書2 【ウェブページ(Web page)】イベント(講演会)に対するコメント

1 見出し

ウェブページの投稿。Commentsに網掛けあり。

2 内容説明+追加情報

冒頭から読者レターと推測できます。後半では、Ms. Bishopに対する講演依頼と分かりますね。最後はMr. Boydへの連絡方法が書かれています。

▶2の後半で、設問145(Mr. Boyd)が解答できます。

最後にクロス問題について。「人名」「日付」「数」を問う設問は、クロス問題の可能性大です。設問146は人名をキーワードにして、訪問日を答えるクロス問題ですね(解説は次ページ以降を参照して下さい)。

ダブル・パッセージで大事なことは、クロス問題の攻略よりも、文書1に関連する2〜3問を確実に得点することです。難問のクロス問題は、あくまで+ α。余裕がないときはスルーでOKです。

Part 7の攻略ポイント

ダブル・パッセージ問題

「時」のクロス問題を攻略！

次はダブル・パッセージの「解き方」を見ていきましょう。２つの文書の関連性をチェックした後は、文書１のリーディングに集中です！

Questions 142-146 refer to the following notice and Web page. 168

文書１

142 Gatton Historical Society presents...

WAGONS AND WINDMILLS

Not many people are aware that the city of Gatton played a major role in the region's history. The convention center site was once the largest timber mill in the state. Also, the current tourist information center on Whyalla Road served as the region's first bank over one hundred years ago.

142/144 Join Margaret Bishop, long-term resident and president of the Gatton Historical Society, as she takes you on an informative journey back in time. A two-hour presentation, supported by never-seen-before 143 footage and images, will be held at the Society's headquarters on Saturday, October 14 at 6:30 P.M.

Admission is free with seating for up to 100 people. For bookings, contact Kaye Dawson at 555-3187 between 9:00 A.M. and 3:00 P.M. weekdays. Limit of four seats per booking.

攻略 1

「何のお知らせか」をつかもう！

文書１の見出し（＝タイトル）を見ると、歴史協会主催のイベント案内ですね。全体を問う設問は確実にゲット！

142. What is the purpose of the notice?

(A) To advertise a community event
(B) To celebrate the life of a local resident
(C) To announce the release of a film
(D) To attract tourists to a region

タテ読みを活用してね

攻略 2

言い換えに反応せよ!

同義語問題は文脈問題なので、即答はダメ。前後を見ると、X and Y(images)は似た意味が並んでいるとわかるはず。

143. In the notice, the word "**images**" in paragraph 2, line 4 is closest in meaning to

(A) styles (B) replicas (C) photographs (D) recounts

攻略 3

SI問題を攻略!

SI問題(suggest)は、選択肢と本文の比較検討が必要です。設問のキーワードMs. Bishopをチェックしたら、**選択肢をざっと「タテ読み」**しましょう。情報を取ってから、Ms. Bishopを目印に、第2段落をサーチします。

144. According to the notice, what is suggested about Ms. Bishop?

(A) She recently moved to Gatton.
(B) She used to work at a bank.
(C) She charges a fee for her services.
(D) She will give a two-hour speech.

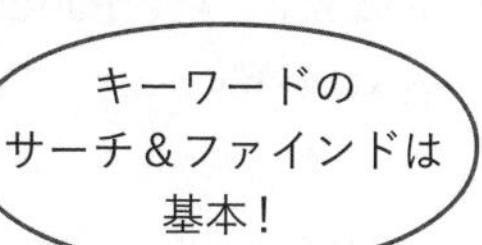

文書1

Gatton Historical Society presents...

WAGONS AND WINDMILLS

Not many people are aware that the city of Gatton played a major role in the region's history. The convention center site was once the largest timber mill in the state. Also, the current tourist information center on Whyalla Road served as the region's first bank over one hundred years ago.

Join Margaret Bishop, long-term resident and president of the Gatton Historical Society, as she takes you on an informative journey back in time. 146 A two-hour presentation, supported by never-seen-before footage and images, will be held at the Society's headquarters on Saturday, October 14 at 6:30 P.M.

Admission is free with seating for up to 100 people. For bookings, contact Kaye Dawson at 555-3187 between 9:00 A.M. and 3:00 P.M. weekdays. Limit of four seats per booking.

文書2

http://www.gattonhs.org

Home	Events	Archives	**Comments**

I had the pleasure of attending a presentation at your headquarters last Saturday evening. I was surprised to learn that the speaker's grandfather and my great grandfather once worked together at the old timber mill. 145 On this matter, I am currently teaching a course on forestry at James Sturt University. 146 I would be delighted if **Ms. Bishop** could speak to the students about this topic sometime next month. 145 **The head of faculty** has approved the visit and requires an outline of the content. If interested, she can e-mail **Mr. Steven Boyd** directly at boyds@jsu.edu.au. Thank you for your consideration.

146 **Judy Gresham**

攻略 4

Whoはクセ者問題！

Who設問は、人物が多いとやっかいです。文書2では（祖父と曾祖父を除くと）、Ms.Bishop、the head of faculty=Mr.Boyd、Greshamの3名が出てきます。人物関係は把握できてますか？

145. Who is **Mr. Boyd**?

(A) An editor at a local newspaper
(B) A colleague of Ms. Gresham
(C) A secretary of an organization
(D) A distant relative of Ms. Bishop

タテ読みしてからサーチしよう。

攻略 5

Whenはクロス問題の目印！

ダブル・パッセージでは、「時」「数」「人名・地名」がクロス問題の可能性大！ ここでは「いつBishopさんに大学に来てほしいか」という設問なので、Bishopをキーワード（目印）にしてその周辺をチェックしましょう。「時」を示すnext monthが見つかります。これがfirst step！

146. When does **Ms. Gresham** want **Ms. Bishop** to visit the university?

(A) In September
(B) In October
(C) In November
(D) In December

設問142-146は次のお知らせとウェブページに関する問題です。

文書1の訳 **【お知らせ】**

142 ガットン歴史協会が贈る…

荷馬車と風車

ガットンの町が、地域史において大きな役割を果たしたことを知っている人はあまりいません。コンベンションセンターがある場所には、かつて、州最大の製材所がありました。また、現在ワイアラ・ロードにある観光案内所は、100年以上も前、地域初の銀行としての役割を果たしていました。

142/144 長年この地で生活し、ガットン歴史協会の会長であるマーガレット・ビショップがみなさまを知的な過去への旅へとお連れします。ぜひご参加ください。見たことのない 143 映像や画像によって裏付けられた、144/146 2時間にわたる発表は、10月14日土曜日の午後6時30分から協会本部で行われます。

100人まで座席付きで、入場無料です。ご予約は、平日午前9:00〜午後3:00の間に、555-3187のケイ・ドーソンまでお電話ください。1回の予約につき、4席までとなります。

設問・選択肢の訳

142. お知らせの目的は何ですか。
 (A) 地域のイベントを宣伝するため
 (B) ある地域住民の生涯を称えるため
 (C) 映画の上映を発表するため
 (D) 地域に旅行者を誘致するため

143. お知らせの第2段落4行目のimagesに最も意味の近い語は？
 (A) スタイル、様式
 (B) 複製
 (C) 写真
 (D) 再集計

144. お知らせによると、ビショップさんについて何がわかりますか。
 (A) 最近、ガットンに引っ越してきた。
 (B) 以前、銀行で働いていた。
 (C) 提供するサービスの料金を請求している。
 (D) 2時間にわたるスピーチを行う。

142の解答・解説　正解 (A)　470点レベル

全体を問う設問　What is the purpose ～? は、目的に関する設問。文書ジャンルはnoticeなので、見出しと冒頭をチェックしましょう。見出しには、Gatton Historical Society presents ... WAGONS AND WINDMILLSとあります。歴史協会が「荷馬車と風車」に関して何かするようです。第1段落ではガットンの町の歴史に触れ、次の段落には「2時間の発表が行われる」とあります。「地元の講演会」のお知らせですね。正解はpresentationをeventに言い換えた選択肢(A) To advertise a community event。第2段落のfootageから(C)のfilm、第1段落のtourist information centerから(D)のtouristsを誤答しないように！

143の解答・解説　正解 (C)

同義語問題　設問の先読みでimagesの場所を確認してから、文脈を取りつつ全体を読み進めます。never-seen-before footage and imagesですから、この単語の意味がわからなくても、「視覚に訴える何か」と推測できますね。選択肢で視覚に訴えるものは(C) photographsです。ちなみにfootageは「映画フィルム」、imagesは「写真」の意味で使われています。

144の解答・解説　正解 (D)

難設問(SI問題)　suggestを含むSI問題です。まず、設問の名詞キーワードMs. Bishopをチェックしましょう。これは、文書1の第2段落1行目に見つかります。場所がわかったら、ヒントが分散している場合も多いので、文書を少し広く読み込みます。カギとなるのは、1行目「ビショップがみなさまを知的な過去への旅へとお連れします」と、続く「2時間にわたる発表は」の部分です。「知的な過去への旅」は、「2時間の発表」の比喩的表現ですね。よって、(D) She will give a two-hour speech. が正解。

SI問題では、キーワード・サーチを活用してね。
意外とすんなり解けるときも多いよ。

文書2の訳 【ウェブページ】

http://www.gattonhs.org

ホーム	イベント	アーカイブ	コメント

私は、先週の土曜日夜に協会本部で行われた発表に参加させていただいた者です。発表者の祖父と私の曽祖父が、かつての製材所で一緒に働いていたと知って驚きました。145 この件に関連するのですが、私は現在ジェームズ・スチュアート大学で林学の講座を担当しています。146 来月のいつか、ビショップさんがこのテーマで学生に話していただけるとうれしいのですが。145 学部長はこの訪問を承認しており、講義のあらましを求めています。ご興味があれば、boyds@jsu.edu.au. のスティーブン・ボイドまで直接メールして構いません。ご検討のほど、よろしくお願いいたします。

146 ジュディ・グレシャム

人物がこみいっているので、整理して読もう

設問・選択肢の訳

145. ボイドさんとは誰ですか。
(A) 地方紙の編集者
(B) グレシャムさんの仕事仲間
(C) ある組織の秘書
(D) ビショップさんの遠戚

146. グレシャムさんは、いつビショップさんに大学に来てほしいのですか。
(A) 9月に
(B) 10月に
(C) 11月に
(D) 12月に

【文書1】

- □ society : 名 社会、協会
- □ windmill : 名 風車
- □ aware : 形 ～を知っている
- □ play a major role : 大きな役割を果たす
- □ region : 名 地域
- □ site : 名 敷地、場所
- □ timber mill : 製材所
- □ current : 形 現在の
- □ serve as ... : …としての役割を果たす
- □ resident : 名 居住者
- □ journey back in time : 過去への旅
- □ supported by ... : …によって裏付けられた
- □ footage : 名 ビデオ、映像

145の解答・解説　正解 (B)　 600点レベル

部分を問う設問　名詞キーワードMr. Boydをチェックします。これは文書2(ウェブページ)終盤に見つかります。The head of faculty has approved the visit ～. If interested, she can e-mail Mr. Steven Boyd directlyの部分です。「学部長は、講義のあらましを欲しがっている。ビショップさんから、ボイドに直接(あらましを)メールしても構わない」という内容ですね。ここから、ボイド氏が学部長であることがわかります。また、同じ文書2の3文目には、「私(グレシャム)は大学で林学を教えている」とあるので、2人は同じ職場で働いているようです。よって、(B) A colleague of Ms. Greshamが正解。

146の解答・解説　正解 (C)　 730点レベル

クロス問題　「ビショップさんにいつ大学に来てほしいか」という問題です。文書2の中盤、I would be delighted if Ms. Bishop could speak to the students about this topic sometimes next month.が見つかります。「来月に来てほしい」ようです。では、今は何月？　文書1の2段落目に、ビショップさんの講演スケジュールが書かれていましたね。Saturday, October 14の開催ですから、「今は10月」。これら2つの情報をクロスさせると、(C)のIn Novemberが正解とわかります。なお、文書2の1文目に「先週土曜日の発表に参加した」とあるので、コメントを書いている時点では、まだ11月になっていません。「時」のトリックに反応できれば、クロス問題の攻略はすぐそこです。

【文書2】
- □ **have the pleasure of ...**：…させていただく　□ **on this matter**：この件に関して
- □ **forestry**：名 林学　□ **delighted**：形 喜んでいる　□ **faculty**：名 学部、教授陣
- □ **consideration**：名 考慮、熟慮

【142】□ **celebrate**：動 ～を賞賛する

【144】□ **move to ...**：…に引っ越す　□ **used to *do***：かつては～していた
- □ **give a speech**：スピーチをする

【145】□ **secretary**：名 秘書　□ **relative**：名 親類、親戚

トリプル・パッセージの読み方

Part 7の最後では、3つの文書を読んで5つの設問を解く「トリプル・パッセージ」問題が3セット出題されます。設問は計15問！難所であり得点源のトリプル・パッセージは、次の2ステップで攻略しましょう。

トリプル・パッセージの攻略STEP

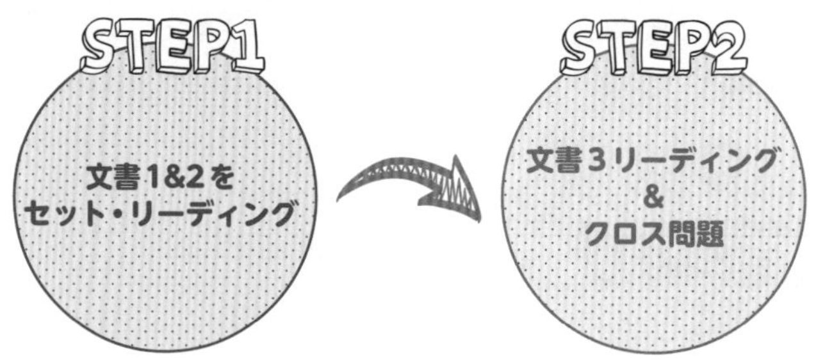

① 文書1＆2をセット・リーディング

トリプル・パッセージでは、文章の量に圧倒されないことが大事です。そこで、文書1＆2をセットと考えてみましょう。文書3はそのオマケです。実際、文書1＆2のセットで、設問3～4問が解答できます。262ページで解いたトリプル・パッセージで見ていきましょう。以下は、読み方のイメージです。

CHARLIE'S

For over 25 years, Charlie's has been serving up the best steak, seafood, pizza and pasta in town. Renowned chef, Pierre Belliveau, invites you to try his latest creation. It uses only the best local seafood caught daily in the clear waters of the Whitsunday Islands. Dine during the month of August and receive a Blue Tropics discount coupon. Open 7 days a week from 6:00 P.M. till midnight. Bookings essential.

Shop 2A, 109 Airlie Beach Road, Shute Harbor
www.charlies.com.au

文書1 広告(advertisement)
[見出し]チャーリーズ

文書1「広告」＆
文書2「アンケート」を
セット読み。
設問を3・4問解く！

CUSTOMER FEEDBACK FORM

Name:(optional) Fiona Kennedy Table # 34 Waiter: Jacob

Meal Quality: 5 Service: 5 Cleanliness: 4

1 = very poor; 2 = poor; 3 = average; 4 = good; 5 = very good

Comments:
I celebrated a birthday with some friends tonight at your restaurant. It was recommended that we try the chef's newest addition to the menu. It was larger than we had imagined, and the quality and freshness of the seafood was exceptional. We asked to be seated outside to enjoy the ocean view. However, it suddenly began to rain, so our waiter found a table for us inside. He also arranged a complimentary dessert for our troubles. The biggest surprise was when Pierre Belliveau posed with us for a group photo after our meal. Overall, it was a wonderful evening, but I recommend you install some screens, or do something about the outdoor dining area to fix the weather issue.

文書2 レビュー(review)
[見出し]お客様アンケート

文書3は、
文書1＆2のオマケ。
ダブルパッセージの
ような感覚で読もう！

SPECIAL OFFER!

Fiona Kennedy is invited to enjoy Blue Tropics for half price! *

The recipient is entitled to a 50 percent discount off the standard fare.

Trip includes: free transfer to our office (next to Charlie's), island cruise, buffet lunch with drink bar, snorkeling, and glass bottom boat ride.

* Not valid on weekends and public holidays.
** Expires December 31.

Blue Tropics Special

文書3 クーポン(coupon)
[見出し]特別優待(Blue Tropics)

まず、文章1〜2のスキーマ・リーディングを見ていきましょう。

文書1 **【広告(advertisement)】レストラン広告**

見出し(Charlie's)

1 商品・サービス案内

25年以上の老舗レストラン。

2 内容説明

有名シェフBelliveauの最新料理とシーフードが魅力。

3 追加情報

割引クーポン、営業時間、住所。

文書2 **【レビュー(review)】お客様アンケート**

1 タイトル(Customer Feedback Form)

2 アンケート項目

記入者はFionna Kennedy。中盤は、アンケート項目。

▶設問147, 148, 149にはMs. Kennedyとあるので、文書2が解答の起点。

3 追加情報(自由記述)

メニューとスタッフは良いが、屋外の食事スペースは改善の余地アリ。

② 文書3リーディングとクロス問題

文書1＆2をセット・リーディングした後は、設問150と151を先読みし、文書3を見ていきます。設問150ではクーポン、151ではBlue Tropicsがキーワード。どちらも文書3に関係しています。

文書3 **【クーポン(coupon)】割引クーポン**

1 タイトル(Special Offer!)

2 内容説明

クーポンはFionna Kennedy宛。Blue Tropicsが半額。その後に旅の詳細。

▶設問150(クーポンがどこで使えるか)とリンク。

3 追加情報

クーポンの注意点と有効期限。

クロス問題は、前半の149(Ms. Kennedyが写真を撮った相手)と後半の151(Blue Tropicsに関して)の2題。1つの文書で解けない場合は、クロス問題と察しましょう。先にも述べましたが、トリプルでは、文書1＆2のセット読みに集中！ 文書3やクロス問題は余裕があるときでOKです。

Part 7の
攻略
ポイント

トリプル・パッセージ問題

文書1&2の「セット読み」のススメ

トリプル・パッセージの「解き方」を見ていきましょう。まずは、文書1&2の「セット読み」に集中です。そして、最大の難所、クロス問題にトライ！

Questions 147-151 refer to the following advertisement, review, and coupon. 169

文書1

CHARLIE'S

For over 25 years, Charlie's has been serving up the best steak, seafood, pizza and pasta in town. 149 Renowned chef, Pierre Belliveau, invites you to try his latest creation. It uses only the best local seafood caught daily in the clear waters of the Whitsunday Islands. 147 Dine during the month of August and receive a Blue Tropics discount **coupon**. Open 7 days a week from 6:00 P.M. till midnight. Bookings essential.

151 Shop 2A, 109 Airlie Beach Road, Shute Harbor

www.charlies.com.au

文書2

CUSTOMER FEEDBACK FORM

Name:(optional) 147/148 Fiona Kennedy Table # 34 Waiter: Jacob

Meal Quality: 5 Service: 5 Cleanliness: 4

1 = very poor; 2 = poor; 3 = average; 4 = good; 5 = very good

Comments:

I celebrated a birthday with some friends tonight at your restaurant. It was recommended that we try the chef's newest addition to the menu. 148 It was larger than we had imagined, and the quality and freshness of the seafood was exceptional. ...

（298ページに続く）

攻略1 文書1＆2をセットで読もう！

文書1＆2をセットで読んで、設問3つをスパッと解いてしまいましょう。あとはゆっくり文書3を読んで、クロス問題を解くだけです。

147. Why most likely did **Ms. Kennedy** receive the **coupon**?

(A) She frequently dines at Charlie's.
(B) She completed a customer survey.
(C) She visited Charlie's in August.
(D) She ordered a particular menu item.

Ms. Kennedyとcouponをサーチしよう

攻略2 アンケートの自由記述を熟読！

Ms. Kennedyの情報は文書2。自由記述に詳細が書かれていますので、ここをしっかり読みましょう。

148. What did **Ms. Kennedy** order at Charlie's?

(A) Steak
(B) Seafood
(C) Pizza
(D) Pasta

攻略3 「人物」のクロス問題を攻略！

Ms. Kennedyが写真を撮った相手なので、文書2のレビューを見る（次ページ）→そこで出てくるPierre Belliveauを文書1に戻ってサーチ！

149. Who did **Ms. Kennedy** have her photograph taken with?

(A) A chef
(B) A waiter
(C) An actor
(D) A singer

(296ページの続き)

... We asked to be seated outside to enjoy the ocean view. However, it suddenly began to rain, so our waiter found a table for us inside. He also arranged a complimentary dessert for our troubles. 149 The biggest surprise was when Pierre Belliveau posed with us for a group photo after our meal. Overall, it was a wonderful evening, but I recommend you install some screens, or do something about the outdoor dining area to fix the weather issue.

文書3

SPECIAL OFFER!

Fiona Kennedy is invited to enjoy **Blue Tropics** for half price! *

The recipient is entitled to a 50 percent discount off the standard fare.

150 Trip includes: free transfer to our office (151 next to Charlie's), island cruise, buffet lunch with drink bar, snorkeling, and glass bottom boat ride.

* Not valid on weekends and public holidays.
** Expires December 31.

攻略 4 「並列」箇所を狙い撃ち！

クーポンなので文書3を見ます。Trip includes以下に、ずらっと5つ項目が並んでいる箇所をチェックしましょう。選択肢と比較すれば楽勝です。

150. What type of business is the coupon for?

(A) A diving school
(B) A bus company
(C) A seafood restaurant
(D) A cruise boat operator

攻略 5 選択肢キーワードにも反応しよう！

設問キーワードはBlue Tropics。キーワードを文書3で見つけたら、文書の内容をチェックし、最後に選択肢と比較します。ポイントは選択肢の名詞が「地名」クロス問題になっている点！

151. What is probably true about **Blue Tropics**?

(A) It is closed on public holidays.
(B) It is located in Shute Harbor.
(C) It is owned by Mr. Belliveau.
(D) It is popular among tourists.

選択肢の名詞を本文でサーチしよう

設問147-151は次の広告、レビューとクーポン券に関する問題です。

文書1の訳 【広告】

チャーリーズ

25年以上の間、チャーリーズは町一番のステーキ、シーフード、ピザ、パスタを提供してまいりました。149 有名シェフであるピエール・ベリヴーの最新料理をぜひお試しください。ホイットサンデー島の澄んだ海域で毎日とれた、地元の最高のシーフードだけが使われています。147 8月中にお食事いただいた方には、ブルー・トロピックスの割引クーポンを差し上げています。午後6時から夜中の12時まで、毎日営業しています。要予約。

2A店、エアリービーチロード109、シュートハーバー市

www.charlies.com.au

文書2の訳 【レビュー】

お客さまの声　アンケート記入用紙

名前：(任意) 147/148 フィオナ・ケネディ　テーブル番号 34　ウエイター：ジェイコブ

料理の品質：5　サービスの質：5　清潔さ：4

1＝とても悪い　2＝悪い　3＝ふつう　4＝よい　5＝とてもよい

ご意見：

今夜ここで友だち数人と、誕生日を祝いました。薦められたメニューに加えられたばかりの、シェフの最新料理にチャレンジしてみました。148 シーフードは想像していたよりも大きく、品質と鮮度がとても素晴らしかったです。私たちは海の眺めを楽しみたくて、外の席を頼みました。しかし、急に雨が降り出したので、ウエイターは室内の席を見つけてくれました。彼はまた、このトラブルのお詫びとして、無料のデザートも用意してくれました。149 一番驚いたことは、食事のあとにピエール・ベリヴーが集合写真用に一緒にポーズをとってくれたことでした。全体としては、とても素晴らしい夜でした。しかし、天気の問題が解決するように、覆いを設置するなど、屋外の食事スペースを何とかしたほうがいいと思います。

設問・選択肢の訳

147. ケネディさんはなぜクーポン券を受け取ったと考えられますか。
- (A) チャーリーズでよく食事をする。
- (B) お客さまアンケートに答えた。
- (C) 8月にチャーリーズに訪れた。
- (D) 特定のメニューを注文した。

148. ケネディさんはチャーリーズで何を注文しましたか。
- (A) ステーキ
- (B) シーフード
- (C) ピザ
- (D) パスタ

149. ケネディさんは誰と写真を撮ってもらいましたか。
- (A) シェフ
- (B) ウエイター
- (C) 俳優
- (D) 歌手

147の解答・解説

正解 (C)  600点レベル

部分を問う設問 「ケネディさんがクーポンを受け取った理由」が問われています。ケネディさんは、文書2のレビューを書いた人ですが、クーポン券の入手条件は文書1「広告」を見る必要があります。後半、Dine during the month of August and receive a Blue Tropics discount coupon. がピタリ。8月に食事をすればいいので、正解は(C) She visited Charlie's in August.。クロス問題のように見えますが、最初に文書1 & 2を「セット読み」で読んでいるので、問題なく解けますね。

148の解答・解説

正解 (B)  470点レベル

部分を問う設問 ケネディさんに関する質問なので、彼女が書いた文書2を見ましょう。「レストラン（チャーリーズ）で何を注文したか」が問われています。文書2の前半、the quality and freshness of the seafood was exceptional. がピタリ。シーフードですから(B) Seafoodが正解。ここでも「セット読み」を実践すれば、シーフードを見抜くのは簡単です。

149の解答・解説

正解 (A)  600点レベル

クロス問題 「ケネディさんが写真を撮った相手」が問われていますが、who問題なので、その相手の「職業」を答えます。文書2の後半、The biggest surprise was when Pierre Belliveau posed with us for a group photo after our meal. がピタリ。お相手はピエールさんですが、彼の職業まではわかりません。そこでPierre Belliveauをサーチすると、文書1にRenowned chef, Pierre Belliveauとあるので、(A)のA chefだとわかります。

設問3つを先読みして、文書1 & 2を「セット読み」すると、147から149まですらりと解けるよ！

文書3の訳 **【クーポン】**

特別優待

フィオナ・ケネディさまを、半額でブルー・トロピックスにご招待いたします。*

このクーポンを受け取った方は、正規運賃の50%オフの割引が受けられます。

150 旅行には以下が含まれています：弊社オフィスまでの移動（151 チャーリーズの隣にあります）、島々を巡るクルージング、ドリンクバー付きビュッフェ形式のランチ、スノーケリング、そしてガラス底のボートへの乗船。

*週末や祝日にはご利用いただけません。

**有効期限12月31日。

設問・選択肢の訳

150. クーポン券はどんな種類の会社で使えますか。
(A) ダイビングスクール
(B) バス会社
(C) シーフードレストラン
(D) クルーズボートの業者

151. ブルー・トロピックスについて、正しいと思われるのは何ですか。
(A) 祝日は休みである。
(B) シュートハーバーにある。
(C) ベリヴーが所有している。
(D) 旅行者に人気がある。

150の解答・解説　正解 (D)　600点レベル

部分を問う設問　クーポンに関して聞かれているので、文書3を見ましょう。Trip includes以下に、X, Y, and Zのように5項目が並んでいる箇所がヒント。Blue Tropicsの旅行には、「オフィスまでの移動(送迎)」「クルージング」「ビュッフェ形式のランチ」「スノーケリング」そして「(ガラス底の)ボートへの乗船」の5項目が含まれます。つまり、この会社は、クルージング旅行の総合パッケージを提供している会社ですから(D)のA cruise boat operatorが正解。(C)は文書1のCharlie'sのことなので、ひっかけです。

151の解答・解説　正解 (B)

730点レベル

クロス問題　What is true ～?問題は、選択肢の中から文書の内容と合っているものを選びます。キーワードがBlue Tropicsなので、文書3と選択肢を比較検討しましょう。ですが今回は、スパッと正解が選べません。注意したいのは、free transfer to our office (next to Charlie's)の箇所です。「チャーリーズの場所」にピンとくればOK。文書1の「広告」を見ると、住所はShop 2A, 109 Airlie Beach Road, Shute Harborとあります。チャーリーズはブルー・トロピックスの隣。両者はシュートハーバー市にあるので、正解は(B) It is located in Shute Harbor.。「会社名」や「地名」のクロス問題は、「人名」クロス問題のバリエーションです。

【文書1】
- □ **renowned**：形 名高い　□ **invite**：動 ～を勧誘する
- □ **creation**：名 創作（物）　□ **waters**：名 海域　□ **dine**：動 食事をする
- □ **discount coupon**：割引クーポン

【文書2】
- □ **optional**：形 選択が自由の　□ **addition**：名 付け足すこと、追加
- □ **exceptional**：形 例外的な、非常に優れた　□ ***be* seated**：座る
- □ **ocean**：名 海　□ **view**：名 景色　□ **suddenly**：副 突然に
- □ **screen**：名 覆い　□ ***do* something about ...**：…を何とかする
- □ **fix**：動 ～を解決する

【文書3】
- □ **recipient**：名 受領者　□ ***be* entitled to ...**：…を受ける資格がある
- □ **fare**：名 運賃　□ **public holiday**：祝日　□ **expire**：動 有効期限が切れる

【147】□ **frequently**：副 頻繁に、たびたび　□ **particular**：形 特定の

【150】□ **operator**：名 運転者

Day 14 Part 7 実戦問題

Day 13で学習した攻略ポイントを使って、次の19問にチャレンジしてみましょう。

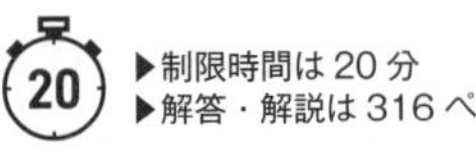

▶制限時間は20分
▶解答・解説は316ページ

Questions 152-154 refer to the following notice.

Lancaster Shire Council

On November 6, Lancaster will celebrate its 125th anniversary. To mark the occasion, the council will be holding a number of events. Local citizens are invited to take part in the following festivities:

Anniversary Schedule		
Time	**Event**	**Location**
9:00 A.M.	Marching Band Performance	Main Street
10:00 A.M.	10km Charity Run	Hinde Rd. ~ Scotts Beach
12:00 P.M.	Custom Car Show	R. H. Williams Park
2:30 P.M.	Homemade Pie Contest	Lancaster Community Center
3:30 P.M.	Country Dance Challenge	Lancaster High School

Traffic Information
On the day of the event, Hinde Road will be temporarily closed. City access is possible via Cottesloe Street. Regular traffic conditions will resume from midday.

Event Registration
The deadline to register for the Charity Run and Pie Contest events is October 25. Nominations for the Dance Challenge will be taken on the day.

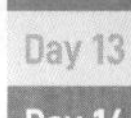

152. What is the purpose of the notice?

(A) To explain a change to a procedure
(B) To celebrate the opening of a building
(C) To provide information on a traffic issue
(D) To encourage participation at an event

153. What is suggested about Hinde Road?

(A) It will be closed for the entire day.
(B) A march will be taking place there.
(C) An alternate route will be available.
(D) It will be used for temporary parking.

154. What activity is NOT mentioned in the notice?

(A) A cooking contest
(B) A sporting event
(C) An art competition
(D) A musical performance

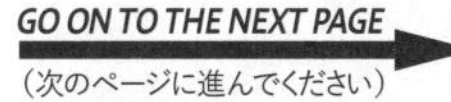
GO ON TO THE NEXT PAGE
(次のページに進んでください)

Questions 155-157 refer to the following article.

Zander Corporation has just received the green light to commence work on a multi-million dollar shopping complex in downtown Cardiff. Estimated to be the second largest in the country once completed, it is expected to provide employment to over 300 local residents. A spokesperson for the London-based company said that despite several setbacks in gaining approval, they are confident the complex will be open by July next year, in time for the busy summer period.

Janice Wentworth, chairperson of the Cardiff Chamber of Commerce, raised her concerns about the effects such a large facility would have on small businesses. "Many of our retailers are already struggling. I really do not see the need — not at least until business conditions improve." Vincent Huang, owner of a newspaper agency on Firth Street, said that he is considering closing his business due to fears that he will not make enough money to cover expenses once the center opens.

Other retailers including Titan Sports, Urban Legend, and Toyland are believed to be interested in opening stores within the complex.

155. What is the article mainly about?

(A) A future development project
(B) A proposed company merger
(C) A downward business trend
(D) A local business closure

156. What most likely is Zander Corporation?

(A) A media company
(B) A major retailer
(C) A repair firm
(D) A apparel maker

157. What is indicated about Titan Sports?

(A) It employs many local citizens.
(B) Its headquarters are in London.
(C) It is the largest chain in the country.
(D) It may open a store in Cardiff.

GO ON TO THE NEXT PAGE
（次のページに進んでください）

Questions 158-161 refer to the following letter.

March 2

Mr. Satoshi Hashimoto
148 Fairfield Lane
Fremont, CA 94538

Dear Mr. Hashimoto,

Your application for the position of senior systems analyst has been successful. Your employment will commence on April 1, and you will report directly to Sellina McCluskey, the head of our systems integrity unit. Your responsibilities will include: examining existing IT systems, analyzing hardware requirements and overseeing software upgrades. — [1] —.

As part of your employment package, you are eligible to receive paid annual leave, a travel allowance, and comprehensive health insurance. — [2] —. You may also be interested in registering for our retirement contribution scheme. For every dollar you contribute, the company will make an equal payment into your selected retirement fund. — [3] —.

I would appreciate you coming in on either March 21 or March 28 for an orientation. — [4] —. Nicholas Codrescu in Human Resources will give you a tour of the company, introduce you to your coworkers, and present you with some paperwork to complete. Please contact him to confirm your preferred date.

I look forward to welcoming you to the Integrated Network Solutions, Inc. team.

Sincerely,

Cameron Schultz
Director of Human Resources

158. Why was the letter written?
(A) To announce the retirement of department head
(B) To provide information to a prospective employee
(C) To request feedback about a company policy
(D) To inform a staff member about a promotion

159. What will Mr. Hashimoto NOT be required to do?
(A) Design network security programs
(B) Evaluate hardware specifications
(C) Supervise software installations
(D) Observe current computer systems

160. What is indicated about Nicholas Codrescu?
(A) He is an expert with computers.
(B) He is in charge of systems integrity unit.
(C) He interviewed Mr. Hashimoto.
(D) He will be available in March.

161. In which of the positions marked [1], [2], [3], and [4] does the following sentence best belong?
"You will be sent further details regarding this initiative in the coming weeks."
(A) [1]
(B) [2]
(C) [3]
(D) [4]

GO ON TO THE NEXT PAGE
(次のページに進んでください)

Questions 162-165 refer to the following online chat.

Loretta Zappia	3:27 P.M.	I just wanted to touch base on how preparations are coming along for next week's product launch.
Ji-hwan Kim	3:31 P.M.	Well, everything appears to be in order with the booking arrangements at the Crest Hotel. However, James Stubbs from public relations informed me of an issue at the printers. The general invitations are fine, but a mistake was found on the VIP ones.
Loretta Zappia	3:34 P.M.	What kind of mistake? And more importantly, can it be fixed by next week? I don't think you need to be reminded of how important this launch is.
Ji-hwan Kim	3:37 P.M.	I believe they misprinted the date. But that's the least of our worries. I'm told that the printers won't be able to make a new template in time.
Rachel Hughes	3:39 P.M.	Why don't we try Creative Solutions? I know they are more costly, but they did a great job last time and are known for their fast, efficient service.
Loretta Zappia	3:43 P.M.	Well, the budget would allow for it. Could you give them a call and explain our situation? Hopefully they can help us out. And Ji-hwan, I'd like you to get a copy of the VIP template from James. The people at Creative Solutions may be able to use it.
Rachel Hughes	3:44 P.M.	I'll give them a call right away and get back to you.

Send

162. What is the discussion mainly about?

(A) Arrangements for a corporate event
(B) Sales figures for a new product line
(C) Ideas for a marketing campaign
(D) Possible venues for a staff function

163. What problem is mentioned?

(A) A venue has been overbooked.
(B) A printing error was made.
(C) A staff member has fallen ill.
(D) A launch may be postponed.

164. At 3:37 P.M., what does Mr. Kim most likely mean when he writes, "But that's the least of our worries"?

(A) The problem has since been resolved.
(B) The problem has occurred before.
(C) The problem is impossible to fix.
(D) The problem is smaller than another.

165. What is suggested about Mr. Stubbs?

(A) He works at the Crest Hotel.
(B) He recently changed departments.
(C) He has access to a template.
(D) He is the coordinator of an event.

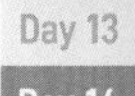

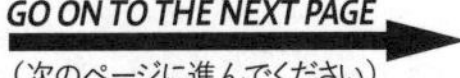

GO ON TO THE NEXT PAGE
（次のページに進んでください）

Questions 166-170 refer to the following memo, schedule, and e-mail.

MEMORANDUM

From: Bupesh Patel, Internal Operations

To: All staff

Subject: Next week

Date: January 18

The elevators in the lobby will undergo scheduled servicing starting Monday, January 23. The work is expected to take two days to complete, with normal operations to resume on Wednesday.

Access up to the third floor will still be possible via the emergency stairway. The service elevator located at the rear of the building should be used to access all other floors. Signs will be in place beside the lobby elevators to guide people in the right direction. Management appreciates your cooperation regarding this matter.

WARBURTON GROUP

Brian Carswell, CEO

Schedule: Tuesday, January 24

TIME	ACTIVITY
8:30 — 9:00	Review quarterly income figures
9:00 — 10:00	Debriefing session with department heads
10:00 — 10:30	Factory tour with representative from AGL Industries
10:30 — 11:30	Meeting with Alex Lim - Quest Petroleum pipeline development
11:30 — 12:00	Interview with Channel 10 reporter - Gilbert Valley Dam project
12:00 — 1:00	Lunch appointment with Brian Owens at Tudor Rose café
1:00 — 2:30	Meeting with Gail Janovich from IBT Finance - line of credit extension
2:30 — 3:30	Final checking of Logan Highway Bypass quotation
3:30 — 4:00	Briefing about Friday's shareholder meeting
4:00	Depart for airport to attend 39th Annual Heavy Machinery Trade Fair

N.B. Your afternoon meetings will be held in the executive boardroom. All morning meetings will be held in the conference room on the second floor.

GO ON TO THE NEXT PAGE
(次のページに進んでください)

E-mail

From:	Helen Smythe <hsmythe@warburtongroup.com>
To:	Gail Janovich <janoga@ibtfinance.net>
Subject:	Meeting
Date:	January 19

Dear Ms. Janovich,

I am writing with reference to your meeting next Tuesday with Mr. Carswell. Due to work being carried out on our elevators, your meeting will be held on level 6, instead of the conference room on the second level. I've also been asked to remind you to bring a copy of our current credit agreement. There are some issues that Mr. Carswell would like to discuss.

Sincerely,

Helen Smythe
Executive Secretary

166. What is the purpose of the memo?

(A) To announce an office closure
(B) To report some faulty equipment
(C) To confirm a meeting agenda
(D) To advise of a routine change

167. According to the schedule, what will Mr. Carswell NOT be doing?

(A) Speaking with department managers
(B) Making a speech to shareholders
(C) Participating in a television interview
(D) Leaving for a scheduled business trip

168. How can Mr. Lim gain access to his meeting location?

(A) By using the emergency stairwell
(B) By using the lobby elevator
(C) By using the service elevator
(D) By using the escalator

169. Where is the executive boardroom located?

(A) On the second floor
(B) On the third floor
(C) On the fifth floor
(D) On the sixth floor

170. In the e-mail, the phrase "carried out" in paragraph 1, line 2, is closest in meaning to

(A) canceled
(B) transported
(C) conducted
(D) replaced

実戦問題の解答・解説

問題文の訳

設問152-154は次のお知らせに関する問題です。（英文は304ページ）  170

ランカスター・シャイア地方議会

152 11月6日、ランカスターでは125周年記念を祝います。この日を記念して、地方議会では多くのイベントを開催します。地元の住民のみなさま、以下の催しにぜひご参加ください：

記念祭のスケジュール		
時間	154 イベント	開催場所
午前9時	マーチングバンドの演奏	メインストリート
午前10時	10キロのチャリティーマラソン	ハインド通り～スコッツ海岸
午後12時	カスタム車のショー	R.H.ウィリアムズ公園
午後2時30分	自家製パイ・コンテスト	ランカスター公民館
午後3時30分	カントリーダンス・チャレンジ	ランカスター高校

交通情報について

イベント当日は、153 ハインド通りは一時的に閉鎖されます。コッテスロー通りを行けば、市には出られます。正午からは、普段通りの交通状況に戻ります。

イベントの登録について

チャリティーマラソンとパイ・コンテストへの参加登録の締め切りは、10月25日です。ダンス・チャレンジへの推薦は、イベント当日に行われます。

〈お知らせ〉スキーマ

① イベント開催案内
② スケジュール
③ 注意点（交通情報と登録）

- □ **council**：名 地方議会
- □ **mark**：動 ～を記念する
- □ **occasion**：名 時、できごと
- □ **take part in ...**：…に参加する
- □ **festivity**：名 祝いの催し［行事］
- □ **homemade**：形 自家製の
- □ **temporarily**：副 一時的に
- □ **via**：前 ～を経由して
- □ **midday**：名 正午
- □ **deadline**：名 締め切り
- □ **nomination**：名 推薦、指名

正解と解説

152. お知らせの目的は何ですか。

(A) 手続きの変更を説明すること (B) ビルのオープンを祝うこと
(C) 交通問題についての情報を提供すること **(D) イベントへの参加を呼びかけること**

主題は冒頭をチェック

正解 (D) 470点レベル

全体を問う設問

What is the purpose ～?ですから、主題・目的が問われています。セオリー通り冒頭をチェック。On November 6, Lancaster will celebrate its 125th anniversary. To mark the occasion, the council will be holding a number of events. Local citizens are invited to take part in the following festivities: がヒント。ランカスター市125周年記念イベントのお知らせをしていること、そして住民の参加を促していることがわかりますね。よって、正解は(D) To encourage participation at an event。

☐ **issue** : 名 問題 ☐ **encourage** : 動 ～を勧める、～を働きかける
☐ **participation** : 名 参加

153. ハインド通りについて何がわかりますか。

(A) 1日中閉鎖される。 (B) 行進がそこで行われる。
(C) 代替経路が利用できる。 (D) 臨時駐車場として使われる。

SI問題を攻略しよう

正解 (C) 600点レベル

難設問(SI問題)

suggestを含む設問には、文書から読み取った情報をもとに推測して答えます。名詞キーワードHinde Roadを文書でサーチ。Traffic InformationのHinde Road will be temporarily closed. City access is possible via Cottesloe Street.がヒント。「ハインド通りは閉鎖されるので、コッテスロー通りをお使いください」と書かれています。選択肢を見ると、コッテスロー通りをalternate routeと言い換えた(C)が正解。正午から通常に戻るので(A)にひっかかってはダメです。

☐ **alternate** : 形 代わりの ☐ **temporary** : 形 一時的な

154. お知らせで述べられていないのは、どの活動ですか。

(A) 料理コンテスト (B) スポーツイベント
(C) 芸術コンテスト (D) 音楽の演奏

NOT問題は「並記」にヒント

正解 (C) 600点レベル

難設問(NOT問題)

NOT問題では、X, Y, and Zのように項目が列記されている箇所にヒントがあります。ここでは記念祭のスケジュール(図表)がピタリ。選択肢とスケジュールを比較検討しましょう。(A)は午後2時30分の「パイ・コンテスト」、(B)は午前10時の「マラソン」、(D)は午前9時の「バンドの演奏」のこと。したがって、述べられていない(C)の「芸術コンテスト」が正解です。

☐ **competition** : 名 競争、コンテスト

実戦問題の解答・解説

問題文の訳

設問155-157は次の記事に関する問題です。（英文は306ページ）

155 ザンダー社はカーディフの繁華街に、数百万ドル規模の複合商業施設を着工するための認可を得た。完成すれば国内で2番目に大きい施設になると予想され、地元の300人以上の住民に雇用をもたらすと期待されている。ロンドンに拠点を置く同社の広報担当者は、次のように話す。認可を得る際にさまざまな困難に見舞われたが、夏の繁忙期に間に合わせ、来年の7月までにその施設を開業する自信がある、と。

カーディフ商工会議所の議長を務めるジャニス・ウェントワースは、そのような巨大な施設が中小企業に与える影響について懸念を示す。「所属する小売業者の多くが、すでに苦戦を強いられています。私には必要性が全く感じられません。少なくても景気が回復するまでは」。ファース通りにある新聞取次店オーナーのビンセント・ファンは、施設が開業したら経費を賄うだけのお金を稼げなくなるという懸念から、廃業することも考えていると話している。

157 タイタン・スポーツ、アーバン・レジェント、トイランドなどの小売業者が、その複合施設内での出店に興味を持っていると見られている。

〈記事〉スキーマ

① 複合商業施設の着工
② その影響と人々の意見
③ 今後の展開

- □ **green light**：認可、許可
- □ **multi-million**：形 数百万の
- □ **shopping complex**：複合商業施設
- □ **downtown**：名 繁華街、中心街
- □ **employment**：名 雇用、仕事
- □ **spokesperson**：名 広報担当者
- □ **despite**：前 ～にもかかわらず
- □ **setback**：名 挫折、困難
- □ **gain**：動 ～を得る
- □ **approval**：名 認可、承認
- □ **in time for ...**：…に間に合うように
- □ **chairperson**：名 議長
- □ **chamber of commerce**：商工会議所
- □ **retailer**：名 小売業者
- □ **struggle**：動 悪戦苦闘する
- □ **agency**：名 代理店
- □ **close a business**：閉店する
- □ **cover**：動 ～を埋め合わせる

正解と解説

155. 記事は主に何についてですか。

(A) **将来の開発計画**　(B) 提案された会社の合併
(C) 景気の後退　(D) 地元企業の廃業

記事の主題をつかめ　正解 (A)　470点レベル

全体を問う設問　記事の主題は、見出しと冒頭にヒントがあります。ここでは冒頭、Zander Corporation has just received the green light to commence work on a multi-million dollar shopping complex in downtown Cardiff. がヒント。「ザンダー社が、複合商業施設の着工許可を得た」という内容です。この後、それに対する賛否両論が展開しますね。「これから」の計画なので、正解は(A) A future development project。記事の文章は難解です。意味が取れない場合、深入りは禁物！

☐ **future**：形 未来の、将来の　☐ **development**：名 開発　☐ **downward**：形 下向きの
☐ **closure**：名 閉鎖、撤退

156. ザンダー社はどんな会社だと考えられますか。

(A) マスコミ　(B) **小売大手**
(C) 修理業者　(D) アパレルメーカー

会社の事業を見抜け　正解 (B)　600点レベル

全体を問う設問　ザンダー社の事業内容が問われています。選択肢をタテ読みして、4つの事業を意識すると即答できます。冒頭で、ザンダー社が複合商業施設の開発を行うことが述べられていますね。ショッピングモールのプロデュースですから、イオンなどをイメージすれば簡単です。正解は(B) A major retailer。retailorは「小売店」。規模が小さいわけではなく、モノを売る「店」一般のことです。

157. タイタン・スポーツについて何が示されていますか。

(A) 地元の住民を多く雇用している。　(B) 本社はロンドンにある。
(C) 国内最大手のチェーンである。　(D) **カーディフに出店するかもしれない。**

キーワードをサーチしよう　正解 (D)　600点レベル

難設問（SI問題）　設問のindicateを見て、慌ててはダメ。SI問題はいつも難問とは限りません。セオリー通り、名詞キーワードTitan Sportsをサーチしましょう。最終段落、Other retailers including Titan Sports, Urban Legend, and Toyland are believed to be interested in opening stores within the complex. がヒント。「巨大モールへの出店に関心がある」と述べられています。ここから(D) It may open a store in Cardiff. を選べばOK。正解では、「モール」がその建設地である「カーディフ」に言い換えられている点もポイントです。

☐ **employ**：動 ～を雇用する

実戦問題の解答・解説

問題文の訳

設問158-161は次の手紙に関する問題です。(英文は308ページ)

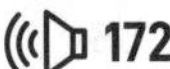

3月2日

サトシ・ハシモトさま
148 フェアーフィールド・レイン
フリーモント、カリフォルニア州94538

ハシモトさま

158 上級システムアナリスト職への応募に通過されました。雇用開始は4月1日からで、システム統合部部長セリーナ・マクラスキーの直属の部下となります。159 あなたには次の職務を担当していただきます:現行ITシステムの検討、ハードウェア要件の分析、ソフトウェア更新の監督。

雇用制度の一環として、年次有給休暇、通勤手当、そして総合医療保険を受ける資格があります。161 退職金積立制度への加入にも興味があるかと思います。1ドル積み立てていただくたびに、会社からあなたが選んだ退職基金に同額を入金します。[(C) [3] 今後数週間以内に、この取り組みに関する詳細をお送りします。]

160 オリエンテーションを行うので、3月21日、または28日にお越しいただきますようお願いいたします。人事部のニコラス・コドレスクが社内見学、同僚への紹介や、記入書類の手続きなどをさせて頂きます。希望日については、彼に連絡をしてください。

インテグレイテッド・ネットワーク・ソリューションズ社のチームの一員に迎え入れるのを心待ちにしています。

敬具
キャメロン・シュルツ
人事部長

〈手紙〉スキーマ

① 採用人事の結果
② 仕事・福利厚生の説明
③ 注意点・連絡先

- ☐ commence : 動 始まる
- ☐ report to ... : …の監督下にある
- ☐ oversee : 動 ～を監督 [監視] する
- ☐ as part of ... : …の一環として
- ☐ allowance : 名 手当
- ☐ retirement : 名 退職
- ☐ contribution : 名 積立金
- ☐ *be* presented with ... : …をもらう

正解と解説

158. 手紙はなぜ書かれましたか。

(A) 部長の退職を発表するため
(B) 内定者に情報を提供するため
(C) 会社の方針について意見を求めるため
(D) スタッフに昇進を知らせるため

フォーマルな手紙に注意しよう

正解 (B) 600点レベル

全体を問う設問

商品不具合のおわびや採用通知など、手紙はフォーマルな場面で使われます。Your application for the position of senior systems analyst has been successful. Your employment will commence on April 1から、採用通知とわかるので、(B) To provide information to a prospective employeeが正解です。冒頭を読むだけで確実に解答できますね。

☐ **prospective**：形 将来の、見込みの（prospective employee：内定者）
☐ **inform＋人＋about ...**：(人)に…について知らせる ☐ **promotion**：名 昇進、昇給

159. ハシモト氏がすることを求められていないのは何ですか。

(A) ネットワーク・セキュリティー・プログラムを設計する
(B) ハードウェアの仕様を評価する
(C) ソフトウェアのインストールを監督する
(D) 現状のコンピューターシステムを監視する

言い換えに反応せよ

正解 (A) 730点レベル

難設問（NOT問題）

「ハシモトさんに求められていない仕事」が問われています。NOT問題なので、項目が並んでいる箇所を見ましょう。仕事内容を述べている第1段落最後の文、Your responsibilities will include: examining existing IT systems, analyzing hardware requirements and overseeing software upgrades.がヒント。(B)は「ハードウェア要件の分析」、(C)は「ソフトウェア更新の監督」、(D)は「現行ITシステムの検討」のことなので、消去法で(A) Design network security programsが選べます。IT用語は難しいので、選択肢と手紙の内容がざっくりマッチしていることがわかればOK。

☐ **specification**：名 仕様、明細 ☐ **observe**：動 ～を監視する

160. ニコラス・コドレスクについて何が示されていますか。

(A) コンピュータの専門家である。
(B) システム統合部責任者である。
(C) ハシモトさんを面接した。
(D) 3月に会う時間がある。

ヒントから答えを推理

正解 (D) 730点レベル

難設問（SI問題）

indicateの設問なので、解答には推測が必要です。名詞キーワードNicholas Codrescuをサーチすると、第3段落に見つかります。まずここから、彼が人事部の社員でオリエンテーションの日程調整を担当していることを押さえましょう。次に、同じ段落の1文目を見ると、オリエンテーションは3月に行われるようです。したがって、「ニコラスは3月に内定者と会う」ことが推測できます。よって、正解は(D) He will be available in March.。

正解と解説

161. [1]、[2]、[3]、[4]と記載された箇所のうち、次の文が入るのに最もふさわしいのはどこですか。
「今後数週間以内に、この取り組みに関する詳細をお送りします」

(A) [1]　　(B) [2]
(C) [3]　　(D) [4]

ターゲット文中のヒントに注目　　正解 (C)　　730点レベル

文挿入問題　文挿入問題では、挿入する文(＝ターゲット文)に含まれるヒントに注目します。ここではthis initiative(この取り組み)をチェック。Youはハシモトさんなので、何か「プラス」になるような事柄を彼に説明している箇所にターゲット文が入ります。プラスの内容を説明しているのは、福利厚生について言及した第2段落。You may also be interested in registering for our retirement contribution scheme.とあるように、年金に関しては有給休暇などと異なり、個人が決める問題のようです。この点から、年金について言及した直後、[3]の(C)が正解。ちなみにinitiativeは難ワードです。「独創力、主導権、取り組み(試み)」などの意味があります。take the initiative(イニシアチヴを取る)は、つまるところ「率先してやる」の意味。

問題文の訳

設問162-165は次のオンラインチャットに関する問題です。（英文は310ページ） 173

ロレッタ・ザッピア	午後3時27分	162 来週の商品発表の準備がどのくらい進んでいるのか知りたくて連絡したんだけど。
ジファン・キム	午後3時31分	えっと、クレスト・ホテルの予約の手配はすべて順調みたい。163 でも、広報部門のジェームズ・スタッブスが印刷業者の問題を知らせてきてる。一般招待状は問題ないけど、VIP招待状にミスがあったんだ。
ロレッタ・ザッピア	午後3時34分	どんなミスなの？　もっと大事なことは、来週までに解決できるの？　今回の発売がどれほど重要かは言う必要はないわね。
ジファン・キム	午後3時37分	164 日付を印刷ミスしたんだと思う。でも、そんなことはどうでもいい。印刷業者は時間内に新しいテンプレートを作れないと言ってきたんだ。
レイチェル・ヒューズ	午後3時39分	クリエイティブ・ソリューションズ社を試してみたら？　値段は高いようだけど、前回は素晴らしい仕事をしたし、速くて効率のよいサービスで有名よ。
ロレッタ・ザッピア	午後3時43分	そうね、予算の範囲内でしょうし。そこに電話して、私たちの状況を説明してくれない？　うまくいけば、彼らは役立つかも。165 あとジファン、VIP用テンプレートのコピーをジェームズからもらっておいて。クリエイティブ・ソリューションズ社の人たちが使うかもしれないから。
レイチェル・ヒューズ	午後3時44分	今すぐその会社に電話をして、そのあと連絡するよ。

〈チャット〉スキーマ

① トピック（商品発表）
② トラブル（業者のミス）とその対応（業者の変更）
③ 連絡事項

チャットでは
トラブルがよくでるよ

パート5
パート6
パート7
Day 13
Day 14

実戦問題の解答・解説

正解と解説

162. 話し合いは主に何についてですか。

(A) **企業イベントの手配**　(B) 新製品ラインの売上高
(C) 販売キャンペーンのアイデア　(D) スタッフ会合の予定会場

チャットのトピックを見抜け　正解 (A)　470点レベル

全体を問う設問　オンラインチャットでは、トピックに関する設問が頻出です。冒頭に集中して流れをつかみましょう。最初のメッセージ、I just wanted to touch base on how preparations are coming along for next week's product launch. がヒント。「商品発表の準備状況を知りたい」と書いているので、これを「企業イベントの手配」と言い換えた(A) Arrangements for a corporate event が正解。また、選択肢を(A) Arrangements、(B) Sales figures、(C) Ideas、(D) Possible venues とタテ読みして解答スピードを上げるのも大事です。

□ **sales figures**：売上高　□ **function**：名 会合、式典

163. どんな問題が述べられていますか。

(A) 会場がオーバーブッキングされていた。　(B) **誤植があった。**
(C) スタッフの1人が病気になった。　(D) 発売が遅れるかもしれない。

トラブルはHoweverが目印　正解 (B)　470点レベル

部分を問う設問　チャットでは、トラブルの話題がよく出ます。その目印はHoweverなどの話の転換点を示す表現です。ここから、「でも、実は〜」というように、トラブルが話題の中心になります。ジファンの最初のメッセージ、However, James Stubbs from public relations informed me of an issue at the printers. The general invitations are fine, but a mistake was found on the VIP ones. がヒント。「印刷業者に問題がある。VIP招待状にミスがあった」と書いているので、正解は(B) A printing error was made.。

164. 午後3時37分にキム氏が「でも、そんなことはどうでもいい。」と書いたのはどんな意味だと考えられますか。

(A) それ以降に解決された。　(B) 以前にも起こっている。
(C) 解決することはできない。　(D) **別の問題と比べると大したことではない。**

意図問題は文脈理解がカギ　正解 (D)　730点レベル

メッセージの意図問題　But that's the least of our worries. に、どんな意図があるのかを問う設問。解答するには、文脈理解が必要です。印刷ミスの報告に対して、〈【3時34分】ロレッタ「どんなミスなの？」〉→〈【3時37分】ジファン「日付が間違っていた。でも、そんなことはどうでもいい。印刷業者が期限内にテンプレートを作れないと言っている」〉という流れです。印刷ミスなんて、業者がテンプレートを作れないことに比べたら、ささいな問題というわけですね。「テンプレートが作れないこと」を「別の問題」と言い換えた(D) The problem is smaller than another. が正解です。

正解と解説

165. スタッフさんについて何がわかりますか。

(A) クレスト・ホテルで働いている。　(B) 最近、部署を異動になった。
(C) テンプレートを手に入れられる。　(D) イベントの取りまとめ役である。

人物の役割を押さえよう　正解 (C)　730点レベル

難設問（SI問題）　名詞キーワードはMr. Stubbs。まず、ジファンが3時31分に送ったメッセージから、彼のフルネームJames Stubbsを押さえます。続いて、3時43分のロレッタのメッセージに注目しましょう。And Ji-hwan, I'd like you to get a copy of the VIP template from James.とあります。先ほど確認した内容から、James = Mr. Stubbsであることがわかりますね。また、波線の部分から、「ジェームズはVIP用テンプレートのコピーを持っているか、入手できるか」のいずれかとわかるので、(C) He has access to a template.が正解です。選択肢(A)のCrest Hotelや(B)のdepartmentsは、本文に出てきた単語を使ったひっかけです。

☐ **have access to ...**：…を入手できる　☐ **coordinator**：名 まとめ役

Part 7のチャットが苦手、
どうすればいいの？

Part 3の会話を使って
トレーニングするといいよ。
音声でも文書でも、
展開の早さに慣れる
ことが大事です！

☐ **touch base**：連絡を取る　☐ **preparation**：名 準備　☐ **come along**：進む
☐ **launch**：名 発売　☐ ***be* in order**：調子よく　☐ **general**：形 一般の
☐ **invitation**：名 招待（状）　☐ **importantly**：副 重要なことには
☐ **remind *A* of *B***：AにBを思い出させる　☐ **misprint**：動 ～を誤植する
☐ **least of ...**：…の序の口　☐ **in time**：時間内に　☐ **costly**：副 値段の高い
☐ ***be* known for ...**：…で有名である　☐ **allow for ...**：…を許す
☐ **hopefully**：副 うまくいけば　☐ **help out ...**：…を助ける

実戦問題の解答・解説

問題文の訳

設問166-170は次の連絡メモ、スケジュールとメールに関する問題です。 174

文書1 **【連絡メモ】**（英文は312ページ）

連絡メモ

差出人：ブペシュ・パテール、社内業務部　　件名：来週の件
宛先：全従業員　　日付：1月18日

166/168 ロビーのエレベーターで、1月23日月曜日から定期点検があります。作業は終了するまでに2日間かかり、通常運転は水曜日に再開します。

168 3階までの移動には、非常階段をお使いください。ビル後方にある業務用エレベーターは、そのほかの階の移動にお使いください。正しい指示を示す貼り紙をロビーのエレベーターのそばの適切な場所に貼っておきます。経営陣は、この件に関するみなさまの協力に感謝しています。

文書2 **【スケジュール】**（英文は313ページ）

文書1＆2は
セット読み！

ウォーバートングループ

ブライアン・カースウェル、最高経営責任者
スケジュール：1月24日火曜日

時間	167 活動内容
8:30 – 9:00	四半期の収益の検討
9:00 – 10:00	部門長との報告会
10:00 – 10:30	AGLインダストリーズ社の代表と工場見学
168 10:30 – 11:30	アレックス・リムと会議—クエスト石油会社のパイプライン開発
11:30 – 12:00	チャンネル10のレポーターによる取材—ギルバートバレーのダム計画
12:00 – 1:00	チューダー・ローズカフェでブライアン・オーエンズとの昼食の約束
169 1:00 – 2:30	IBTファイナンスのゲイル・ジャノビッチと会議—融資限度の拡大
2:30 – 3:30	ローガン・バイパス道路見積もりの最終確認
3:30 – 4:00	金曜日の株主総会についての説明
4:00	第39回年次大型機械見本市への参加で空港に向け出発する

注意　169 午後の会議は、重役用会議室で行われます。168 午前中の会議は、すべて2階にある会議室で行われます。

〈連絡メモ〉スキーマ

① エレベーター定期点検
② 点検の詳細と注意点（業者の変更）
③ 挨拶（ご協力に感謝）

〈スケジュール〉スキーマ

① 会社名（責任者名）・日付
② スケジュール詳細
③ 注意点

正解と解説

166. 連絡メモの目的は何ですか。

(A) オフィスの閉鎖を発表すること　(B) 欠陥のある設備を報告すること
(C) 会議の議題を確認すること　**(D) 定期的な変更を知らせること**

修理案内の連絡メモが出る　正解 (D)　470点レベル

全体を問う設問　連絡メモの冒頭をしっかり読みましょう。The elevators in the lobby will undergo scheduled servicing starting Monday, January 23. がヒント。ポイントは、下線部のscheduled(定期的な)。エレベーターの定期点検が行われるようです。その後も、代わりに非常階段や業務用エレベーターを使うよう指示が出されています。この一連の変更をroutine change(定期的な変更)と表現した(D) To advise of a routine changeが正解。

□ **faulty**：形 欠陥のある　□ **agenda**：名 議題　□ **routine**：形 定期的な、所定の

167. スケジュールによると、カースウェル氏がやらないことは何ですか。

(A) 部門長と話す　**(B) 株主に向けスピーチする**
(C) テレビのインタビューを受ける　(D) 予定された出張に出かける

NOT問題とスケジュールは相性抜群　正解 (B)　600点レベル

難設問(NOT問題)　「カースウェルさんがやらないこと」ですから、定番のNOT問題です。NOT問題のヒントは、項目が「並ぶ」箇所。なかでも特に注目したいのが、スケジュールや価格表などの図表です。各選択肢と文書2のスケジュールを比較検討し、消去法で答えましょう。(A)は「9:00-10:00: 部門長との報告会」とピタリ。(C)は「11:30-12:00: チャンネル10の取材」、(D)は「4:00: 空港に向けて出発」と一致します。よって、(B) Making a speech to shareholdersが正解。

168. リム氏はどうすれば会議の場所に行けますか。

(A) 非常階段を使って　(B) ロビーのエレベーターを使って
(C) 業務用エレベーターを使って　(D) エスカレーターを使って

「数」クロスのクセ者　正解 (A)　730点レベル

クロス問題　「会議室へ行く方法」というシンプルな設問ですが、気をゆるめてはダメ。文書2のスケジュールを見ると、リムさんはカースウェルさんと「1月24日火曜日の10時30分」から会談することがわかります。さらに、スケジュール最下部の注意書きには、All morning meetings will be held in the conference room on the second floor. と書いてあるので、リムさんは2階に行かなければなりません。ここで文書1に戻ると、この日はエレベーターが使えないが(冒頭部分)、3階までは非常階段で行ける(第2段落1文目)とあります。よって、正解は(A) By using the emergency stairwell。数(日時や階数)と移動方法をクロスさせる問題なので、かなりのクセ者です。

□ **stairwell**：名 階段の吹き抜け

実戦問題の解答・解説

問題文の訳

文書3 **【メール】**（英文は314ページ）

送信者：ヘレン・スマイス <hsmythe@warburtongroup.com>
宛先：ゲイル・ジャノビッチ <janoga@ibtfinance.net>
件名：会議
日付：1月19日

ジャノビッチさま

来週火曜日に行われるカースウェルとの会議に関して、お知らせいたします。169 弊社のエレベーターで作業が行われているため、会議は2階の会議室ではなく6階で行われます。また、ジャノビッチさまには、弊社の現在の与信契約書のコピーを1部お持ちいただくよう、言いつかっております。カースウェルには、話し合いたい問題がいくつかあるようです。

敬具
社長室長
ヘレン・スマイス

〈メール〉スキーマ

① 会議のお知らせ
② 会議室の変更
③ 追加報告（契約書の持参）

【文書1】
- □ **internal**：形 内部の
- □ **servicing**：名 点検
- □ **emergency**：名 緊急事態
- □ **stairway**：名 階段
- □ **sign**：名 看板、貼り紙
- □ **in place**：適当な位置に
- □ **cooperation**：名 協力

【文書2】
- □ **income**：名 収益、所得
- □ **debriefing session**：報告会
- □ **petroleum pipeline**：石油パイプライン
- □ **line of credit**：融資限度
- □ **quotation**：名 見積もり
- □ **briefing**：名 状況説明
- □ **heavy machinery**：重機
- □ **trade fair**：見本市
- □ **boardroom**：名 重役用会議室

【文書3】
- □ **with reference to ...**：…に関して
- □ **level**：名 階
- □ **instead of ...**：…の代わりに
- □ **credit agreement**：与信契約書

正解と解説

169. 重役用会議室はどこにありますか。

(A) 2階に (B) 3階に

(C) 5階に **(D) 6階に**

「数」トリックを冷静に攻略

正解 (D) 730点レベル

クロス問題

「重役用の会議室がどこにあるか」を問う設問です。文書3のメール2文目に「①ジャノビッチ氏との会議は6階で行われる」と書いてあります。また、会議の時間や場所に関する情報は文書2のスケジュールを見ればわかります。文書2では、「1:00-2:30:ジャノビッチ氏との会談」、下の注意書きには「午後の会議は重役用会議室で行われる」とあるので、②ジャノビッチ氏とは重役用会議室で話し合うようです。波線部①と②を合わせれば、重役用会議室は(D)の「6階」にあることがわかります。クロス問題は時間をかければ解けるので、どれだけ時間貯金ができるかがハイスコアへのカギになります。

ちなみに文書3は、社長室長からのメールですね。ここで「会議は6階」とあれば、エライ人の会議室だ、とピンときます。最悪の場合、クロスさせずに(D)を選ぶのもアリですよ。

170. メールの第1段落2行目のcarried outに最も意味の近い語は？

(A) 中止された (B) 運ばれた

(C) 実施された (D) 交換された

同義語問題は臨機応変に

正解 (C) 470点レベル

同義語問題

同義語問題は文脈理解が不可欠。ですが、なかには即答できる問題もまぎれています。carry outは「実行する、実施する」という意味です。したがって、最も意味が近いのは、(C)のconducted。同義語問題で時間貯金して、浮いた時間をクロス問題で使いましょう。

☐ **transport**：動 ～を運ぶ ☐ **conduct**：動 ～を実施する

スコアに差が出る 頻出フレーズ50

Part7の頻出フレーズです。
ジャンル別にまとめて覚えましょう。

メール・連絡メモ		175
① □	delivery date	出荷日
② □	payment terms	支払条件
③ □	handling costs	取扱手数料
④ □	relevant information	関連情報
⑤ □	take measures	対策を講じる
⑥ □	receive a complaint	苦情を受ける
⑦ □	implement a plan	計画を実行する
⑧ □	broad perspective	幅広い観点
⑨ □	attached document	添付書類
⑩ □	company directory	社員名簿

広告・求人		176
⑪ □	packaging design	パッケージデザイン
⑫ □	return policy	返品条件
⑬ □	store data	データを保管する
⑭ □	technical support	技術サポート
⑮ □	one-year subscription	1年間の予約購読
⑯ □	challenging work	やりがいのある仕事
⑰ □	enclose a résumé	履歴書を同封する
⑱ □	letter of reference	推薦状
⑲ □	benefit package	福利厚生
⑳ □	paid holiday	有給休暇

通知		177
㉑ □	immediate supervisor	直属の上司
㉒ □	administrative assistant	事務スタッフ
㉓ □	personal effects	所持品
㉔ □	private property	私有地
㉕ □	violate a rule	規則を破る
㉖ □	undergo renovations	改装を行う
㉗ □	pay utilities	公共料金を支払う

TOEIC企業はグローバル！ 新製品を出して、市場シェアがあって、環境に優しくて、合併も頻繁です。

㉘ □	**medical insurance**	医療保険
㉙ □	**moderate** exercise	**適度な**運動
㉚ □	**pension plan**	年金制度
記事（合併・買収）		178
㉛ □	**analyze** a market	市場**を分析する**
㉜ □	**form a** company	会社**を設立する**
㉝ □	pursue **a merger**	**合併**を推し進める
㉞ □	**mutually** beneficial	**相互に**利益となる
㉟ □	**make a deal**	取引する
㊱ □	**investment firm**	投資会社
㊲ □	**restructuring plan**	再建計画
㊳ □	**accelerate** reform	改革**を促進する**
㊴ □	**marketing initiative**	市場戦略
㊵ □	**research findings**	調査結果
記事（経済・市場）		179
㊶ □	widely **prevalent**	広く**普及している**
㊷ □	**yield profits**	利益を生む
㊸ □	**conventional** industry	**従来の**産業
㊹ □	**business alliance**	業務提携
㊺ □	**commodity prices**	商品価格
㊻ □	**generate** a product	製品**を生み出す**
㊼ □	**relatively** new	**比較的**新しい
㊽ □	**fierce** competition	**激しい**競争
㊾ □	**ongoing** project	**進行中の**プロジェクト
㊿ □	**fiscal year**	会計年度

解答一覧

リスニング・セクション					
Part 1		29	C	58	B
1	C	30	C	59	C
2	A	31	B	60	C
3	D	32	A	61	D
4	B	Part 3		62	B
5	B	33	A	Part 4	
6	C	34	D	63	B
7	B	35	B	64	A
8	A	36	A	65	D
Part 2		37	C	66	C
9	C	38	C	67	D
10	A	39	B	68	D
11	C	40	C	69	A
12	B	41	D	70	B
13	C	42	C	71	A
14	B	43	D	72	C
15	B	44	C	73	A
16	C	45	A	74	C
17	C	46	C	75	B
18	A	47	D	76	A
19	C	48	C	77	B
20	B	49	D	78	B
21	A	50	B	79	D
22	C	51	B	80	D
23	B	52	A	81	A
24	B	53	D	82	D
25	C	54	D	83	C
26	A	55	A	84	A
27	B	56	B	85	A
28	A	57	C	86	C

リーディング・セクション					
Part 5		116	B	144	D
87	A	Part 6		145	B
88	C	117	B	146	C
89	D	118	A	147	C
90	B	119	C	148	B
91	C	120	D	149	A
92	D	121	C	150	D
93	D	122	D	151	B
94	A	123	B	152	D
95	C	124	B	153	C
96	D	125	C	154	C
97	D	126	A	155	A
98	B	127	D	156	B
99	C	128	C	157	D
100	C	129	D	158	B
101	C	130	B	159	A
102	A	131	C	160	D
103	C	132	A	161	C
104	B	Part 7		162	A
105	C	133	A	163	B
106	A	134	C	164	D
107	B	135	D	165	C
108	A	136	B	166	D
109	D	137	C	167	B
110	A	138	A	168	A
111	B	139	B	169	D
112	B	140	D	170	C
113	A	141	A		
114	D	142	A		
115	D	143	C		

600点クリア！

最後までやりきりましたね。おつかれさまでした！
学習を終えた感想はいかがですか？
一生懸命書いたので、
ポジティブな感想が聞けると、僕も嬉しいです。

本書で勉強したみなさんには、
600点を取れる力がすでに身についています。
試験当日はリラックスして、
実力を発揮してくださいね！

新しい目標にチャレンジ！

600点をクリアしたら、
700点、800点…と次の目標に挑戦してみましょう。
本書の攻略法は、重要なものだけを厳選しています。
本書をあと2回繰り返せば、
ハイスコアも夢ではありません。

TOEICテストに向けて努力できる人は、
仕事や勉強も頑張れます。
成功体験やモチベーションが
いい感じで波及するからです。

壁を1つクリアしたら、
新しい目標に向けて積極的にチャレンジしてください。
前向きな姿勢は、相乗効果を及ぼします。
きっと思いがけない幸運も舞い込んできますよ。

2021年12月
塚田　幸光

塚田幸光　つかだ・ゆきひろ

関西学院大学教授。米国ハーバード大学ライシャワー研究所客員研究員、韓国済州大学校特別研究員を歴任。TOEICテストや教養英語に関して、独自の視点から指導を行う。TOEICテストでは基礎力を最大化する方法に関心がある。著書に『TOEICテスト全パート単語対策』（アスク出版）、『TOEIC L&Rテスト 超即効スコアUPテクニック114』（共著、マガジンハウス）、『TOEIC L&Rテスト 英文読解力のスタートライン』（共著、スリーエーネットワーク）など多数。

○問題作成　（本編）Craig Brantley, David Dalgleish, Nathan Berry
（模試）Bradley Towle
○英文校閲　Malcolm Hendricks
○ナレーション　Brad Holmes, Emma Howard, Howard Colefield, Iain Gibb, Jenny Skidmore, Josh Keller, Rachel Walzer, Stuart O

増補改訂版
はじめてのTOEIC® L&Rテスト
全パート総合対策

2011年11月1日　初版　第1刷発行／2017年8月29日　第2版　第1刷発行（旧版）
2021年12月9日　第3版　第1刷発行
2024年5月30日　第8刷発行

著　者　塚田 幸光
発行人　天谷 修身
編　集　永戸 みず穂　秋山 広樹（旧版）
発　行　株式会社 アスク
〒162-8558　東京都新宿区下宮比町2-6
TEL：03-3267-6864　FAX：03-3267-6867
URL：https://www.ask-books.com/
カバーデザイン　岡崎 裕樹（アスク）
イラスト　矢戸 優人
本文デザイン・DTP　株式会社 創樹
録音・映像撮影　アスク 映像事業部　ユニバ合同会社
有限会社 スタジオ グラッド
印刷製本　日経印刷株式会社

ISBN 978-4-86639-434-3　Printed in Japan

本書に関するお問い合わせは下記までお願いします。
アスクユーザーサポートセンター　support@ask-digital.co.jp
Webサイト　https://www.ask-books.com/support/

増補改訂版　はじめてのTOEIC® L & R テスト　全パート総合対策

リスニング・セクション解答用紙

LISTENING SECTION

Part 1		Part 2				Part 3						Part 4			
No.	ANSWER A B C D	No.	ANSWER A B C	No.	ANSWER A B C	No.	ANSWER A B C D	No.	ANSWER A B C D	No.	ANSWER A B C D	No.	ANSWER A B C D	No.	ANSWER A B C D
1	Ⓐ Ⓑ Ⓒ Ⓓ	9	Ⓐ Ⓑ Ⓒ	21	Ⓐ Ⓑ Ⓒ	33	Ⓐ Ⓑ Ⓒ Ⓓ	45	Ⓐ Ⓑ Ⓒ Ⓓ	57	Ⓐ Ⓑ Ⓒ Ⓓ	63	Ⓐ Ⓑ Ⓒ Ⓓ	75	Ⓐ Ⓑ Ⓒ Ⓓ
2	Ⓐ Ⓑ Ⓒ Ⓓ	10	Ⓐ Ⓑ Ⓒ	22	Ⓐ Ⓑ Ⓒ	34	Ⓐ Ⓑ Ⓒ Ⓓ	46	Ⓐ Ⓑ Ⓒ Ⓓ	58	Ⓐ Ⓑ Ⓒ Ⓓ	64	Ⓐ Ⓑ Ⓒ Ⓓ	76	Ⓐ Ⓑ Ⓒ Ⓓ
3	Ⓐ Ⓑ Ⓒ Ⓓ	11	Ⓐ Ⓑ Ⓒ	23	Ⓐ Ⓑ Ⓒ	35	Ⓐ Ⓑ Ⓒ Ⓓ	47	Ⓐ Ⓑ Ⓒ Ⓓ	59	Ⓐ Ⓑ Ⓒ Ⓓ	65	Ⓐ Ⓑ Ⓒ Ⓓ	77	Ⓐ Ⓑ Ⓒ Ⓓ
4	Ⓐ Ⓑ Ⓒ Ⓓ	12	Ⓐ Ⓑ Ⓒ	24	Ⓐ Ⓑ Ⓒ	36	Ⓐ Ⓑ Ⓒ Ⓓ	48	Ⓐ Ⓑ Ⓒ Ⓓ	60	Ⓐ Ⓑ Ⓒ Ⓓ	66	Ⓐ Ⓑ Ⓒ Ⓓ	78	Ⓐ Ⓑ Ⓒ Ⓓ
5	Ⓐ Ⓑ Ⓒ Ⓓ	13	Ⓐ Ⓑ Ⓒ	25	Ⓐ Ⓑ Ⓒ	37	Ⓐ Ⓑ Ⓒ Ⓓ	49	Ⓐ Ⓑ Ⓒ Ⓓ	61	Ⓐ Ⓑ Ⓒ Ⓓ	67	Ⓐ Ⓑ Ⓒ Ⓓ	79	Ⓐ Ⓑ Ⓒ Ⓓ
6	Ⓐ Ⓑ Ⓒ Ⓓ	14	Ⓐ Ⓑ Ⓒ	26	Ⓐ Ⓑ Ⓒ	38	Ⓐ Ⓑ Ⓒ Ⓓ	50	Ⓐ Ⓑ Ⓒ Ⓓ	62	Ⓐ Ⓑ Ⓒ Ⓓ	68	Ⓐ Ⓑ Ⓒ Ⓓ	80	Ⓐ Ⓑ Ⓒ Ⓓ
7	Ⓐ Ⓑ Ⓒ Ⓓ	15	Ⓐ Ⓑ Ⓒ	27	Ⓐ Ⓑ Ⓒ	39	Ⓐ Ⓑ Ⓒ Ⓓ	51	Ⓐ Ⓑ Ⓒ Ⓓ			69	Ⓐ Ⓑ Ⓒ Ⓓ	81	Ⓐ Ⓑ Ⓒ Ⓓ
8	Ⓐ Ⓑ Ⓒ Ⓓ	16	Ⓐ Ⓑ Ⓒ	28	Ⓐ Ⓑ Ⓒ	40	Ⓐ Ⓑ Ⓒ Ⓓ	52	Ⓐ Ⓑ Ⓒ Ⓓ			70	Ⓐ Ⓑ Ⓒ Ⓓ	82	Ⓐ Ⓑ Ⓒ Ⓓ
		17	Ⓐ Ⓑ Ⓒ	29	Ⓐ Ⓑ Ⓒ	41	Ⓐ Ⓑ Ⓒ Ⓓ	53	Ⓐ Ⓑ Ⓒ Ⓓ			71	Ⓐ Ⓑ Ⓒ Ⓓ	83	Ⓐ Ⓑ Ⓒ Ⓓ
		18	Ⓐ Ⓑ Ⓒ	30	Ⓐ Ⓑ Ⓒ	42	Ⓐ Ⓑ Ⓒ Ⓓ	54	Ⓐ Ⓑ Ⓒ Ⓓ			72	Ⓐ Ⓑ Ⓒ Ⓓ	84	Ⓐ Ⓑ Ⓒ Ⓓ
		19	Ⓐ Ⓑ Ⓒ	31	Ⓐ Ⓑ Ⓒ	43	Ⓐ Ⓑ Ⓒ Ⓓ	55	Ⓐ Ⓑ Ⓒ Ⓓ			73	Ⓐ Ⓑ Ⓒ Ⓓ	85	Ⓐ Ⓑ Ⓒ Ⓓ
		20	Ⓐ Ⓑ Ⓒ	32	Ⓐ Ⓑ Ⓒ	44	Ⓐ Ⓑ Ⓒ Ⓓ	56	Ⓐ Ⓑ Ⓒ Ⓓ			74	Ⓐ Ⓑ Ⓒ Ⓓ	86	Ⓐ Ⓑ Ⓒ Ⓓ

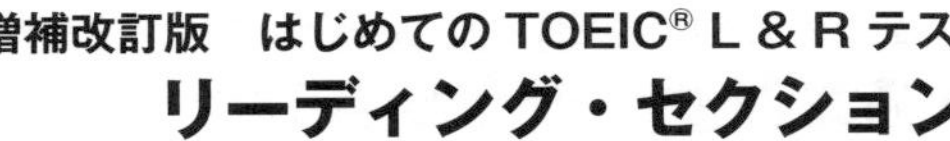

増補改訂版　はじめての TOEIC® L & R テスト　全パート総合対策

リーディング・セクション解答用紙

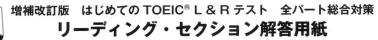

READING SECTION

Part 5						Part 6				Part 7			
No.	ANSWER A B C D	No.	ANSWER A B C D	No.	ANSWER A B C D	No.	ANSWER A B C D	No.	ANSWER A B C D	No.	ANSWER A B C D	No.	ANSWER A B C D
87	A B C D	99	A B C D	111	A B C D	117	A B C D	129	A B C D	141	A B C D	153	A B C D	165	A B C D
88	A B C D	100	A B C D	112	A B C D	118	A B C D	130	A B C D	142	A B C D	154	A B C D	166	A B C D
89	A B C D	101	A B C D	113	A B C D	119	A B C D	131	A B C D	143	A B C D	155	A B C D	167	A B C D
90	A B C D	102	A B C D	114	A B C D	120	A B C D	132	A B C D	144	A B C D	156	A B C D	168	A B C D
91	A B C D	103	A B C D	115	A B C D	121	A B C D	133	A B C D	145	A B C D	157	A B C D	169	A B C D
92	A B C D	104	A B C D	116	A B C D	122	A B C D	134	A B C D	146	A B C D	158	A B C D	170	A B C D
93	A B C D	105	A B C D			123	A B C D	135	A B C D	147	A B C D	159	A B C D		
94	A B C D	106	A B C D			124	A B C D	136	A B C D	148	A B C D	160	A B C D		
95	A B C D	107	A B C D			125	A B C D	137	A B C D	149	A B C D	161	A B C D		
96	A B C D	108	A B C D			126	A B C D	138	A B C D	150	A B C D	162	A B C D		
97	A B C D	109	A B C D			127	A B C D	139	A B C D	151	A B C D	163	A B C D		
98	A B C D	110	A B C D			128	A B C D	140	A B C D	152	A B C D	164	A B C D		

スコア急上昇

直前テクニック集＆単語クイズ

&

完全模試 TEST

本番前にさらなるスコアアップを狙う方のために、この別冊を用意しました。
まずは「直前テクニック集＆単語クイズ」で、直前テクニックと単語を固め、本番前には、完全模試200問に挑戦しましょう。
持ち運びサイズなので、外出先でも気軽に復習できますよ。

★ 別冊の内容 ★

就寝前、電車の中、試験直前などにこの別冊を有効活用し、
スコアを急上昇（skyrocket）させましょう！

Part 1 01

「作業」写真のworkをキャッチ！

人物が屋外で「作業」をしている写真はよく出ます。建設現場に限らず、家の修理や屋内での「作業」も好例。ここでは意外にもworkが定番です。

★ A man is doing some **construction work**.
男性は建設作業をしている。

★ Some people are **working** in an office.
何人かの人々がオフィスで作業をしている。

Part 1 02

「見ている」写真では、examineが出る！

人物写真では、本や書類、あるいはエンジンなどを**「見ている」写真**が頻出。A woman is **looking** at a book / a document / an engine.（女性は、本／書類／エンジンを見ている）のように通常lookが使われますが、盲点は**examine**（～を詳しく調べる）！

★ They're **examining** some papers.
彼らは書類を詳しく調べているところだ。

「英→日」単語クイズ ～Part 1でよく出る動詞～

001 **board**
002 **face**
003 **plug**
004 **mow**
005 **sweep**
006 **scatter**
007 **examine**
008 **reach**
009 **overlook**
010 **lead**

Part 1 03

「指さし」写真はpoint!

パソコンのモニターなどを**「指さし」している写真**に注意！ このとき正解で出るのがpointです。選択肢にpoint at ...（…を指さす）やpoint toward ...（…の方を指さす）があれば、即選びましょう！

★★ A doctor is **pointing at** a computer screen.
医者はコンピューター画面を指さしている。

Part 1 04

商品「陳列」はdisplayが定番！

商品がズラリと並んでいる「陳列」写真では、**on display**や***be* displayed**が出ます。ケーキや服などが棚に並んでいる写真をイメージしてみましょう。

★★ Some items are **on display**.
いくつかの商品が陳列されている。

★★ Some clothes **are displayed** on the shelf.
何着かの服が棚に陳列されている。

Answer!

001	～に乗り込む	006	～をばらまく
002	～と向かい合う	007	～を詳しく調べる
003	（プラグ）を差し込む	008	手を伸ばす
004	～を刈る	009	～を見下ろす
005	（ほうきで）～を掃く	010	（道が）通じる

Part 1 05

「積み上げ」写真はbe piled!

箱や書類などが、山のように**「積み上げ」られている写真**。ここでは***be* piled**や***be* stacked**が正解です。別バージョンのstack of ...（…の山、大量の…）も押さえておきましょう。

★★ Cardboard boxes have **been piled** near the wall.
段ボール箱が壁のそばに積み上げられている。

★★ **Stacks of** files have been left on a table.
ファイルの山がテーブルの上に置かれている。

Part 1 06

「横並び」はside by side!

人物が横に並んでいる写真では、**side by side**（並んで）を聞き取ろう。位置を表す頻出フレーズです。同じ意味の**next to each other**（隣同士に）が来ても慌てないように！

★★ They're standing **side by side**.
彼らは並んで立っている。

★★ They're walking **next to each other**.
彼らは並んで歩いている。

スコア急上昇 「英→日」単語クイズ ～Part 1でよく出る名詞～

011 **curb**	016 **ladder**
012 **lane**	017 **railing**
013 **intersection**	018 **crate**
014 **pedestrian**	019 **drawer**
015 **vehicle**	020 **water**

Part 1 07

leanとナナメは相性抜群！

ハシゴが家に、自転車が壁に、楽器が棚に**「立てかけ」られている写真では、lean against**をキャッチ！ lean against a house / a wall / a shelfが答えです。leanを含む選択肢は正解になることが多いので、キャッチは必須です！

★★ A ladder is **leaning against** a house.
ハシゴが家に立てかけられている。

★★ One of the men is **leaning against** a railing.
男性のひとりは、手すりに寄りかかっている。

Part 1 08

「日よけ」があればawningを待て！

カフェの店頭などに、テント状の**屋根（日よけ）が張られている写真**は難問ですが、けっこう目にします。**awning**の代わりに、**canopy**（天がい）が使われる場合もアリ！

★★ They're installing an **awning** over a window.
彼らは窓に日よけを取りつけているところだ。

Answer!

011	（道路の）縁石	016	はしご
012	（道路の）車線	017	手すり
013	交差点	018	木箱
014	歩行者	019	引き出し
015	乗り物	020	海・湖・川

Part 2 09

疑問詞で始まる質問に、Yes / Noの応答は×！

WhatやHowなどの疑問詞で始まる疑問文に、Yes / Noでは答えられません。したがって、質問が疑問詞で始まっている場合、これらを使った選択肢はすべて不正解！

★★ **Q: Who**'s in charge of ordering office supplies?
オフィス用品の注文は誰が任されていますか？

A: No, I couldn't find it. → ×
いいえ、見つけられませんでした。

Part 2 10

「When→When」のセットが出る！

Whenで始まる質問に対し、**「応答もWhen」**というパターンがあります。意外な組み合わせですが、知っていると差がつきますよ。

★★ **Q: When** did you first meet Mr. Byers?
最初にバイヤーズさんに会ったのはいつですか。

A: When I started my job here.
ここで仕事を始めたときです。

スコア急上昇 「英→日」単語クイズ ～会社組織～

021 **company**
022 **firm**
023 **corporate**
024 **headquarters**
025 **branch**
026 **subsidiary**
027 **plant**
028 **found**
029 **run**
030 **merger**

Part 2 11

Howのバリエーションをチェック！

方法に加え、**「感想・結果」をたずねるHow**も出ます。How is the project going?＝How is your project coming along?＝How do you like your project?は、いずれも「プロジェクトはどうですか」という意味です。

★★ **Q: How** did your promotion interview go?
昇進試験の面接はどうでしたか。

A: Better than I thought.
思ったよりうまくいきました。

Part 2 12

How oftenがきたら、Everyを待て！

How oftenは「頻度」をたずねる質問です。その応答には数字がきますが、盲点は**Every**（～ごと、～おきに）！ 質問と応答のセットで覚えましょう。

★★ **Q: How often** does the train come at this time of day?
この時間だと、どのくらいの頻度で電車がきますか。

A: Every ten minutes.
10分おきです。

Answer!

021	名 会社	026	名 子会社
022	名 会社、事務所	027	名 工場
023	形 企業の	028	動 ～を設立する
024	名 本社	029	動 ～を運営［経営］する
025	名 支店	030	名 合併

Part 2 **13**

選択疑問文では、I haven't decided yet.が正解！

X or Yの選択疑問文では、「XでもYでもない応答」が高確率で正解になります。その好例がI haven't decided yet.（まだ決めていません）。選択疑問文は、orのキャッチが生命線です。

Q: Are you going to take your vacation in July **or** in August?
休暇は7月と8月のどちらに取るつもりですか。

A: I haven't decided yet.
まだ決めていません。

Part 2 **14**

Let me checkに反応せよ！

Would you like to ~?（~しませんか）などの「勧誘」や「依頼」に対し、応答の定番は**Sure. / I'd like to.**（ぜひとも）。これに加え、**Let me check ~.**（~をチェックさせて）もよく出ます。差がつく1問です。

Q: Would you like to join us for dinner this Friday?
今週の金曜日にディナーにご一緒しませんか。

A: Let me check my schedule.
スケジュールをチェックしてみるわ。

スコア急上昇 直前テクニック集 Part 2

「英→日」単語クイズ ～日常生活（ビジネス）～

031	**commute**	036	**assign**
032	**workplace**	037	**assume**
033	**paperwork**	038	**process**
034	**mission**	039	**routine**
035	**fulfill**	040	**cafeteria**

Part 2 15

「Let's → I'll」のパターンをチェック！

Let's ～.（～しましょう）の「提案」に対して、**応答がI'll ～.**というのはかなりの定番。意味が取りにくいので、セットで覚えて即答できるようにしておきましょう。

★★ **Q: Let's** meet up at the airport at seven tomorrow.
あすは7時に空港で待ち合わせましょう。

A: I'll pick you up then.
それならきみを（車で）迎えに行くよ。

Part 2 16

「～に聞いて」が正解！

素直じゃない応答には慣れが必要です。例えば、Whenで始まる質問には「時」を答えるのがセオリー。ですが、「ほかの人に聞いて」と、質問には答えられないことを遠回しに伝えるものが正解になることもあります。**応答にaskがくれば正解率高！**

★★ **Q:** When will the software be updated to the new version?
そのソフトウェアは新しいバージョンにいつ更新されるの？

A: You should **ask** someone in the IT department.
IT部門の誰かに聞いたほうがいいよ。

Answer!

031 動 通勤する	036 動 ～を割り当てる
032 名 仕事場	037 動 ～を引き受ける
033 名 書類仕事	038 動 ～を処理する
034 名 任務、使命	039 形 日常の
035 動 ～を果たす、満たす	040 名 社員食堂

Part 3 17

会話の冒頭から「場所」をつかめ！

オフィス、空港、ホテル、郵便局など、Part 3のシーンは様々。最初の数秒で、会話が行われている場所を特定しましょう。例えば、冒頭のセリフがDo you have any seats available on this flight?（この便に空席はありますか）なら、場所は「空港」ですね。当然、ここが設問で狙われます。

★★ **Q: Where** most likely are the speakers?
話し手たちはどこにいると考えられますか。

A: At an airport
空港に

Part 3 18

設問の「主語」をチェックしよう！

Part 3では、設問の先読みが必須です。このとき確認したいのが、設問の「主語」。**男・女どちらのセリフに答えのヒントがあるのかがわかります**。例えば設問がWhy is **the man** calling?なら、男性の次のセリフに注目です。M: I'm calling to ask you about your delivery services.（男性：配送サービスについてお聞きしたく、お電話しています）

★★ **Q:** Why is **the man** calling?
男性はなぜ電話をしていますか。

A: To make an inquiry
問い合わせをするため

「英→日」単語クイズ　～会議～

041 **conference**
042 **session**
043 **agenda**
044 **approximately**
045 **participate**
046 **distribute**
047 **handout**
048 **thoroughly**
049 **minute**
050 **mandatory**

Part 3 19

電話の「用件」はI'm calling toのあと！

電話の「用件」は、I'm calling toのあとで述べられます。したがって、toのあとの動詞をキャッチすることが大事です。例えば、女性のセリフ、**I'm calling to** reschedule the meeting I have with Mr. Kumar on September 15.（9月15日にクマーさんとの会議でしたが、日程を変更したくお電話しています）に対し、以下のような設問が出ます。

★★ **Q:** What does the woman want to do?
女性は何をしたいと思っていますか。

A: Change her appointment
約束を変更したい

Part 3 20

予定の「変更」が出る！

病院の予約・会議の予定の「変更」は頻出です。まずは、changeやrescheduleに反応しましょう。例えば、M: The board meeting will be held next Monday, won't it?（男性：取締役会は次の月曜だったよね？）→W: No, it's been **changed** to this Friday.（女性：いいえ、今度の金曜に変更になりました）に関する設問は以下の通り。

★★ **Q:** When will the meeting take place?
会議はいつ行われますか。

A: On Friday
金曜日に

Answer!

041 **名 会議**	046 **動 ～を配布する**
042 **名 集まり、集会**	047 **名 資料、プリント**
043 **名 議題**	048 **副 徹底的に**
044 **副 およそ、約**	049 **名 議事録**
045 **動 参加する**	050 **形 強制的な、必須の**

Part 3　21

「トラブル」はbutのあとを聞こう！

Part 3ではトラブルがよく出ます。その具体的な内容は、butのあと。I'm sorry, **but** those shoes are currently sold out.（申し訳ございませんが、その靴は現在売り切れです）に対し、以下のような設問が好例。

Q: What is the problem?
問題は何ですか。

A: An item is sold out.
ある商品が売り切れている。

Part 3　22

suggestの設問では、Why don't youを待て！

会話終盤では、提案・アドバイスが行われます。例えば、W: **Why don't you** talk to your supervisor?（女性：上司に相談してみたら？）のような発言。この箇所に関する設問例は以下の通り。

Q: What does the woman **suggest**?
女性は何を提案していますか。

A: Talking with the boss
上司と話すこと

スコア急上昇 直前テクニック集 Part 3

「英→日」単語クイズ　～職業～

051 **accountant**	056 **editor**
052 **lawyer**	057 **plumber**
053 **professor**	058 **mechanic**
054 **novelist**	059 **dentist**
055 **librarian**	060 **pharmacist**

Part 3 **23**

do nextの設問では、I'llをキャッチせよ！

会話終盤ではI'll ～.やLet me ～.を使って、「これからすること」が述べられます。例えば、W: **I'll** call the repair shop just down the way.（女性：近所の修理店に電話してみるわ）に対し、以下のように問われます。

★★ **Q:** What will the woman most likely **do next**?
女性はこのあと、何をすると考えられますか。

A: Make a phone call
電話をかける

Part 3 **24**

地図では「位置」を聞き逃すな！

図表問題では、「地図」や「フロアマップ」も出ます。このパターンで**注意したいのは、「位置関係」の表現。next to...**（…の隣に）や**across from ...**（…の真向かいに）などを正確にキャッチしましょう。

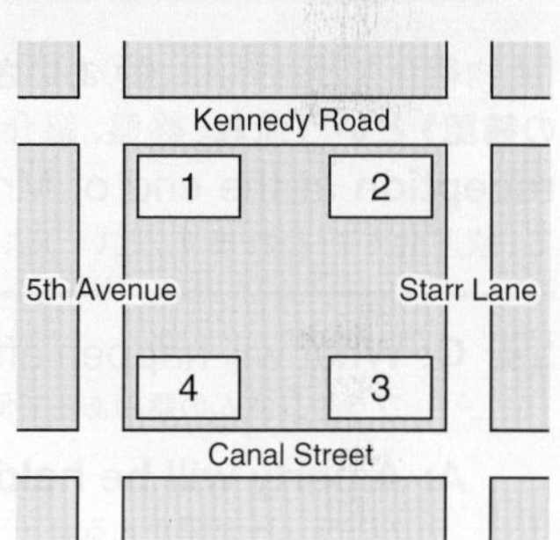

★★ **W:** We're **on the corner of** Canal Street and 5th Avenue.
われわれ（のお店）は、カナル通りと5番大通りが交差する角にあります。

Answer!

051	**会計士**	056	**編集者**
052	**弁護士**	057	**配管工**
053	**教授**	058	**機械工、修理工**
054	**小説家**	059	**歯科医**
055	**図書館員**	060	**薬剤師**

Part 4 25

聞き手は「社員」か「顧客」を選べ！

Part 4では、「聞き手」を問う設問が出ます。売上報告・業務連絡では**employees（社員）**、商品CMだと**customers（顧客）**が聞き手の好例。Welcome to NES Electronics Corporation's **new hire orientation.**（NESエレクトロニクス社の新入社員オリエンテーションにようこそ）のセリフに関し、以下のような設問が出題されます。

★★ **Q:** Who is the speaker most likely addressing?
話し手は誰に話しかけていると思われますか。

A: New employees
新入社員

スコア急上昇 直前テクニック集 Part 4

Part 4 26

スピーチの最後は、「パーティー」の案内！

「人物紹介スピーチ」は、**《①あいさつ→②人物紹介（肩書・経歴など）→③タイムテーブルの確認》という流れ。**終盤、紹介がひと通り終わると、There will be a **welcome reception** at the end of Mr. Brown's speech.（ブラウンさんのスピーチに続いて、歓迎会が行われます）というように、パーティーの案内があります。

★★ **Q:** What will happen after Mr. Brown's talk?
ブラウンさんの話のあとで何が行われますか。

A: A party will be held.
パーティーが開かれる。

「英→日」単語クイズ　～採用～

061 **recruit**	066 **portfolio**
062 **seek**	067 **interview**
063 **candidate**	068 **experienced**
064 **vacant**	069 **degree**
065 **résumé**	070 **orientation**

Part 4 27

セールの「割引率＝数字」はクセ者！

セールの「割引率」は頻出。例えば、We're offering **20** percent discounts on all clothes purchases made by December **10**.（12月10日まで、すべての洋服のお買い上げに対して、20％割引を実施中です）に対し、以下のような設問が定番です。20のあとで10のような数字で惑わすのもお決まりのパターン。

★★ **Q:** How much can be saved on all clothes?
洋服はすべて、どれ位お得になりますか。

A: 20 percent
20％

Part 4 28

「annual→once a year」の言い換えを見抜け！

設問のHow oftenを見たら、「頻度」を待つのがセオリー。ですが、正解では表現が言い換えられることも多い。例えば、「セール案内」の冒頭、Wall-Shop is announcing its **annual** sale going on now.（ウォール・ショップでただ今開催中の、年に1度のセールをご案内いたします）に対し、以下の設問が頻出。

★★ **Q:** How often is the sale held?
セールはどのくらいの頻度で開かれますか。

A: Once a year
年1回

Answer!

- 061 動 ～を募集する
- 062 動 ～を探し求める
- 063 名 応募者
- 064 形 欠員のある、空いている
- 065 名 履歴書
- 066 名 作品集
- 067 名 面接 動 ～を面接する
- 068 形 経験豊富な
- 069 名 学位
- 070 名 新入社員向け説明会

「追加情報」は終盤を聞こう！

「新商品の宣伝」は、《①商品名→②商品の説明→③購入方法・追加情報》という流れで進みます。宣伝のほぼ最後、Please **refer to our Web site** for more details.（さらに詳しい情報は、弊社のウェブサイトをご覧ください）の「追加情報」に対し、以下のような設問が出ます。

★★ **Q:** How can listeners get more information?
聞き手はどうすればさらに詳しい情報を手に入れられますか。

A: By visiting a Web site
ウェブサイトを訪れることで

Part 4 30

出だしのmorningはザ・盲点！

「ラジオ番組」などで、いきなり**Good morning**, I'm Tony Smith and I'll be your host on Music Tour.（おはようございます。「ミュージックツアー」でお相手を務めますトニー・スミスです）とくれば、出だしのmorningは聞き逃してしまいますよね。ですが、これが盲点！ 次のような設問が来たらヒントはここだけですので、ピンチです。

★★ **Q:** When does this talk take place?
話はいつ行われますか。

A: In the morning
朝に

「英→日」単語クイズ ～部署～

071	**accounting department**	076	**marketing department**
072	**human resources department**	077	**public relations department**
073	**personnel department**	078	**legal departments**
074	**general affairs department**	079	**payroll department**
075	**sales department**	080	**purchasing department**

Part 4 31

「留守録メッセージ」の話し手が出る！

「留守録メッセージ」は、《①あいさつ→②電話の用件→③聞き手への要望》という流れ。例えば、Hello Mr. Madison, this is John Taylor. I'm just calling to **confirm your journal article.**（こんにちは、マディソンさん。ジョン・テイラーです。雑誌記事の確認でお電話しました）に対し、以下のように問われます。Whoの設問では、「職業・地位」を意識するんでしたね。

★★ **Q:** Who most likely is the speaker?
話し手は誰だと考えられますか。

A: An **editor**
編集者

Part 4 32

選択肢にfacilitiesがあれば正解！

「宣伝」では、商品やサービスの長所が述べられます。ホテルの宣伝を例に取りましょう。展望台やスパがあって、さらにHotel guests can use **the newest business center.**（ホテルの宿泊客は、最新のビジネスセンターをご利用いただけます）と続くとき、次のような設問が出ます。business center→facilitiesの言い換えがポイント！

★★ **Q:** What feature of the hotel does the speaker mentioned?
話し手はホテルのどんな特徴を述べていますか。

A: Its up-to-date facilities
最新施設

Answer!

071	経理部	076	マーケティング部
072	人事部	077	広報部
073	人事部	078	法務部
074	総務部	079	給与部
075	営業部	080	購買部

Part 5 33

frequentlyがあれば、「現在形」が正解！

★★ Twisters **frequently** ------- on the Gulf Coast of Mexico.
(A) occur / (B) to occur / (C) was occurred / (D) was occurring

「現在時制」の動詞と相性のいい副詞キーワードは、①**frequently**（頻繁に）、②**every morning**（毎朝）、③**once a week**（週1回）、④**seldom**（めったに～ない）です。空所前後にこれらを見たら、「現在形」を即答しましょう。

［正解(A)］メキシコ湾岸では、竜巻が頻繁に起こります。

Part 5 34

last nightがあれば、「過去形」が正解！

★★ Thomas Webb ------- back from a business trip to Singapore **last night**.
(A) comes / (B) came / (C) has come / (D) coming

「過去時制」と相性のいい副詞キーワードは、①**recently**（最近）、②**last night**（昨夜）、③**two years ago**（2年前に）、④**in 2016**（2016年に）です。こちらも空所前後にキーワードを見つけたら、即答できますね。

［正解(B)］トーマス・ウェブは昨夜、シンガポールへの出張から戻ってきました。

「英→日」単語クイズ　～営業・販売～

081 **contract**
082 **accept**
083 **specialize**
084 **vendor**
085 **outlet**
086 **appointment**
087 **stock**
088 **advertise**
089 **competitor**
090 **revenue**

Part 5 35

next weekがあれば、「未来形」を選べ！

★★ The management strategy ------- at a press conference **next week**.
(A) is announced (B) was announcing
(C) has been announcing (D) will be announced

「未来時制」と相性のいい副詞キーワードは、①**next week**（来週）、②**in two weeks**（2週間後に）、③**in the near future**（近いうちに）です。スパッと解いて、次の問題に移りましょう。

［正解(D)］ 経営戦略は来週、記者会見で発表されるでしょう。

Part 5 36

助動詞のあとは、動詞の「原形」

★★ The seminar room in our hotel **can** normally ------- about 50 people.
(A) accommodate (B) accommodated
(C) accommodating (D) accommodation

canやshouldなどの助動詞のあとには、動詞の原形が入ります。シンプルな問題ですが、出題率はなかなか高め。上記のnormallyのように副詞があっても「can+V」を見抜きましょう。

［正解(A)］ 当ホテルのセミナールームは、通常50名ほど収容できます。

Answer!

081	名 契約	086	名 約束、予約
082	動 ～を受け入れる	087	名 在庫、株
083	動 専門に扱う	088	動 ～を宣伝［広告］する
084	名 販売会社	089	名 ライバル会社
085	名 小売店、コンセント	090	名 収支

Part 5 37

ゼッタイ出る〈受け身＋to *do*〉！

★★ Participants **are required** ------- their own way to the convention site.
(A) making / (B) to make / (C) make / (D) of making

受け身のあとが空所で、そこに入る動詞のカタチが問われています。正解は〈to＋動詞の原形〉の不定詞です。①***be* scheduled to *do***（～する予定である）、②***be* supposed to *do***（～することになっている）、③***be* expected to *do***（～することを期待されている）などが頻出。

［正解(B)］参加者は大会会場まで各自でお越しください。

Part 5 38

〈受け身＋to *doing*〉パターンも確認！

★★ Some of the residents in the area **are dedicated** ------- environmental preservation.
(A) promote / (B) promoted / (C) to promoting / (D) have promoted

〈受け身＋to *doing*〉のカタチも頻出！ ①***be* dedicated to *doing***（～することに専念する）、②***be* opposed to *doing***（～することに反対する）、③***be* entitled to *doing***（～する資格がある）、④***be* accustomed to *doing***（～することに慣れている）をチェック！ このtoは、不定詞ではなく前置詞です。

［正解(C)］その地域の住民の中には、環境保全の促進に尽力している人もいます。

スコア急上昇 「英→日」単語クイズ ～連絡・配送～

091 **contact**	096 **warehouse**
092 **forward**	097 **express**
093 **response**	098 **ship**
094 **directory**	099 **deliver**
095 **inquiry**	100 **parcel**

Part 5 39

〈every＋単数名詞〉は出まくり！

★★ ------- **measure** has to be taken to solve the environmental pollution problem.
(A) Every / (B) Few / (C) Most / (D) All

---

everyやeachのあとには、単数名詞が続きます。①〈every / each＋単数名詞〉、②〈all / most / some＋複数名詞〉、③〈many / few＋可算名詞(複数形)〉、④〈much / little＋不可算名詞(単数形)〉をまとめてチェックしましょう。

［正解(A)］ 環境汚染問題を解決するために、あらゆる対策が取られなければなりません。

Part 5 40

on behalf ofタイプのイディオムに注意！

★★ Mr. Park attended the annual conference in Denver ------- the sales manager.
(A) in case of / (B) in response to / (C) aside from / (D) on behalf of

---

〈前置詞＋名詞＋前置詞〉のイディオムには、①**in charge of ...**(…の責任者で)、②**in honor of ...**(…を祝って)、③**in terms of ...**(…の観点から)、④**on behalf of ...**(…を代表して)、⑤**with regard to ...**(…に関しては)などがあります。

［正解(D)］ パークさんは営業部長に代わって、デンバーでの年次会議に出席しました。

Answer!

091	動 ～に連絡する	096	名 倉庫
092	動 ～を送る、転送する	097	形 速達の、急行の
093	名 返答	098	動 ～を出荷する
094	名 名簿	099	動 ～を配達する
095	名 問い合わせ	100	名 小包

Part 5 41

〈冠詞＋空所＋前置詞〉は「名詞」が正解！

★★ Ms. Stacy needs to discuss revised terms and conditions with **a** ------- **from** Alfa Insurance Co.

(A) represent　(B) represented
(C) representative　(D) representable

空所の前後を見るだけで即答できる品詞問題です。空所の直前が冠詞（a / an / the）で直後が前置詞なら、「名詞」が正解です。英文の意味を取る必要はありません！

［正解(C)］ステイシーさんは、アルファ保険の代表者と新しい契約条件について、話し合う必要があります。

直前テクニック集 Part 5

Part 5 42

〈冠詞＋空所＋名詞〉なら、「形容詞」が正解！

★★ The executive came up with **the** ------- **solutions** for security issues.

(A) practice / (B) practical / (C) practically / (D) practicality

空所の直前が冠詞や所有格（his / her / itsなど）で直後が名詞なら、空所に入るのは「形容詞」。英文の意味を取る必要はゼロなので、スパッと即答してくださいね！

［正解(B)］その幹部は、セキュリティー上の問題に関して、現実的な解決策を思いつきました。

「英→日」単語クイズ　～役職ほか～

101 **CEO (=chief executive officer)**
102 **president**
103 **vice president**
104 **director**
105 **executive**
106 **auditor**
107 **manager**
108 **secretary**
109 **supervisor**
110 **colleague**

Part 5 43

〈have＋空所＋過去分詞〉なら、「副詞」が正解！

★★ Kazuo Ishii **has** ------- **established** his career as a novelist in England.
(A) success / (B) successful / (C) successfully / (D) succeed

完了形をつくるhave（has / had）と動詞の過去分詞の間に空所があれば、「副詞」が正解です。応用編は助動詞のパターン。〈助動詞＋空所＋動詞の原形〉の正解も「副詞」！

[正解(C)] カズオ・イシイは、イギリスで小説家としてのキャリアを築くことに成功しています。

Part 5 44

迷ったらwhich！

★★ The government has issued guidelines ------- get to the root of the poverty problem.
(A) whom / (B) which / (C) what / (D) who

関係代名詞は〈先行詞（人以外）＋which〉、〈先行詞（人）＋who〉が基本です。とはいえ、実際にはそれほど簡単には見抜けません。時間がないときや、迷ったときにはwhichを選びましょう。

[正解(B)] 政府は貧困問題の原因を探るガイドラインを示しました。

Answer!

101	最高経営責任者	106	監査役
102	社長	107	部長
103	副社長、部長	108	秘書
104	重役、取締役	109	上司
105	幹部、重役	110	同僚

Part 6 45

困ったときのHowever！

★★ Since only elevators 2 and 3 will remain in operation, wait times for them may be as much as doubled. -------, they will probably finish repairing all of the elevators by midnight.
(A) Likewise / (B) Instead / (C) Therefore / (D) However

Howeverは正解の可能性大！ 前後の文脈を読んでも答えがわからなければ、思い切ってHoweverを選ぶのもアリです。

［正解(D)］2番と3番エレベーターのみの運転なので、待ち時間は通常の2倍かかるかもしれません。しかしながら、おそらく真夜中までにすべての修理は終わる予定です。

直前テクニック集 Part 6

Part 6 46

商品「発送」は、未来形！

★★ Your order ------- within two or three business days.
(A) ship / (B) is shipping / (C) has shipped / (D) will be shipped

商品購入のやり取りは、今のことなので、基本的に現在形ですね。ところが、その商品の「発送」になると「〇〇ごろに送ります」ですから、「未来形」。この時制のズレが出ます。The item **will be sent** ～.やYour shipment **will arrive** ～.に注意！

［正解(D)］ご注文の商品は、2～3営業日以内に発送いたします。

「英→日」単語クイズ ～まぎらわしい前置詞と接続詞～

111 during ...
112 on *doing*
113 because of ... / owing to ...
114 despite ...
115 without ...
116 while S+V
117 as soon as S+V
118 because S+V
119 although S+V
120 unless S+V

Part 6 47

〈the＋空所＋of〉は「最上級」が正解！

★★ The SmartWash is **the** ------- **of** these five mouthwashes.
(A) most affordable　(B) affords
(C) more affordable　(D) affordably

空所の直前にthe、直後にof / in / amongがあれば、「最上級」が正解。形容詞・副詞にmostがついたもの、または語尾が-estで終わるものを選びましょう。一方、空所のあとにthanがあるときは、たいてい比較級が正解です。

［正解(A)］スマートウォッシュはこれら5点のマウスウォッシュの中で、もっとも手ごろな値段です。

Part 6 48

文頭のShouldに気をつけて！

★★ ------- additional staff **be** needed during the seminar, please talk to your immediate supervisor.
(A) Without / (B) Though / (C) Should / (D) When

文頭が空所で、選択肢に前置詞や接続詞が並んでいたら、高確率でShouldが正解です。これは、If additional staff should be needed during ～,のifを省略した倒置の文。動詞が原形のbeになっているのも、Shouldが正解の目印です。

［正解(C)］万一セミナー開催中に追加のスタッフが必要であれば、直属の上司に相談してください。

Answer!

111 前 …の間に
112 前 ～すると同時に
113 前 …のために
114 前 …にもかかわらず
115 前 …がなければ
116 接 SがVする間に
117 接 SがVするとすぐに
118 接 SがVするので
119 接 SがVするにもかかわらず
120 接 SがVしなければ

Part 7 49

「SI」問題には深入りするな！

Part 7では、設問の難易度見極めが大事。設問にsuggest / state(S)やindicate / imply(I)を含む「SI」問題は、推測が必要な問題ですから、深入りは禁物です！ 以下で、設問自体を覚えてしまいましょう。パターンが決まっているので、知っていればかなり有利です。

★★ What is **suggested** about Mr. Kapoor?
カプール氏について何が示されていますか。

★★ What is **indicated** in the letter?
手紙では何が示されていますか。

★★ What is **implied** about the Pacific Hotel?
パシフィックホテルについて何がわかりますか。

スコア急上昇 直前テクニック集 Part 7

Part 7 50

On what dayは「曜日」！

On what day ～?は「曜日」を答える設問。基本的に**「例外の曜日」が問われます**。営業時間が異なる曜日、休業する曜日、割引が適用される曜日などです。

★★ **On what day** is the shop open only in the morning?
店が午前中だけ開いているのは何曜日ですか。

スコア急上昇 「英→日」単語クイズ ～出張～

121 itinerary
122 accommodations
123 round-trip
124 overseas
125 reimbursement
126 destination
127 comfortable
128 reservation
129 confirm
130 accessible

Part 7 51

セール商品の「条件」を見よ！

セール広告や割引クーポンには、割引率などの特典が目立つように書かれています。ですが、「適用条件」のチェックもお忘れなく！ セール期間、対象商品、オンラインでの事前登録など、**割引を受けられる「条件」がターゲット**になります。

★★ **What must customers do** to get a 20% discount?
20%割引を受けるには、客は何をしなければならないですか。

Part 7 52

求人も「条件」がポイント！

求人広告では、応募の「条件」が狙われます。実務経験、学位、語学などのスキルが定番。「条件」は、文書の中盤以降に書かれています。そこで、Applicants **should have a university degree in accounting or economics.**（応募者は会計か経済学の学位を取得していること）のような文を探しましょう。

★★ What is **a requirement** for the job?
この仕事に必要な条件はなんですか。

Answer!

121 名 旅程表	126 名 目的地
122 名 宿泊施設	127 形 快適な
123 形 往復の	128 名 予約
124 副 海外に［で］	129 動 ～を確認する
125 名 払い戻し、弁償	130 形 利用しやすい

Part 7 53

For whomを見たら、「地位・職業」を見抜け！

For whom is the e-mail intended?は、トリッキーな設問です。「メールは誰にあてて書かれたものか」という意味ですが、これをそのままうのみにしてはダメ！ メールの宛先欄（To ...）を見ても、そこに答えはありません。問われているのは、あてた人の「地位・職業」。例えば、sales manager（営業部長）のような表現をサーチしましょう。

★★ **For whom** is this message intended?
このメッセージは誰に向けて書かれたものですか。

Part 7 54

チャットでは「次の行動」が問われる！

Part 7のwill do nextの設問では、「次の行動」が問われます。そして、**文書終盤のI'll ~.がヒント。**Alan Rickman: **I'll** depart for London at 11:20.（アラン・リックマン：11時20分にロンドンに向けて出発するんだ）のメッセージに対し、次のような設問が好例。

★★ What **will** Mr. Rickman most likely **do next**?
リックマンさんは次に何をすると考えられますか。

スコア急上昇 直前テクニック集 Part 7

「英→日」単語クイズ ～買い物～

131 purchase
132 affordable
133 state-of-the-art
134 cashier
135 exchange
136 receipt
137 warranty
138 bill
139 invoice
140 instruction

Part 7 55

「同義語問題」はあきらめない！

同義語問題は、マルチプル・パッセージ問題（文書が2つ以上ある問題）で出題されることが多い。In the **article**というように見るべき文書が特定されているので、答えやすい問題といえます。たとえターゲット語の意味がわからなくても大丈夫！ この前後の文を読めば、明らかにおかしい選択肢が見えてきます。消去法で解きましょう。

★ In the **article**, the word **“fairly”** in paragraph 3, line 1, is closest in meaning to
記事の第3段落1行目にある「かなり」に最も意味の近い語は？

Part 7 56

What is being ～?に慣れよ！

「テーマ」を問う定番の設問は、**What is the purpose of** the announcement?（案内の目的は何ですか）や**Why was** the e-mail **written**?（メールはなぜ書かれましたか）。最近では、この設問のバリエーションがチラホラ出てきています。以下も同じ意味なので、こちらもチェック！

★ **What is being** announced?
何が発表されていますか。

Answer!

131	動 ～を購入する	136	名 領収書
132	形 手頃な値段の	137	名 製品の保証（書）
133	形 最新式の	138	名 請求書
134	名 レジ係	139	名 請求書
135	動 ～を交換する	140	名 説明書

Part 7 57

「お願い」の設問を見たら、pleaseをサーチ！

★★ What is the staff **asked** to do by February 20?
スタッフは2月20日までに何をするよう求められていますか。

設問にask（～を頼む）があれば、本文ではpleaseを探しましょう。例えば、本文にFor those members wishing to attend, **please** contact Joseph Graham in the planning office by February 20.（参加希望の方は、2月20日までに企画室のジョセフ・グラハムにご連絡ください）とあれば、正解はGet in touch with the person in charge（責任者に連絡する）などです。

Part 7 58

見るべき文書を特定せよ！

★★ **According to the e-mail**, what will happen in May?
メールによると、5月に何が起こりますか。

マルチプル・パッセージ問題のテクニック。設問の中には、according to the **e-mail**（メールによると）やin the first **letter**（最初の手紙の）のように、見るべき文書が特定されているものがあります。このような設問があったら、指定された文書に素早く目を移しましょう。見るべき文書がわかれば、意外と短時間で解けますよ。

「英→日」単語クイズ　～ 料金・支払 ～

141 **charge**
142 **fee**
143 **fare**
144 **tuition**
145 **utilities**
146 **cash**
147 **check**
148 **credit card**
149 **online payment**
150 **coupon**

Part 7 59

メッセージの意図問題はギブしない！

★★ At 12:36, what does Ms. Moore mean when she writes, "**Count me in**"?
12時36分にムーアさんが「私も参加させて」と書く際、何を意図していますか。

例えば、〈男性：スコット監督の新作を見に行くんだけど。見たい人はいる？→女性：Count me in.彼の映画の大ファンなの〉といったやり取りがあったとします。このとき選択肢が、(A) She will go to see the movie. / (B) She has to attend the workshop. / (C) ...なら、(A)が正解だとわかりますね。"　"内のフレーズの意味がわからなくても、**答えは前後の流れから推測**できます。

Part 7 60

「職業名」に強くなろう！

★★ **Who** most likely is Kate Perry?
ケイト・ペリーは誰だと思われますか。

whoで始まる設問は、「職業」に関する問題です。12～13ページの「単語クイズ（職業）」を復習しておきましょう。なお、most likelyを含む設問は、文書内にハッキリとヒントが示されません。複数のヒントを拾って答えを推測する必要があります。

Answer!

141	（サービスの）料金	146	現金
142	（サービスの）料金、入場料	147	小切手
143	運賃	148	クレジットカード
144	授業料	149	オンライン決済
145	公共料金	150	クーポン券

スコア急上昇 「日→英」チャレンジ！単語クイズ

Quiz!		Answer!
01 □	手すりの後ろに立つ stand behind a r-------	**railing** 名 手すり
02 □	壁に寄りかかる l------- against a wall	**lean against ～** ～に寄りかかる
03 □	眼鏡を試着する t------- on glasses	**try on ～** ～を試着する
04 □	箱を積み込む l------- some boxes	**load** 名 ～を積み込む
05 □	駐車場 p------- lot	**parking lot** 名 駐車場
06 □	棚の上に置かれている *be* p------- on the shelf	***be* positioned** 動 ～に置かれている
07 □	トラックの荷台 b------- of a truck	**back** 名 荷台、トランク
08 □	横断歩道を歩く walk on a c-------	**crosswalk** 名 横断歩道
09 □	一列に並べられている *be* arranged in a r-------	***be* arranged in a row** 一列に並べられている
10 □	反対方向に in o------- directions	**opposite** 形 反対の
11 □	床を掃く s------- the floor	**sweep** 動 ～を掃く
12 □	バスに乗りこむ b------- a bus	**board** ～に乗りこむ
13 □	同じ方向に in the same d-------	**direction** 名 方向
14 □	書類を詳しく調べる e------- a document	**examine** 動 ～を詳しく調べる
15 □	商品に手を伸ばす r------- for some goods	**reach for ～** ～に手を伸ばす

パートごとに、ぜひ覚えておきたい単語をクイズにしました。
少しレベルをあげて、日本語→英語のアウトプットにチャレンジしてみましょう！
左列の空所に入る単語を答えられますか？　答えは、右側です。

Quiz!		Answer!
16 □	～でいっぱいである *be* f------- with ～	***be* filled with ～** ～でいっぱいになった
17 □	歩道に立つ stand on a w-------	**walkway** ㊔ 歩道
18 □	並んで座る sit side by s-------	**side by side** 並んで
19 □	～の前に止められている *be* parked in f------- of ～	**in front of ～** ～の前に
20 □	両方向とも in both d-------s	**in both directions** 両方向とも
21 □	棚に積み重ねられている *be* s------- on the shelf	***be* stacked** 積み重ねられている
22 □	壁に絵を掛ける h------- a picture on the wall	**hang** ㊍ ～を掛ける
23 □	～に立てかけてある *be* p------- up against ～	***be* propped up against ～** ～に立てかけてある
24 □	車を（道路）わきに寄せる p------- over a car	**pull over** を（道路）わきに寄せる
25 □	芝生を刈る mow a l-------	**lawn** ㊔ 芝生
26 □	並んで待つ wait in l-------	**in line** 並んで
27 □	～を重ねて置く put ～ in a p-------	**in a pile** 重ねて
28 □	縁石に止められている *be* parked at a c-------	**curb** ㊔ 縁石
29 □	陳列されている *be* on d-------	***be* on display** 陳列されている
30 □	テーブルの上に置かれている *be* p------- on the table	***be* placed on ～** ～の上に置かれている

スコア急上昇

「日→英」チャレンジ！単語クイズ

Quiz!		Answer!
31 □	オフィス用品 office s-------	**office supplies** オフィス用品
32 □	予定より早く a------- of schedule	**ahead** of schedule 予定より早く
33 □	旅費 travel e-------	travel **expenses** 旅費
34 □	自分でできます。 I can m-------.	I can **manage.** 自分でできます。
35 □	事前承認 advance a-------	**approval** 名 承認
36 □	～してはどうですか。 W------- don't you *do* ～?	**Why** don't you *do* ～? ～してはどうですか。
37 □	製品を出荷する s------- a product	**ship** 動 ～を出荷する
38 □	報告書を修正する r------- a report	**revise** 動 ～を修正する
39 □	すぐに取りかかる g------- to it immediately	**get** to ～ ～に取り掛かる
40 □	議題に予定されている *be* on an a-------	**agenda** 名 議題
41 □	ホテルの部屋を予約する b------- a room	**book** 動 ～を予約する
42 □	在庫切れである *be* o------- of stock	*be* **out** of stock 在庫切れである
43 □	締切日 d------- date	**due** date 締切日
44 □	会議を予定する s------- a meeting	**schedule** 動 ～を予定する
45 □	宅配便 c------- service	**courier** service 宅配便

オフィス・ワードを中心に覚えましょう。コピー機の故障、紙詰まり、修理、トナーの交換は定番です。「依頼」表現もめっちゃ出るぞ！

Quiz!	Answer!
46 □ 戻ることになっている *be* s------- to return	***be* supposed to *do*** ～することになっている
47 □ セミナーに申し込む s------- up for a seminar	**sign up for ～** ～に申し込む
48 □ ～してくれませんか。 I was w------- if you could *do* ～	I was **wondering** if you could *do* ～ ～してくれませんか。
49 □ どちらでも結構です。 E------- will be fine.	**Either** will be fine. どちらでも結構です。
50 □ 発送の遅れ d------- in shipment	**delay in ～** ～の遅れ
51 □ 嵐のせいで d------- to storm	**due to ～** ～のせいで
52 □ 予定より遅れて b------- schedule	**behind** schedule 予定より遅れて
53 □ 報告書を提出する s------- a report	**submit** 動 ～を提出する
54 □ 会議に間に合う m------- it to the conference	**make it to ～** ～に間に合う
55 □ 売上高 sales f-------	sales **figures** 売上高
56 □ 翌日配達(便) o------- delivery	**overnight** delivery 形 翌日配達(便)
57 □ 引き継ぐ t------- over	**take over** 引き継ぐ
58 □ ～しましょうか。 Do you w------- me to *do* ～?	Do you **want** me to *do* ～? ～しましょうか。
59 □ ～してくれませんか。 Would you m------- *doing* ～?	Would you **mind** *doing* ～? ～してくれませんか。
60 □ S はどうでしたか。 H------- did *S* go?	**How** did *S* go? S はどうでしたか。

スコア急上昇 「日→英」チャレンジ！単語クイズ

Quiz!		Answer!
61 □	**返金**してもらう get a r-------	**refund** 名 返金
62 □	会議**を延期する** p------- a meeting	**postpone** 動 ～を延期する
63 □	仕事ぶり**を評価する** e------- *one's* job performance	**evaluate** 動 ～を評価する
64 □	(紙などが)**詰まる** get j-------	**get jammed** (紙などが)詰まる
65 □	**旅程**を変更する change an i-------	**itinerary** 名 旅程
66 □	3年間**有効である** *be* v------- for three years	**valid** 形 有効である
67 □	合計で20ドル**になる** c------- to 20 dollars	**come to ～** ～(の金額)になる
68 □	**時間どおりに** on t-------	**on time** 時間どおりに
69 □	**案内**に従う follow the s-------	**follow the signs** 案内に従う
70 □	［電話で］**こちらは～です。** You have r------- ～	**You have reached ～** ［電話で］こちらは～です。
71 □	**納入業者**に連絡する contact a s-------	**supplier** 名 納入業者
72 □	用紙**が切れる** r------- out of paper	**run out of ～** ～が切れる
73 □	**残念ながら～。** I'm a------- ～	**I'm afraid ～** 残念ながら～。
74 □	追加**料金** extra c-------	**charge** 名 料金
75 □	**無料の**朝食 c------- breakfast	**complimentary** 形 無料の

出張ワードは重要！ 空港、ホテル、チケット売り場、ショップなどシチュエーションを意識しましょう。場所と単語をリンクしてね。

Quiz!		Answer!
76	今度の旅行 u------- trip	**upcoming** 形 今度の
77	～を修理してもらう have ～ r-------	**have ～ repaired** ～を修理してもらう
78	～に電話をする give ～ a c-------	**give ～ a call** ～に電話をする
79	顧客サービス担当者 customer service r-------	customer service **representative** 顧客サービス担当者
80	直行便 d------- flight	**direct** flight 直行便
81	無料で free of c-------	**free of charge** 無料で
82	製品カタログ product b-------	**brochure** 名 カタログ、パンフレット
83	故障して out of o-------	**out of order** 故障して
84	年次報告書 a------- report	**annual** 形 年次、毎年の
85	必ず～する *be* s------- to *do*	***be* sure to *do*** 必ず～する
86	四半期報告書 q------- report	**quarterly** 形 四半期の
87	在庫を確認する check i-------	**inventory** 名 在庫
88	～したくてお電話しました。 I'm c------- to *do*	**I'm calling to *do*** ～したくてお電話しました。
89	往復チケット r------- ticket	**round-trip** ticket 往復チケット
90	海外旅行をする travel o-------	**overseas** 副 海外へ

スコア急上昇

「日→英」チャレンジ！単語クイズ

Quiz!		Answer!
91 □	追って**知らせ**があるまで **until further n-------**	**notice** 名 知らせ
92 □	**予想外の**出来事 **u------- event**	**unexpected** 形 予想外の
93 □	問題**に取り組む** **a------- a problem**	**address** 動 ～に取り組む
94 □	**乗り継ぎ**客 **t------- passengers**	**transit** 形 乗り継ぎの
95 □	公共**交通機関** **public t-------**	**transportation** 名 交通機関
96 □	**～だとありがたいのですが。** **I'd a------- it if ～**	**I'd appreciate it if ～** ～だとありがたいのですが。
97 □	**～に折り返しの電話をする** **r------- *one's* call**	**return *one's* call** ～に折り返しの電話をする
98 □	10%**割引**にする **offer a 10% d-------**	**discount** 名 割引
99 □	**市場シェア** **m------- share**	**market share** 名 市場シェア
100 □	**～するのを控える** **r------- from *doing***	**refrain from *doing*** ～するのを控える
101 □	**著名な**政治家 **d------- politician**	**distinguished** 形 著名な
102 □	プロジェクトチーム**を代表して** **on b------- of our project team**	**on behalf of ～** ～を代表して
103 □	**基調**演説 **k------- speech**	**keynote** 名 基調
104 □	**一時的に**閉鎖される ***be* closed t-------**	**temporarily** 副 一時的に
105 □	**約**2時間続く **last a------- two hours**	**approximately** 副 約、およそ

TOEICワールドでは、みんな社交的！　セミナーや講演会に出席し、スピーチしたり、パーティ出たり。陰キャが不在の世界です。

Quiz!	Answer!
106 □ 商品券 gift c-------	**gift certificate** 商品券
107 □ ～することは許されない *be* not a------- to *do*	*be* not **allowed** to *do* ～することは許されない
108 □ 組立ライン a------- line	**assembly** line 組立ライン
109 □ 最新交通情報 traffic u-------	traffic **updates** 最新交通情報
110 □ ～をお知らせいたします。 Please be a------- that ～	Please be **advised** that ～ ～をお知らせいたします。
111 □ ～の予約を変更する r------- *one's* appointment	**reschedule** 動 ～(予約など)を変更する
112 □ ～にご注意ください。 Please n------- that ～	Please **note** that ～ ～にご注意ください。
113 □ ～を利用する take a------- of ～	take **advantage** of ～ ～を利用する
114 □ 定期メンテナンス r------- maintenance	**routine** 形 定期の
115 □ 会衆に演説をする a------- an audience	**address** 動 ～に演説をする
116 □ ～する予定である *be* e------- to *do*	*be* **expected** to *do* ～する予定である
117 □ 小売店 r------- outlet	**retail** 名 小売
118 □ ～できて光栄に思う。 I'm h------- to *do*	**honored** 形 光栄に思う
119 □ 出張する travel on b-------	on **business** 出張で、仕事で
120 □ 予約に関して r------- your reservation	**regarding** 前 ～に関して

スコア急上昇

「日→英」チャレンジ！単語クイズ

Quiz!		Answer!
121	年次総会 annual c-------	**convention** 名 総会、会議
122	～を専門にする s------- in ～	**specialize in ～** ～を専門にする
123	低価格 c------- price	**competitive** price 低価格
124	景気後退 economic d-------	economic **downturn** 景気後退
125	自動車メーカー automobile m-------	**manufacturer** 名 メーカー
126	購入に関して c------- your purchase	**concerning ～** 前 ～に関して
127	金融政策 financial m-------	**measures** 名 政策
128	すべての公共料金を含む include all u-------	**utilities** 名 公共料金
129	製品を発売する l------- a product	**launch** 動 ～を発売する
130	～の資格がある *be* e------- for ～	***be* eligible for ～** ～の資格がある
131	アンケート用紙に記入する fill out a q-------	**questionnaire** 名 アンケート用紙
132	流通システム d------- system	**distribution** 名 流通
133	政策を実行する i------- a policy	**implement** 動 ～を実行する
134	予算を割り当てる a------- a budget	**allocate** 動 ～を割り当てる
135	福利厚生 b------- package	**benefits** package 福利厚生

TOEICワールドでも「お金」は大事。予算、価格、売上、コストなど、お金関連のワードは盛りだくさん。ビジネスの現場を意識して！

Quiz!	Answer!
136 □ 入場料 a------- fee	**admission** 名 入場
137 □ (遅くても)～までに no l------- than ～	**no later than ～** (遅くても)～までに
138 □ もし質問があれば S------- you have any questions	**Should you have any questions** もし質問があれば
139 □ 事前承認 p------- approval	**prior** 形 事前の
140 □ 変更になる場合がある *be* s------- to change	***be* subject to change** 変更になる場合がある
141 □ 規則に従う a------- by the rules	**abide by ～** ～に従う
142 □ 計画を見直す r------- a project	**review** 動 ～を見直す
143 □ 売り上げの減少 d------- in sales	**decline** 名 減少
144 □ 十分な予算 s------- budget	**sufficient** 形 十分な
145 □ 集中的な研修 i------- training	**intensive** 形 集中的な
146 □ スタッフを監督する s------- staff	**supervise** 動 ～を監督する
147 □ 安価な製品 e------- product	**economical** 形 安価な
148 □ 株主総会 s------- meeting	**shareholders' meeting** 株主総会
149 □ 工場を移転する r------- a factory	**relocate** 動 ～を移転する
150 □ 有給休暇 paid l-------	**leave** 名 休暇

スコア急上昇 「日→英」チャレンジ！単語クイズ

Quiz!		Answer!
151 □	売上**利益** sales p-------	**profit** ㊔ 利益
152 □	申し出**を断る** d------- an offer	**decline** ㊍ ～を断る
153 □	**工事**中で under c-------	under **construction** ㊔ 工事中で
154 □	テレビで目立って**特集される** *be* prominently f------- on TV	***be* featured** 特集される
155 □	**許可**なく without p-------	**permission** ㊔ 許可
156 □	**概要**を説明する provide an o-------	**overview** ㊔ 概要
157 □	**人事**部 p------- department	**personnel** department 人事部
158 □	業績**を査定する** a------- a performance	**assess** ㊍ ～を査定する
159 □	書類**を修正する** m------- a document	**modify** ㊍ ～を修正する
160 □	～に**隣接した** a------- to ～	**adjacent** to ～ ～に隣接した
161 □	**貴重**品 v------- goods	**valuable** goods 貴重品
162 □	予約で**いっぱい**である *be* f------- booked	***be* fully** booked 予約でいっぱいである
163 □	**最新**テクノロジー s------- technology	**state-of-the-art** ㊒ 最新の
164 □	**大手**メーカー l------- manufacturer	**leading** ㊒ 大手の
165 □	～を**備えている** *be* e------- with ～	***be* equipped** with ～ ～を備えている

多義語は柔軟に対応してね。例えば「施設」はfacility、complex、institutionだけど、facilityには「研究所」「図書館」「スポーツジム」の意味もあるぞ。

Quiz!	Answer!
166 商業複合**施設** **commercial c-------**	**complex** 名 施設
167 **手ごろな**値段で **at an a------- price**	**affordable** 形 手ごろな
168 **有名な**ホテル **r------- hotel**	**renowned** 形 有名な
169 マスコミ**報道** **media c-------**	**coverage** 名 報道
170 品質**検査** **quality i-------**	**inspection** 名 検査
171 **〜することを目指す** **a------- to *do***	**aim to *do*** 〜することを目指す
172 200人の客**を収容する** **a------- 200 guests**	**accommodate** 動 〜を収容する
173 **評判**を得る **earn a r-------**	**reputation** 名 評判
174 2年**連続で** **for two c------- years**	**consecutive** 形 連続する
175 月**単位で**、**毎**月 **on a monthly b-------**	**on a 〜 basis** 〜単位で、毎〜
176 **〜することが求められている** ***be* r------- to *do***	***be* required to *do*** 〜することが求められている
177 第1**段階** **first p-------**	**phase** 名 段階
178 規則**に従う** **c------- with rules**	**comply with 〜** 〜に従う
179 **〜する権限が与えられている** ***be* a------- to *do***	***be* authorized to *do*** 〜する権限が与えられている
180 生産ライン**を監督する** **o------- a product line**	**oversee** 動 〜を監督する

スコア急上昇

「日→英」チャレンジ！単語クイズ

	Quiz!	Answer!
181 □	注文品**を発送する** **d------- an order**	**dispatch** 動 ～を発送する
182 □	企業**年金** **corporate p-------**	**pension** 名 年金
183 □	**直接会って、じかに** **in p-------**	**in person** 直接会って、じかに
184 □	**持ち物**を忘れる **forget *one's* b-------**	**belongings** 名 持ち物
185 □	**発効する** **c------- into effect**	**come into effect** 発効する
186 □	パスワード**を確認する** **v------- a password**	**verify** 動 ～を確認する
187 □	規則**を守る** **a------- to the regulations**	**adhere to ～** ～を守る
188 □	個人**所有物** **personal p-------**	**property** 名 所有物
189 □	**最新の**カタログ **l------- catalog**	**latest** 形 最新の
190 □	**管理**スタッフ **a------- assistant**	**administrative** 形 管理、事務の
191 □	**タイミングよく、直ちに** **in a t------- manner**	**in a timely manner** タイミングよく、直ちに
192 □	**教授陣** **f------- member**	**faculty member** 教授陣
193 □	**代わりの**会場 **a------- venue**	**alternative** 形 代わりの
194 □	**指定**区域 **de------- area**	**designated** 形 指定された
195 □	**立ち入り**検査 **o------- inspection**	**on-site** 形 立ち入りの、現場の

「英⇒英」チャレンジも大事！「所有物」はbelongings=property、「調査」はresearch=surveyなど、「英⇒英」でざっくり覚えるのもgood！

Quiz!	Answer!
196 □ 返品**規定** return p-------	**policy** 名 規定
197 □ 値段**を下げる** l------- a price	**lower** 動 ～を下げる
198 □ **機密**データ c------- data	**confidential** 形 機密の
199 □ **苦情**を受ける receive a c-------	**complaint** 名 苦情
200 □ 社員**名簿** company d-------	**directory** 名 名簿
201 □ 注文**を処理する** p------- an order	**process** 動 ～を処理する
202 □ 責任**を負う** a------- full responsibility	**assume** 動 ～（責任など）を負う
203 □ **抽選会**を開く hold a d-------	**drawing** 名 抽選会
204 □ 10万部**発行**されている have a c------- of 100,000	**circulation** 名 発行部数
205 □ 予想**を超える** s------- expectations	**surpass** 動 ～を超える
206 □ **人件費** l------- costs	**labor** costs 人件費
207 □ **従来の**やり方 c------- style	**conventional** 形 従来の
208 □ 過去30**年間**にわたって over the last three d-------s	**decade** 名 10年間
209 □ **調査結果** research f-------	research **findings** 調査結果
210 □ **調査**する conduct a s-------	**survey** 名 調査

スコア急上昇 「日→英」チャレンジ！単語クイズ

Quiz!		Answer!
211 □	情報を公開する p------- information	**publicize** 動 ～を公開する
212 □	～に組み込まれる *be* i------- into ～	***be* integrated into ～** ～に組み込まれる
213 □	進行中のプロジェクト o------- project	**ongoing** 形 進行中の
214 □	水不足 water s-------	**shortage** 名 不足
215 □	人材、人事 human r-------	**human resources** 人材、人事
216 □	人員を削減する undergo d-------	**downsizing** 名 削減
217 □	問題を扱う d------- with issues	**deal with ～** ～を扱う
218 □	地元住民 local r-------	**residents** 名 住民
219 □	国産品 d------- product	**domestic** 形 国産の
220 □	～を一貫して生み出す c------- produce	**consistently** 副 一貫して
221 □	安定供給 s------- supply	**stable** 形 安定した
222 □	マーケティングの取り組み marketing i-------	**initiative** 名 取り組み
223 □	補正予算 s------- budget	**supplementary** 形 補足の
224 □	計画を実行する e------- a plan	**execute** 動 ～を実行する
225 □	顧客ニーズを特定する i------- a customer need	**identify** 動 ～を特定する

「求人」(Job Opening)は、いつも同じワードです。「職歴」はbackground、work experience、job history。文書ジャンルごと、まとめて暗記してね。

Quiz!	Answer!
226 □ 責任を引き受ける u------- a responsibility	**undertake** 動 ～を引き受ける
227 □ 貸出カウンター c------- desk	**circulation desk** 名 貸出カウンター
228 □ 適切に機能する f------- properly	**function** 動 機能する
229 □ 適切な応募者 s------- applicant	**suitable** 形 適切な
230 □ 匿名の調査 a------- survey	**anonymous** 形 匿名の
231 □ 既存の顧客 e------- customers	**existing customers** 既存の顧客
232 □ 主な目的 main o-------	**objective** 名 目的
233 □ 大幅に人手が不足している severely u-------	**understaffed** 形 人手が不足している
234 □ 電化製品 electrical a-------	electrical **appliances** 電化製品
235 □ 職歴 professional b-------	professional **background** 職歴
236 □ ～に空きがある have a v------- for ～	**vacancy** 名 空き
237 □ ～から成る c------- of ～	**consist** of ～ ～から成る
238 □ 有益なガイド i------- guide	**informative** 形 有益な
239 □ データを保管する s------- data	**store** 動 ～を保管する
240 □ 勤務中 on d-------	on **duty** 勤務中

模試の解説

オンライン解説

模試の解説は、下記のウェブサイトからオンライン上でご覧いただけます。

■スマホ用QRコード

■アドレス

https://www.ask-books.com/94343/moshi.html

※模試の解説は、上記サイトからPDFにてダウンロードすることもできます。

無料音声解説

特別付録として、**200問全てに《無料音声解説》**を用意しました。オンライン解説の画面上で、聞くことができます。ライブ感あふれる講義で、解き方の流れや追加のポイントを解説しています！ カフェや電車の中など外出先でも、ぜひ復習にご活用ください。

リスニング音声や
音声解説、訳、重要語句などを
全てここで確認できます！

はじめてTOEIC® Web

音声解説

00:00 -00:00

Questions 147-148 refer to the following text message.

Padma Singh (3:45 P.M.)
Hi, Samantha. I won two free movie tickets today by being the first listener to phone the radio station when the song *Winter Kiss* by the Foggy Fields Band started to play. I love that song! How about going to see *Pressure Point* with me this Saturday? It's an action movie staring Bert Kaylak. I thought we could make a day of it and have lunch first at Aaron's Bistro. A new gift shop opened up next door, and I want to check it out. Then we could head to the theater. It's only a few blocks down the street from there. Let me know.

147. How most likely did Ms. Singh win a radio competition?

(A) By knowing the name of a song

(B) By registering for a drawing

(C) By identifying a musical group

(D) By making a call promptly

▶ 訳

▶ 正解と解説

画面イメージ

増補改訂版
『はじめての TOEIC® L&R テスト 全パート総合対策』
別冊 完全模試

TEST

模擬試験はリハーサルだと思って、本番さながらに取り組みましょう。リスニング・セクションが終了したら、そのままリーディング・セクションに進んでください。

リスニング・セクションは約45分、リーディング・セクションは75分間です。

【用意するもの】
- マークシート（103-104ページから切り離してお使いください）
- 時計
- 鉛筆と消しゴム

解答一覧は100ページ、解説の案内は左ページをご覧ください。

注 1：マークシートは、サイズの関係でリスニングとリーディングの用紙を両面の2ページに分けていますが、実際のテストでは片面1ページに両セクションが記載されています。
注 2：ページの関係で、Part 3と4のGO ON TO THE NEXT PAGEの回数が数回増えていますが、実際のテストではPart 3 で2回、Part 4では1回放送されます。予めご了承ください。

LISTENING TEST

In the Listening test, you will be asked to demonstrate how well you understand spoken English. The entire Listening test will last approximately 45 minutes. There are four parts, and directions are given for each part. You must mark your answers on the separate answer sheet. Do not write your answers in your test book.

PART 1

Directions: For each question in this part, you will hear four statements about a picture in your test book. When you hear the statements, you must select the one statement that best describes what you see in the picture. Then find the number of the question on your answer sheet and mark your answer. The statements will not be printed in your test book and will be spoken only one time.

Statement (C), "They're sitting at a table," is the best description of the picture, so you should select answer (C) and mark it on your answer sheet.

1.

2.

GO ON TO THE NEXT PAGE

3.

4.

5.

6.

GO ON TO THE NEXT PAGE →

PART 2

Directions: You will hear a question or statement and three responses spoken in English. They will not be printed in your test book and will be spoken only one time. Select the best response to the question or statement and mark the letter (A), (B), or (C) on your answer sheet.

7. Mark your answer on your answer sheet.

8. Mark your answer on your answer sheet.

9. Mark your answer on your answer sheet.

10. Mark your answer on your answer sheet.

11. Mark your answer on your answer sheet.

12. Mark your answer on your answer sheet.

13. Mark your answer on your answer sheet.

14. Mark your answer on your answer sheet.

15. Mark your answer on your answer sheet.

16. Mark your answer on your answer sheet.

17. Mark your answer on your answer sheet.

18. Mark your answer on your answer sheet.

19. Mark your answer on your answer sheet.

20. Mark your answer on your answer sheet.

21. Mark your answer on your answer sheet.

22. Mark your answer on your answer sheet.

23. Mark your answer on your answer sheet.

24. Mark your answer on your answer sheet.

25. Mark your answer on your answer sheet.

26. Mark your answer on your answer sheet.

27. Mark your answer on your answer sheet.

28. Mark your answer on your answer sheet.

29. Mark your answer on your answer sheet.

30. Mark your answer on your answer sheet.

31. Mark your answer on your answer sheet.

PART 3

Directions: You will hear some conversations between two or more people. You will be asked to answer three questions about what the speakers say in each conversation. Select the best response to each question and mark the letter (A), (B), (C), or (D) on your answer sheet. The conversations will not be printed in your test book and will be spoken only one time.

32. What type of organization does the man work for?

(A) A design firm
(B) A medical clinic
(C) A conference venue
(D) A hair salon

33. Why is the woman calling?

(A) To cancel an event
(B) To request a cost estimate
(C) To reschedule a visit
(D) To promote a new service

34. What will the woman most likely do at four o'clock?

(A) Watch a video
(B) Return a telephone call
(C) Show up for an appointment
(D) Reply to an invitation

35. Where most likely are the speakers?

(A) In a restaurant
(B) In an airport
(C) In a hotel
(D) In a theater

36. What does the man ask about?

(A) The nearby entertainment options
(B) The location of a facility
(C) The schedule of an airport shuttle
(D) The availability of food

37. What will the woman probably do next?

(A) Look for a key
(B) Call for a service
(C) Provide a password
(D) Search the Internet

GO ON TO THE NEXT PAGE

38. What does the woman mean when she says, "It's been a while"?

(A) The telephone was not answered promptly.
(B) She has waited a long time for a reply.
(C) A coworker is late to return.
(D) She has a lot of job experience.

39. What does the man say about the job opening?

(A) It is at a different branch.
(B) It has already been filled.
(C) It has been posted on a Web site.
(D) It has attracted many applicants.

40. How does the man intend to get confirmation?

(A) By submitting a form
(B) By contacting a reference
(C) By speaking with colleagues
(D) By checking computer records

41. What is the problem?

(A) A shipment is missing some items.
(B) A supplier is no longer in business.
(C) A payment has not been received.
(D) An estimate is higher than expected.

42. What was the woman told about Omega Office?

(A) It has expensive prices.
(B) It has dependable service.
(C) It offers express delivery.
(D) It is conveniently located.

43. What does the man encourage the woman to do?

(A) Check customer reviews
(B) Speak to a supervisor
(C) Inspect a machine
(D) Place an order

44. Where does the conversation probably take place?

(A) At a restaurant
(B) At a communications company
(C) At a grocery market
(D) At an appliance shop

45. What does Mr. Thompson mention about online orders?

(A) They are being discounted.
(B) They are delivered for free.
(C) They are not being accepted.
(D) They are processed faster.

46. What will the woman most likely do next?

(A) Dial a telephone number
(B) Access a Web site
(C) Redeem a credit voucher
(D) Provide her mailing address

47. What does the woman request the man do?

(A) Enter a contest
(B) View an advertisement
(C) Apply for a position
(D) Sample some beverages

48. What does the man say about the company's products?

(A) He purchases them often.
(B) He has never heard of them.
(C) He sells them at his workplace.
(D) He has tasted every flavor.

49. What does the man offer to do?

(A) Complete a form online
(B) Forward some information
(C) Return on a future date
(D) Provide his contact details

GO ON TO THE NEXT PAGE

50. What was the woman asked to organize?

(A) A tour for a group of visiting clients
(B) A vacation schedule for family members
(C) A magazine article on outdoor recreation
(D) A trip for company employees

51. What does the woman imply when she says, "I think everyone would enjoy something new"?

(A) She will accept the man's suggestion.
(B) She thinks a past event was not successful.
(C) She is excited about her work assignment.
(D) She does not wish to repeat an activity.

52. What does the man mention about Norgaard Forest?

(A) It currently has very hot weather.
(B) It has attractive scenery.
(C) It is far from company headquarters.
(D) It is located alongside a river.

53. What is the woman currently working on?

(A) Scheduling work shifts
(B) Installing equipment
(C) Writing a policy manual
(D) Training new staff members

54. Where do the speakers probably work?

(A) At a manufacturing facility
(B) At a fitness center
(C) At a research laboratory
(D) At a television studio

55. Why does Roberto plan to resign?

(A) He plans to start his own business.
(B) He wants to move closer to his family.
(C) He accepted a different job offer.
(D) He thinks his compensation is too low.

56. Who most likely is the man?

(A) A sales representative
(B) A tour guide
(C) An office manager
(D) A travel agent

57. What does the man say about his assistant?

(A) She recommended a route.
(B) She accompanied him on a trip.
(C) She lacks experience.
(D) She received his instructions.

58. According to the man, what caused a delay?

(A) Poor weather
(B) A mechanical problem
(C) Traffic congestion
(D) A road closure

---

59. Why is the woman calling?

(A) To report a shipping delay
(B) To confirm business hours
(C) To ask about a return policy
(D) To place an order for delivery

60. What does the man mention about Marcobi sweaters?

(A) They are popular among customers.
(B) They are being offered at a discount.
(C) They are no longer being produced.
(D) They are available in a variety of colors.

61. What does the man emphasize about the new shop location?

(A) It is more spacious.
(B) It is more expensive.
(C) It is more convenient.
(D) It is more brightly lit.

GO ON TO THE NEXT PAGE

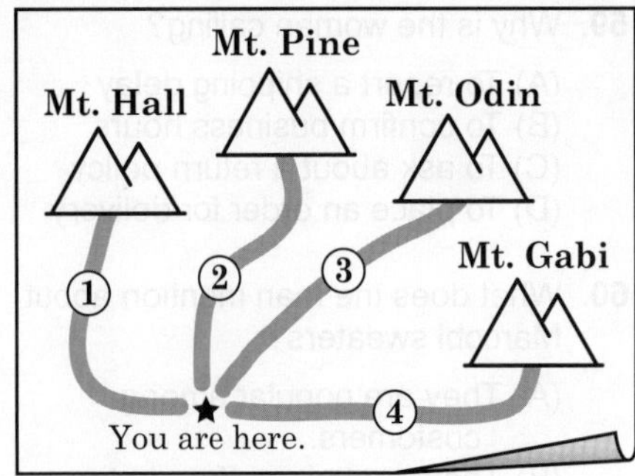

62. How did the woman learn about the park?

(A) From a movie
(B) From a guidebook
(C) From a television show
(D) From a coworker

63. Look at the graphic. What mountain is the highest in the park?

(A) Mt. Hall
(B) Mt. Pine
(C) Mt. Odin
(D) Mt. Gabi

64. According to the woman, what can be seen from the summit?

(A) An ocean shore
(B) A famous structure
(C) A neighboring state
(D) A historic village

<table>
<tr><td rowspan="3">Room 304</td><td>Supply Room</td><td>Room 302</td><td>Elevator</td></tr>
<tr><td></td><td></td><td></td></tr>
<tr><td>Copy Room</td><td>Room 303</td><td>Room 301</td></tr>
</table>

65. What do the speakers expect to be delivered this morning?

(A) Ink cartridges
(B) Office furniture
(C) Promotional materials
(D) Construction supplies

66. Why will the woman most likely be away when the delivery arrives?

(A) She has an appointment with a dentist.
(B) She has been delayed by heavy traffic.
(C) She has a meeting with a supervisor.
(D) She has to make a purchase at a store.

67. Look at the graphic. Where does the woman ask the man to put packages?

(A) Room 301
(B) Room 302
(C) Room 303
(D) Room 304

Good Gravy Instant Meals
Instructions

Step 1
Add contents of packet.

Step 3
Microwave for 2 minutes.

Step 2
Fill to line with water.

Step 4
Stir. Let stand for 30 seconds.

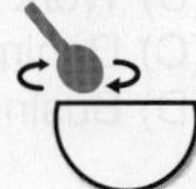

68. What does the man offer to do for the woman?

(A) Cover her work shift
(B) Meet her at a restaurant
(C) Pick her up at home
(D) Get her some food

69. What does the man say about Good Gravy Instant Meals?

(A) He highly recommends them.
(B) He tried them recently.
(C) He has never eaten them.
(D) He could not find them at a store.

70. Look at the graphic. During which step does the woman say she made a mistake?

(A) Step 1
(B) Step 2
(C) Step 3
(D) Step 4

GO ON TO THE NEXT PAGE

PART 4

Directions: You will hear some talks given by a single speaker. You will be asked to answer three questions about what the speaker says in each talk. Select the best response to each question and mark the letter (A), (B), (C), or (D) on your answer sheet. The talks will not be printed in your test book and will be spoken only one time.

71. What does the speaker most likely plan to do tomorrow?

(A) Deliver an order
(B) Take a flight
(C) Conduct a tour
(D) Purchase tickets

72. What does the speaker express concern about?

(A) Supply levels
(B) Water conditions
(C) Heavy traffic
(D) An inconvenient location

73. According to the speaker, why should the listener contact Blue Genie?

(A) To receive instructions
(B) To request a refund
(C) To change a schedule
(D) To correct a mistake

74. What is being advertised?

(A) Dress shirts
(B) Work boots
(C) Denim jeans
(D) Business suits

75. What is most emphasized about the merchandise?

(A) The price
(B) The warranty
(C) The popularity
(D) The durability

76. Why does the speaker say, "And that's not all"?

(A) To point out a wide selection
(B) To promote another manufacturer
(C) To mention an alternative source
(D) To introduce a discount offer

77. Why is the speaker calling?

(A) To request a document
(B) To schedule a delivery
(C) To seek help with an assignment
(D) To arrange an interview

78. According to the speaker, what will workers be doing on Monday?

(A) Resurfacing a road
(B) Updating the computer system
(C) Conducting renovations
(D) Installing office machinery

79. What does the speaker suggest that Mr. Gupta do?

(A) Leave an item on her desk
(B) Park in a specific location
(C) Access the company Web site
(D) Make use of a staircase

---

80. What is the purpose of the announcement?

(A) To find the owner of a misplaced item
(B) To report a delayed arrival
(C) To notify employees of a security concern
(D) To inform passengers of a gate change

81. What does the speaker say about flight number 66?

(A) It has encountered severe weather.
(B) It is going to Salt Lake City.
(C) It has been canceled.
(D) It is being investigated.

82. What are listeners reminded to do?

(A) Gather personal possessions
(B) Review airplane safety features
(C) Check monitors for updates
(D) Report unattended luggage

GO ON TO THE NEXT PAGE

83. What matter is the speaker addressing?

(A) Supply shortages
(B) Missed deadlines
(C) Communication problems
(D) Policy violations

84. What does the speaker mean when he says, "we want everyone to be happy"?

(A) Customers must be satisfied.
(B) Employees must enjoy their jobs.
(C) Investors must make higher profits.
(D) Schedules must be more flexible.

85. What will most likely happen at the company next month?

(A) A major client will visit.
(B) Some workshops will be held.
(C) A contract will be renegotiated.
(D) Some consultants will be hired.

86. What does the speaker say about Bon Bellaire Tower?

(A) It is the highest building downtown.
(B) It will house only a single business.
(C) It took more than a year to construct.
(D) It is located next to a famous hotel.

87. According to the speaker, who is Miles Haley?

(A) A city official
(B) A noted architect
(C) A company president
(D) A real estate developer

88. Why does the speaker say, "but don't go anywhere"?

(A) To warn listeners of a risk
(B) To introduce some new music
(C) To publicize a discount offer
(D) To encourage listening to a speech

89. What type of event is probably taking place?

(A) A painting competition
(B) A photography competition
(C) A filmmaking competition
(D) A poetry competition

90. What does the speaker indicate about herself?

(A) She is the event organizer.
(B) She is a past award winner.
(C) She is an art instructor.
(D) She is the head judge.

91. What most likely was the subject of Reiko Takada's work?

(A) A body of water
(B) A sunrise
(C) A mountain chain
(D) An animal

92. Where most likely are the listeners?

(A) In a library
(B) In a medical clinic
(C) In a hotel
(D) In a bookstore

93. What are the listeners asked to do?

(A) Assemble sets of shelves
(B) Keep the furniture clean
(C) Speak to visitors politely
(D) Keep items in order

94. According to the speaker, what should be done with outdated magazines?

(A) They should be taken to the basement.
(B) They should be placed in a recycling bin.
(C) They should be returned to the publisher.
(D) They should be tied into bundles.

GO ON TO THE NEXT PAGE

Soup & Sub Sandwich Shops

Portion of Advertising Budget by Branch Location

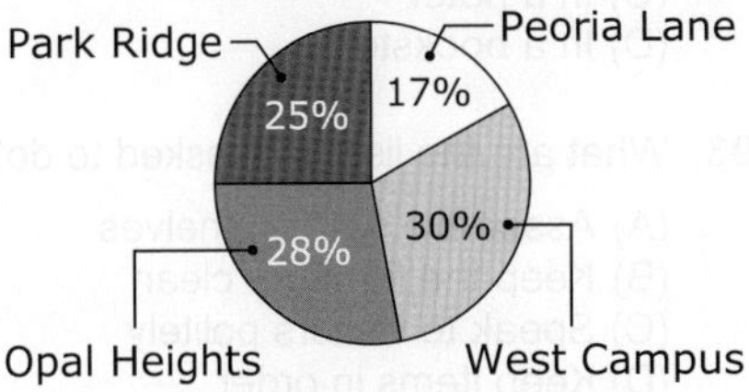

95. Look at the graphic. What Soup & Sub location do the listeners probably work for?

(A) The Peoria Lane branch
(B) The West Campus branch
(C) The Opal Heights branch
(D) The Park Ridge branch

96. What does the speaker say about Trenton Willows?

(A) He previously worked in marketing.
(B) He is the founder of the business.
(C) He wants to open an additional branch.
(D) He recently became company president.

97. According to the speaker, what will Trenton Willows do today?

(A) Issue monetary bonuses
(B) Discuss methods of promotion
(C) Propose a recruiting effort
(D) Visit a piece of property

Habernell, Inc.

Telephone Extension Numbers

Department	Extension
Sales	18
Accounting	23
Marketing	47
Personnel	56

98. What is the speaker currently doing?

(A) Relocating her office
(B) Meeting foreign clients
(C) Conducting research
(D) Vacationing on an island

99. Why is the speaker unable to answer calls?

(A) Her phone is outside of service range.
(B) She is taking part in a tour.
(C) Her phone has been damaged.
(D) She is hurrying to a destination.

100. Look at the graphic. In what department does the speaker probably work?

(A) Sales
(B) Accounting
(C) Marketing
(D) Personnel

This is the end of the Listening test. Turn to Part 5 in your test book.

NO TEST MATERIAL ON THIS PAGE

GO ON TO THE NEXT PAGE

READING TEST

In the Reading test, you will read a variety of texts and answer several different types of reading comprehension questions. The entire Reading test will last 75 minutes. There are three parts, and directions are given for each part. You are encouraged to answer as many questions as possible within the time allowed.

You must mark your answers on the separate answer sheet. Do not write your answers in your test book.

PART 5

Directions: A word or phrase is missing in each of the sentences below. Four answer choices are given below each sentence. Select the best answer to complete the sentence. Then mark the letter (A), (B), (C), or (D) on your answer sheet.

101. As a gesture of appreciation for the new customer's large purchase, the shop owner ------- will make the delivery.

(A) she
(B) her
(C) hers
(D) herself

102. The price of the deluxe model is ------- high for the average customer to afford.

(A) more
(B) far
(C) too
(D) ever

103. A failed safety inspection led to the ------- of Thornpike Energy's oldest power plant.

(A) closure
(B) closest
(C) closes
(D) closeness

104. ------- the reception reached its conclusion, Mr. Takahashi thanked all of the clients for attending.

(A) During
(B) Then
(C) As
(D) Past

105. The manager at Golden Wok Restaurant has an ------- way of settling disagreements among workers.

(A) effect
(B) effecting
(C) effective
(D) effectively

106. Tap gently ------- the bell to call for a member of the reception staff.

(A) down
(B) from
(C) on
(D) of

107. Tour participants are welcome ------- the historic Greenshire Village on their own.

(A) exploring
(B) to explore
(C) explores
(B) having explored

108. Cornish Skyways is the most popular airline among ------- business travelers.

(A) frequent
(B) total
(C) concluded
(D) elective

109. The employees regularly ask Ms. Chen for advice because she knows ------- to solve difficult problems.

(A) about
(B) how
(C) that
(D) who

110. The Mansfield Public Library has a number of terminals available for visitors in ------- of computers.

(A) need
(B) time
(C) place
(D) order

111. We have only received one brief report, but the branch opening in Vienna has ------- been proceeding smoothly.

(A) appears
(B) appearing
(C) appeared
(D) apparently

112. Members of Pioneer Car Rental's loyalty program are always offered upgrades ------- minimal additional charges.

(A) to
(B) for
(C) off
(D) in

113. Several directors said they felt more comfortable with Ms. Jung ------- the office relocation instead of Mr. Langford.

(A) handles
(B) handling
(C) handled
(D) being handled

GO ON TO THE NEXT PAGE

114. The proposal to begin sponsoring local events ------- sensible to everyone present at the marketing meeting.

(A) found
(B) made
(C) seemed
(D) considered

115. The workshops are designed to benefit job seekers ------- lack of experience makes securing employment difficult.

(A) who
(B) whoever
(C) whom
(D) whose

116. ------- April 10 of this year, Ms. Miyagi will be the director of the human resources department.

(A) As of
(B) So far
(C) According to
(D) In case of

117. This manual features complete ------- for operating the Nikita Fotek XVL-250 high-speed color printer and copy machine.

(A) instructs
(B) instructing
(C) instructive
(D) instructions

118. Bailey's Home Center is known for its ------- service and commitment to customer satisfaction.

(A) exemplary
(B) multiple
(C) relative
(D) fragile

119. No other member of the board of directors responded ------- to the policy suggestion than Mr. Hussein.

(A) favorable
(B) most favorable
(C) favorably
(D) more favorably

120. The emergency drills allow supervisors to ------- the ability of workers to leave the building quickly.

(A) remind
(B) permit
(C) succeed
(D) measure

121. Purchasing raw materials from the new supplier has led to ------- reductions in our costs.

(A) notice
(B) noticeable
(C) notices
(D) noticeably

122. Make sure to oil the blades ------- to guarantee maximum performance from your Buzz Bee rechargeable hair trimmer.

(A) routinely
(B) hardly
(C) vastly
(D) strongly

123. Although we encourage all employees to attend the training courses, participation is still -------.

(A) option
(B) optional
(C) optionally
(D) opted

124. The annual convention will be ------- well attended this year that it cannot be held at the usual venue.

(A) much
(B) so
(C) very
(D) such

125. Kwan Manufacturing is capable of higher levels of production if demand -------.

(A) had risen
(B) rising
(C) to rise
(D) rises

126. The attendees seemed very pleased with the seminar ------- the session finished late.

(A) given that
(B) following
(C) beyond
(D) apart from

127. A decision about the proposed building renovations will be made ------- the contractor submits a price estimate.

(A) regarding
(B) ever since
(C) in order
(D) as soon as

128. Each unit produced on the assembly line is ------- examined for defects prior to packaging.

(A) closely
(B) durably
(C) numerously
(D) approximately

129. The Kingsley Foundation ------- the local community for the past thirty years.

(A) would serve
(B) has been serving
(C) will be served
(D) had been served

130. Several clients have declined our banquet invitation due to previous -------.

(A) allowances
(B) loyalties
(C) contractions
(D) engagements

GO ON TO THE NEXT PAGE

PART 6

Directions: Read the texts that follow. A word, phrase, or sentence is missing in parts of each text. Four answer choices for each question are given below the text. Select the best answer to complete the text. Then mark the letter (A), (B), (C), or (D) on your answer sheet.

Questions 131-134 refer to the following advertisement.

Skyview Tower

Are you ready for a higher standard of living? Skyview is the newest luxury high-rise in downtown Verona. We are located ------- **131.** a short distance from world-class dining, shopping, and entertainment. ------- **132.** from studio to three-bedroom, all units feature elegant bathrooms, spacious kitchens, and hardwood flooring. ------- **133.** These include access to state-of-the-art fitness facilities, fully equipped business center, and luxurious rooftop pool. Our spacious pool deck has comfortable outdoor furniture and spectacular views of the city. Skyview will help you reach new heights in ------- **134.** living. Schedule an in-person or virtual tour today!

131. (A) among
(B) beside
(C) until
(D) within

132. (A) Range
(B) Ranges
(C) Ranging
(D) Having ranged

133. (A) The neighborhood is renowned for its great schools.
(B) We also offer an array of upscale amenities.
(C) Everything is built with materials of the highest quality.
(D) Our affordable prices are what set us apart.

134. (A) budget
(B) remote
(C) secure
(D) urban

Questions 135-138 refer to the following article.

Plattsville (November 4)—Plattsville Steel Company (PSC) announced today a decision to turn down a $2.4 billion purchase offer from New York investment firm Goliath Holdings. The offer ------- **135.** Goliath's third attempt to buy PSC, the largest employer in the region. ------- **136.** lengthy negotiations between the two companies were in progress, local steel workers worried about a potential change in PSC ownership and management.

Plattsville Steel founder and owner Nathaniel McCombs reduced employee ------- **137.** with today's announcement. "My decision to decline did not come without careful consideration," says McCombs. "Goliath's price proposal was the most ever offered for PSC. ------- **138.**"

135. (A) having been
(B) will have been
(C) had been
(D) will be

136. (A) Although
(B) While
(C) Prior to
(D) Throughout

137. (A) numbers
(B) benefits
(C) concerns
(D) salaries

138. (A) The deal is already bringing jobs to the area.
(B) Relocating in Plattsville was never a viable plan.
(C) We look to recruit only the top candidates.
(D) Such a high figure definitely got my attention.

GO ON TO THE NEXT PAGE

Questions 139-142 refer to the following e-mail.

From: [Dale Kirk]<dkirk@stratux.com>
To: [All Staff]<all@stratux.com>
Date: February 1
Re: My departure

Dear colleagues:

As you all have by now been informed, I will soon be stepping down from my current role at Stratux Industries. I have ------- **139.** a position at Abacus Consolidated in Sydney, Australia.

You can imagine how difficult a choice this was for me to make. -------. **140.** I share with you tremendous pride in our mutual accomplishments. Regardless, the offer from Abacus presented ------- **141.** with the opportunity to fulfill a lifelong dream of living and working abroad.

I hope to personally say goodbye to each of you prior to my departure. -------, **142.** I wish you and Stratux Industries the best of luck and success in the future.

Sincerely,

Dale Kirk

139. (A) left
(B) posted
(C) accepted
(D) overseen

140. (A) I look forward to taking on greater responsibilities.
(B) I would gladly help train any newly hired personnel.
(C) I have deeply enjoyed collaborating with everyone here.
(D) I intend to discuss the matter seriously with my family.

141. (A) them
(B) ours
(C) it
(D) me

142. (A) At first
(B) For instance
(C) Until then
(D) On the contrary

Questions 143-146 refer to the following memo.

To: All Hedgemark Employees
From: Benefits Office
Re: Health Benefits
Date: April 18

To all staff:

Due to the rapidly increasing cost of medical care, our insurance provider has raised its prices. Hedgemark Manufacturing will pay a significant portion of the additional cost. -------, we must ask employees to make higher financial
143.
contributions as well. Effective May 1, the cost to employees for health coverage will be raised by 6 to 8 percent. The exact amount will depend on your ------- plan.
144.

-------. Employees are encouraged to call or visit our office to investigate other
145.
------- that may be less expensive. Please be aware that such alternative options
146.
may require higher co-pays or deductibles.

143. (A) Instead
(B) Accordingly
(C) Regrettably
(D) Therefore

144. (A) choose
(B) chosen
(C) choosing
(D) having chosen

145. (A) We sincerely regret the misunderstanding.
(B) We appreciate your interest in our company.
(C) We apologize for the inconvenience.
(D) We are implementing new safety guidelines.

146. (A) policies
(B) makers
(C) venues
(D) treatments

GO ON TO THE NEXT PAGE

PART 7

Directions: In this part you will read a selection of texts, such as magazine and newspaper articles, e-mails, and instant messages. Each text or set of texts is followed by several questions. Select the best answer for each question and mark the letter (A), (B), (C), or (D) on your answer sheet.

Questions 147-148 refer to the following text message.

Padma Singh (3:45 P.M.)

Hi, Samantha. I won two free movie tickets today by being the first listener to phone the radio station when the song *Winter Kiss* by the Foggy Fields Band started to play. I love that song! How about going to see *Pressure Point* with me this Saturday? It's an action movie staring Burt Kaylak. I thought we could make a day of it and have lunch first at Aaron's Bistro. A new gift shop opened up next door, and I want to check it out. Then we could head to the theater. It's only a few blocks down the street from there. Let me know.

147. How most likely did Ms. Singh win a radio competition?

(A) By knowing the name of a song
(B) By registering for a drawing
(C) By identifying a musical group
(D) By making a call promptly

148. According to the message, where is Aaron's Bistro located?

(A) Across the street from a cinema
(B) Beside a retailer
(C) Close to a concert venue
(D) Next to a radio station

Questions 149-150 refer to the following invitation.

Night Sky Inn cordially invites all staff to attend our upcoming

Innovative Impact Awards Luncheon

A special ceremony is held to honor employees whose actions improved accommodations and services for our guests. A full lunch buffet as well as a variety of beverages will be served. The event will include award presentations and a special address delivered by

Geraldine Maxwell

Director of Service & Hospitality

Date: Friday, December 10

Time: 12:30 P.M.

Venue: Starlight Dining Hall

Reserved seating only. Confirm attendance by calling event coordinator Jacob Gnash at Extension 213.

149. For whom is the invitation most likely intended?

(A) Business operators
(B) Restaurant cooks
(C) Club members
(D) Hotel workers

150. What are interested parties asked to do?

(A) Volunteer for duties
(B) Contact Mr. Gnash
(C) Arrive ahead of time
(D) Contribute food items

GO ON TO THE NEXT PAGE

Questions 151-153 refer to the following information.

Please abide by the following instructions when renting a vehicle for official company business. — [1] —.

- ▶ Make reservations through one of the three authorized agencies with which Everon Consolidated has master contracts and use our discount code for direct billing. — [2] —. The three agencies are Yates, Kwik, and Allago, which together offer vehicles in more than 95 percent of airports in the country. Obtain approval from the Everon travel office prior to booking through any other agency.
- ▶ The standard class for business travel is a midsize automobile. — [3] —. This includes trucks and vans.
- ▶ Decline any supplemental insurance offered by any of the three authorized agencies. Everon's contracts include sufficient coverage for rentals. — [4] —.
- ▶ Decline prepaid gasoline plans. Bring rentals back to the agency with full tanks of gas.

151. Where would this information most likely be found?

(A) In an owner's manual
(B) In a promotional brochure
(C) In an employee handbook
(D) In a rental contract

152. What are readers instructed to do?

(A) Fill vehicles with fuel before returning them
(B) Purchase additional insurance coverage
(C) Use only authorized repair centers
(D) Take advantage of free service upgrades

153. In which of the positions marked [1], [2], [3], and [4] does the following sentence best belong?

"Approval is required to rent a large or specialized vehicle."

(A) [1]
(B) [2]
(C) [3]
(D) [4]

Questions 154-155 refer to the following Web page.

http://www.piedmontmuseum.org/members

Piedmont Heritage Museum

Members | About | Events | Tours | Contact

The Piedmont Heritage Museum is offering members a special discount on visits during the month of July. Make an advance purchase of an adult all-day pass at the regular price and get 50 percent off a second pass for a companion of any age.

This discount offer is valid for general admission only and does not apply to special events or guided tours. To take advantage of this limited-time offer, passes must be purchased by June 15.

154. What is the purpose of the information?

(A) To urge visitors to become members
(B) To promote guided museum tours
(C) To increase sales of all-day passes for July
(D) To publicize an upcoming special event

155. What is indicated about the discount?

(A) It requires a purchase on the day of the visit.
(B) It is offered only to first-time visitors.
(C) It has no effect on the price of tours.
(D) It is available exclusively to adult patrons.

GO ON TO THE NEXT PAGE

Questions 156-157 refer to the following text-message chain.

Whitney Mendez (2:20 P.M.)
Hi Ken. My new assistant Gary Peters is missing his laptop. He says he remembers taking it downstairs and thinks he might have left it in the conference room. Would you mind checking?

Ken Matsumura (2:21 P.M.)
Sure. Hold on.

Ken Matsumura (2:24 P.M.)
Yes, there's one on the table. It's in a soft, black case with a shoulder strap. There's a charging cord too.

Whitney Mendez (2:26 P.M.)
OK. He'll be there in a minute.

Ken Matsumura (2:27 P.M.)
I can bring it to your department.

Whitney Mendez (2:28 P.M.)
That won't be necessary. He's already out the door.

156. What will Mr. Peters most likely do next?

(A) Attend a conference with his coworkers
(B) Shop for some new computer accessories
(C) Visit some clients at their workplace
(D) Gather his belongings from downstairs

157. At 2:28 P.M., what does Ms. Mendez mean when she writes, "That won't be necessary"?

(A) Mr. Matsumura does not need to charge a battery.
(B) Mr. Matsumura can remain where he is.
(C) Mr. Peters has already arranged transportation.
(D) Mr. Peters does not require a laptop today.

Questions 158-160 refer to the following notice.

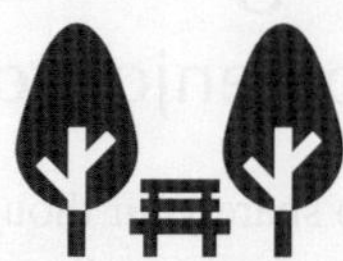

Highland Park consistently looks for ways to create enjoyable recreational opportunities for our visitors. We are now proud to offer several new cycling paths. The new paths allow easy access to popular sites within the park, such as the botanical garden, fishpond, picnic areas, playground and swimming facility. Each new path connects directly to the main path surrounding the park.

Complimentary maps showing all cycling and walking paths at Highland Park are available at our gift shop near the south entrance, where you can also purchase T-shirts, baseball caps, beach towels, and other merchandise featuring the Highland Park logo. Sales of these items provide financial support for ongoing efforts to improve the park in an environmentally friendly manner.

Thank you for visiting!

158. What is being announced?

(A) A change in brand image
(B) An expansion of a parking area
(C) The addition of travel routes
(D) The installation of a swimming pool

159. The word "allow" in paragraph 1, line 3, is closest in meaning to

(A) enable
(B) consent
(C) ignore
(D) approve

160. According to the notice, what is available from the gift shop at no charge?

(A) An entry pass
(B) Park maps
(C) A piece of clothing
(D) Litter bags

GO ON TO THE NEXT PAGE

Questions 161-163 refer to the following form.

Starlight Suites

We hope you enjoyed your stay!

By taking a moment to share your thoughts, you can assist us in our continuous efforts to improve the quality of our services and the overall experiences of our guests.

Please indicate your agreement with the following statements or mark N/A if not applicable.

	Strongly Agree	Agree	Not Sure	Disagree	Strongly Disagree	N/A
The bedding was comfortable.	X					
The room was clean and well equipped.				X		
Food was tasty and delivered promptly.						X
The staff was attentive and courteous.		X				
I would stay at this location again.			X			

Comments: I only stayed one night and didn't order room service. I'm passing through on a car trip and I live overseas, so chances of a future stay are very low. However, I'm pleased with the comfort and cleanliness of the room. My one complaint is that the fan on the air conditioner didn't work and the window was stuck shut. I had to leave the door open to get fresh air into the room, which was inconvenient and reduced my privacy.

Name: Barbara Cole **Date(s) of stay:** May 10 **Room Number:** 203

161. According to the form, what can guests do by providing feedback?

(A) Receive a complimentary meal
(B) Improve the stays of other patrons
(C) Obtain a discount on a future visit
(D) Earn an upgrade to a better room

162. What satisfied Ms. Cole the most about Starlight Suites?

(A) The courtesy of the employees
(B) The inexpensive nightly rates
(C) The comfort of the furniture
(D) The high quality of the food

163. What is stated about Room 203 among Ms. Cole's comments?

(A) It was very noisy.
(B) It had poor air circulation.
(C) It had a broken door lock.
(D) It was inconveniently located.

GO ON TO THE NEXT PAGE

Questions 164-167 refer to the following article.

Life is Sweet for Malcomb and Clarissa Goodwell

(12 September)—Malcomb Goodwell works as a caretaker at Hawthorn Mansion in New Zealand's Southland Provinces. The home was once the residence of the wealthy Hawthorn family, who made its fortune producing and exporting wool. The family still owns but no longer occupies the property.

Throughout her youth, Mr. Goodwell's daughter Clarissa often accompanied her father to work. The Hawthorn estate provided the spacious natural environment that sparked her lifelong fascination with plants and insects.

As Ms. Goodwell was earning her science degree at university, she continued to visit and work with her father during summers. Shortly before graduating, she noticed the robust clover growing in the area and thought of beekeeping on the property. The Hawthorns consented to the idea, and Goodwell Honey Company was born. Currently worth an estimated $8.5 million, the business now distributes its product worldwide.

The rapid success of the Goodwell's venture is no mystery. The delicious honey is light in color with a delicate floral aroma and flavor. Additionally, New Zealanders are the world's greatest honey lovers, consuming approximately two kilograms of honey per capita annually.

164. What is the purpose of the article?

(A) To advertise a popular fabric brand
(B) To profile an entrepreneur
(C) To promote a tourist destination
(D) To outline an investment opportunity

165. What is implied about Clarissa Goodwell?

(A) She was born in a historic mansion.
(B) She frequently travels abroad on business.
(C) She completed a university degree program.
(D) She borrowed a large amount of money from her father.

166. How did the Hawthorns assist Clarissa Goodwell?

(A) By making a large purchase
(B) By introducing an acquaintance
(C) By setting up a distribution network
(D) By authorizing an activity

167. The word "delicate" in paragraph 4, line 3, is closest in meaning to

(A) subtle
(B) fragile
(C) careful
(D) difficult

GO ON TO THE NEXT PAGE

Questions 168-171 refer to the following letter.

Dennis Foxx
8282 Truitt Hill Road
Houston, TX 89559

July 28

Dear Mr. Foxx,

Jacowitz, Inc. is pleased to offer you the position of security guard at our central warehouse facility. — [1] —. This offer is contingent upon completion of a satisfactory background check. As we have received your signed statement of consent, it is already underway. — [2] —. Jacowitz, Inc. reserves the right to withdraw the offer should the results of the check prove unsatisfactory.

The tentative starting date of your employment is August 24, and your initial wages will be set at $18.50 per hour. This is considered a full-time position. — [3] —. Attached to this letter is a list of applicable company-paid insurance, vacation, and pension contributions. You are legally required to verify that you are eligible to work professionally in the United States. Please find the enclosed list of official documents that you will need to present for this purpose.

We ask for confirmation of your acceptance of this offer by no later than August 10. — [4] —. You may provide this either by sending a letter of acceptance or signing the enclosed duplicate of this letter. In the meantime, feel free to contact me with questions about any of the above-mentioned company programs or paperwork requirements.

Sincerely,

Randall Trace

Randall Trace
Human Resources Manager
Jacowitz, Inc.

168. What is suggested about Mr. Foxx?

(A) He has authorized investigation into his background.
(B) He has completed a mandatory probationary period.
(C) He has previously worked professionally in the United States.
(D) He has met all requirements for employment at Jacowitz, Inc.

169. What is NOT stated to be included with the letter?

(A) A description of job benefits
(B) A second copy of the letter
(C) A tentative shift schedule
(D) A list of legal documents

170. What does Mr. Trace ask Mr. Foxx to do?

(A) Update his contact information
(B) State his time preferences
(C) Officially agree to an offer
(D) Provide job references

171. In which of the positions marked [1], [2], [3], and [4] does the following sentence best belong?

"The process is expected to take no longer than five business days."

(A) [1]
(B) [2]
(C) [3]
(D) [4]

GO ON TO THE NEXT PAGE

Questions 172-175 refer to the following online chat discussion.

Tyler Zavier [10:30 A.M.]
Before we start discussing plans for next month's Classic Car Expo, I have some news. You know the custom convertible we built for Gerald Muntz, the film director? He decided to feature it in a movie and plans to mention our shop in the credits!

Pia Larka [10:31 A.M.]
That's great! That car was one of our best builds, in my opinion.

Perry Clark [10:31 A.M.]
Excellent! That's going to increase our name recognition quite a bit.

Tyler Zavier [10:32 A.M.]
You bet it will. Mr. Muntz told me he thinks the movie is certain to be a big hit. If he's right, people all over the world will see it.

Pia Larka [10:33 A.M.]
It would be nice if Shapiro Custom got mentioned in the film credits too.

Perry Clark [10:34 A.M.]
You make a good point. Shapiro did a fantastic job on that project. The material they chose and the detailed hand stitching they did for the seats definitely gave the interior a one-of-a-kind look.

Pia Larka [10:35 A.M.]
Do you think we could talk Mr. Muntz into including them?

Tyler Zavier [10:36 A.M.]
I'll see what I can do. For the moment, though, let's talk about expo. I have a few thoughts of my own I'd like to run by you.

172. What does Mr. Zavier announce to his coworkers?

(A) The venue of an upcoming event
(B) A visit by a prospective customer
(C) A fortunate occurrence for the business
(D) The specifications for a new project

173. At 10:32 A.M., what does Mr. Zavier mean when he writes, "You bet it will"?

(A) The car will be transported abroad.
(B) The film will receive critical acclaim.
(C) The car will be on display at an expo.
(D) The business will get a lot of publicity.

174. How did Shapiro Custom most likely contribute to the car project?

(A) By doing a custom paint job
(B) By designing a unique set of wheels
(C) By rebuilding the engine
(D) By creating new upholstery

175. What will Mr. Zavier probably do next?

(A) Discuss a recent report
(B) Contact a former client
(C) Share his planning ideas
(D) Run a number of errands

GO ON TO THE NEXT PAGE

Questions 176-180 refer to the following e-mail and article.

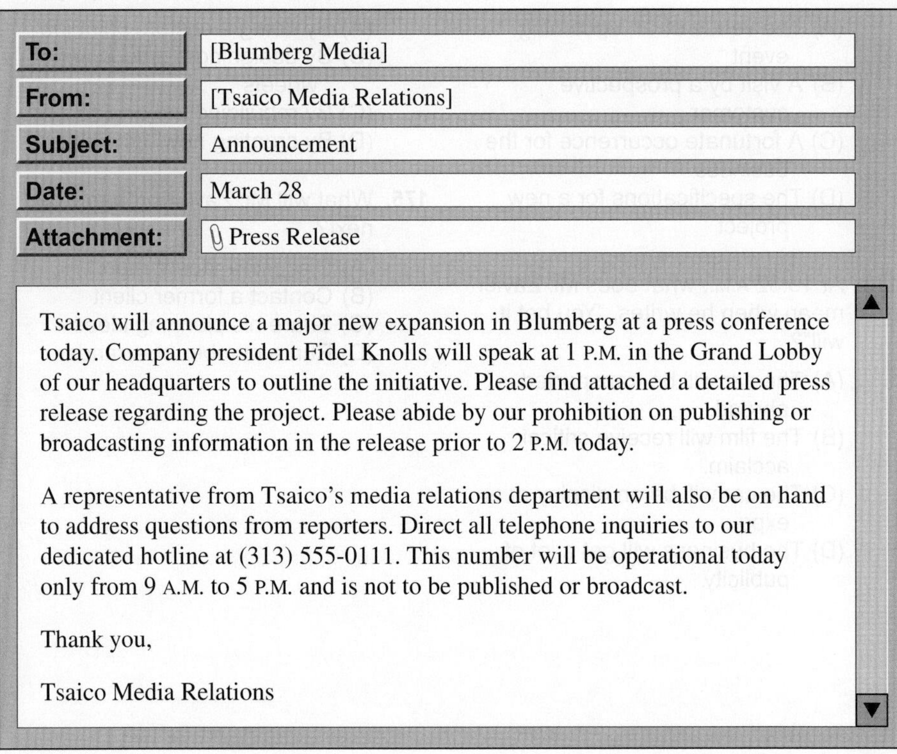

To:	[Blumberg Media]
From:	[Tsaico Media Relations]
Subject:	Announcement
Date:	March 28
Attachment:	Press Release

Tsaico will announce a major new expansion in Blumberg at a press conference today. Company president Fidel Knolls will speak at 1 P.M. in the Grand Lobby of our headquarters to outline the initiative. Please find attached a detailed press release regarding the project. Please abide by our prohibition on publishing or broadcasting information in the release prior to 2 P.M. today.

A representative from Tsaico's media relations department will also be on hand to address questions from reporters. Direct all telephone inquiries to our dedicated hotline at (313) 555-0111. This number will be operational today only from 9 A.M. to 5 P.M. and is not to be published or broadcast.

Thank you,

Tsaico Media Relations

Blumberg Daily Herald

Local Business News

Tsaico Announces Major Local Expansion

Blumberg (March 28)—Tsaico today announced a major expansion plan for its main production facility in Blumberg. Renovation and construction will begin within weeks and are expected to be completed shortly before the end of the year.

Company vice president Roy Weston addressed members of the press early this afternoon from the Grand Lobby of Tsaico's head office. "The Blumberg facility has long been our flagship manufacturing plant," said Weston. "However, our other operations in the area have grown as well. Blumberg is increasingly becoming a primary hub for our national distribution network."

Responding to questions from journalists, company representative Mika Okada said, "The worldwide continuing success of Tsaico's designs warrants a near immediate increase in our production capacity. We're attempting to streamline operations by consolidating a variety of functions into one central location."

Already the region's largest employer, the popular apparel manufacturer expects to add as many as 700 members to its workforce in Blumberg as a result of the expansion.

176. What is requested in the e-mail?

(A) To refrain from announcing information early
(B) To schedule an appointment in advance
(C) To reply to an invitation by a deadline
(D) To view a television broadcast

177. What detail stated in the e-mail most likely changed?

(A) The identity of a speaker
(B) The venue for a press event
(C) The start time of an address
(D) The method for making inquiries

178. According to the article, what is a benefit of the expansion project?

(A) It will add flexibility to work schedules.
(B) It will increase operational efficiency.
(C) It will improve employee safety.
(D) It will reduce fuel expenses.

179. What is implied about Mika Okada's employment at Tsaico?

(A) She works in the design department.
(B) She works in the distribution department.
(C) She works in the media relations department.
(D) She works in the production department.

180. What most likely is Tsaico?

(A) A shipping company
(B) A construction firm
(C) An electronics maker
(D) A clothing producer

GO ON TO THE NEXT PAGE

Questions 181-185 refer to the following list and letter.

EZ-Reader Downloadable Books **User Name:** Charles M. Koresh

EZ-Reader continuously analyzes your account activity and makes personalized recommendations. Based on your recent downloads, these books on business may be of interest to you.

Big Deal—Nathan Martin
Corporate negotiator Nathan Martin shares insights on how to end up on top when forging business agreements, even when bargaining with demanding and uncompromising parties.
Reader Rating: 4.25/5 stars (221 *reviews*) **$11.95**—Blixx Publishing

Hands Across Water—Gail Cuomo
In her first published work, *Autonation*, Ms. Cuomo forecasts the likely effects of factory automation on the American labor market. Ms. Cuomo's follow-up, *Hands Across Water*, takes a detailed look at the impact automation has already had on workers in Southeast Asia.
Reader Rating: 4.5/5 stars (208 *reviews*) **$12.95**—Blixx Publishing

Java Journey—Tia Ling
The author's first-hand account of how she established a coffee shop with minimal investment and turned it into one of the nation's fastest-growing chains.
Reader Rating: 4/5 stars (161 *reviews*) **$10.95**—Parch Publishing

Satisfaction Guaranteed—Troy Hutton
Renowned business expert Troy Hutton emphasizes the importance of maintaining high levels of customer satisfaction to companies of all sizes. *Satisfaction Guaranteed* offers practical and proven advice on how to keep customers coming back.
Reader Rating: 4.25/5 stars (244 *reviews*) **$15.95**—Blixx Publishing

Gail Cuomo
9292 Hopkins St.
Fresno, CA 93713

Dear Ms. Cuomo:

As an economics professor at North California University, I routinely ask notable business leaders and experts to appear as guest lecturers in the courses I teach. I am writing to invite you to speak to my students about the topic covered in your first book. My class this semester is held on Tuesdays and Thursdays from 11:00 A.M. to 12:30 P.M. with about 100 students in attendance. I have enclosed a business card with my contact information in case you are interested.

Additionally, I wish to congratulate you on the publication of *Hands Across Water* and the positive reviews it has received so far. I look forward to downloading a copy myself and reading it once the current semester ends and I have a little more time to spare.

Sincerely,

Charles M. Koresh
Head of Business Department

181. What do the books on the list have in common?

(A) They are all priced below $15.00.
(B) They have all received over 200 reviews.
(C) They are all published by the same company.
(D) They all have ratings of at least four stars.

182. According to the list, which book was written by a company founder?

(A) *Big Deal*
(B) *Hands Across Water*
(C) *Java Journey*
(D) *Satisfaction Guaranteed*

183. What is NOT indicated about Charles M. Koresh?

(A) He is the leader of a university department.
(B) He currently teaches a course on economics.
(C) He previously downloaded material from EZ-Reader.
(D) He is a published author on business topics.

184. What does Mr. Koresh ask Ms. Cuomo to do?

(A) Help develop curriculum for a new program.
(B) Present a lecture on American labor issues.
(C) Enroll as a student during the coming semester.
(D) Autograph a copy of her latest work.

185. What most likely accompanied the letter?

(A) A business card
(B) A recent publication
(C) A book review
(D) A registration form

GO ON TO THE NEXT PAGE

Questions 186-190 refer to the following invoice, Web form, and e-mail.

Graham Home Center

Invoice Number: AB0826 **Customer Name:** Lou Endo
Branch Location: Norris Hills, 83 Pennmark Avenue

Item Code	Description	Quantity	Price
CM-M490	Cutmaster Gas-Powered Mower	1 Unit	$295.00
DT-WT8	Delphi Electric Weed Trimmer	1 Unit	$185.00
GG-0155	Green Genie Grass Seed	3 Bags	$120.00
GG-FXS	Green Genie Fertilizer	2 Bags	$60.00
FP-EXLEC	Farpower Extension Cord	1 Unit	N/A
			Total: $660.00

Thank you for your purchase!

Other area locations:

*Kypsie Branch: 775 Colby Street
Stellar Ridge Branch: 902 Wonderwall Lane
Riverside Branch: 14123 Riverside Road
*Our newest location is now open!

---

https://www.hitormiss.com/business/grahamhomecenter

Total Hits: 893 / **Total Misses:** 116

Business Name: Graham Home Center **Reviewer:** Lou Endo

■ Hit! □ Miss!

Graham's new Park & Go service saves me time and effort, since I am able to order online and have my purchase delivered to my vehicle at the storefront. The dedicated Park & Go parking spaces are right by the entrance, making the pickup service extremely convenient.

Although I am generally satisfied by the quality of merchandise, I discovered a defect in the complimentary extension cord that accompanied the recent purchase of an electric weed trimmer. I contacted the store, and the manager arranged for me to trade the cord for a replacement at the branch location closest to my client's residence.

I will definitely buy from this business again.

Submit

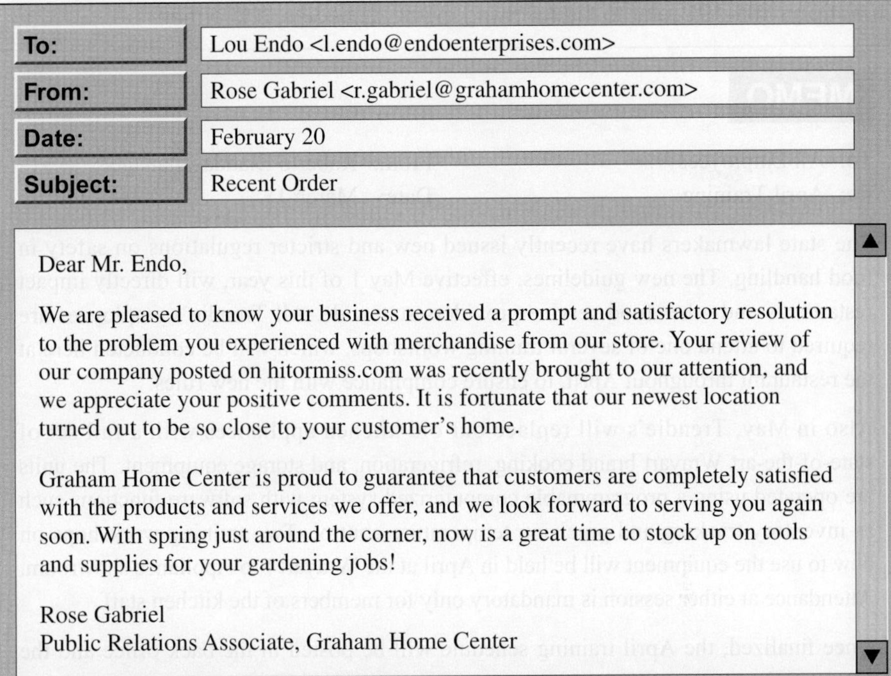

To: Lou Endo <l.endo@endoenterprises.com>
From: Rose Gabriel <r.gabriel@grahamhomecenter.com>
Date: February 20
Subject: Recent Order

Dear Mr. Endo,

We are pleased to know your business received a prompt and satisfactory resolution to the problem you experienced with merchandise from our store. Your review of our company posted on hitormiss.com was recently brought to our attention, and we appreciate your positive comments. It is fortunate that our newest location turned out to be so close to your customer's home.

Graham Home Center is proud to guarantee that customers are completely satisfied with the products and services we offer, and we look forward to serving you again soon. With spring just around the corner, now is a great time to stock up on tools and supplies for your gardening jobs!

Rose Gabriel
Public Relations Associate, Graham Home Center

186. What most likely is Mr. Endo's occupation?

(A) Delivery driver
(B) Landscaper
(C) Sales representative
(D) Construction worker

187. What is the brand name of the product Mr. Endo found to be faulty?

(A) Cutmaster
(B) Delphi
(C) Green Genie
(D) Farpower

188. Where did Mr. Endo go to exchange the faulty product?

(A) 83 Pennmark Avenue
(B) 775 Colby Street
(C) 902 Wonderwall Lane
(D) 14123 Riverside Road

189. What is indicated about Graham Home Center?

(A) It operates branches nationwide.
(B) It offers complimentary delivery on large orders.
(C) It guarantees satisfaction with its merchandise.
(D) It holds instructional workshops in its stores.

190. What is a purpose of the e-mail?

(A) To announce the launch of a new service
(B) To express gratitude to a customer
(C) To promote an upcoming sale
(D) To respond to an inquiry

GO ON TO THE NEXT PAGE

Questions 191-195 refer to the following memo, schedule, and e-mail.

MEMO

To: All Employees
Re: April Training

From: Roberto Blanda, Manager
Date: March 18

The state lawmakers have recently issued new and stricter regulations on safety in food handling. The new guidelines, effective May 1 of this year, will directly impact restaurants and other food service providers statewide. All Trendie's employees are required to attend one of several training workshops, which will be conducted here at the restaurant throughout April, to ensure compliance with the new rules.

Also in May, Trendie's will replace our old kitchen appliances with a full set of state-of-the-art Wrayart brand cooking, refrigeration, and storage equipment. The units are operated using a programmable computerized system with software functions such as inventory tracking and precision temperature control. Two training workshops on how to use the equipment will be held in April at the Wrayart Pro Appliance showroom. Attendance at either session is mandatory only for members of the kitchen staff.

Once finalized, the April training schedule will be posted in the back office and the employee break room.

April Training Schedule

Topic	Location	Date	Time
Safety Compliance	Trendie's	April 8	8:00 A.M. to 11:00 A.M.
Equipment Functions	Wrayart Pro Appliance	April 10	9:00 A.M. to 11:30 A.M.
Safety Compliance	Trendie's	April 15	8:00 A.M. to 11:00 A.M.
Safety Compliance	Trendie's	April 18	10:00 A.M. to 1:00 P.M.
Equipment Functions	Wrayart Pro Appliance	April 24	9:00 A.M. to 11:30 A.M.
Safety Compliance	Trendie's	April 25	10:00 A.M. to 1:00 P.M.

For questions or concerns, contact manager at rblanda@trendies.com.

E-Mail Message

To: Roberto Blanda <rblanda@trendies.com>
From: Candice Villalobos <cvillalobos@wheemail.com>
Re: April Training
Date: March 25

Dear Mr. Blanda,

I am required to attend both training workshops, but I have a two-week vacation scheduled from April 14 to 28. Unfortunately, I am also unable to attend the session on April 10. There is a major examination that morning for a course I am taking at the local college. I submitted a request to take the test on a different date, but it was denied. Would it be possible for me to undergo the equipment training individually on a different date?

Sincerely,

Candice Villalobos

191. According to the memo, what is true about the Wrayart equipment?

(A) It is technologically outdated.
(B) It is computer controlled.
(C) It is exceptionally delicate.
(D) It is complicated to install.

192. What is indicated about the Safety Compliance workshops?

(A) They all begin at the same time of day.
(B) They all are taught by the same person.
(C) They all take place at a restaurant.
(D) They all are observed by state officials.

193. What is implied about Ms. Villalobos?

(A) She is a representative of manufacturing firm.
(B) She has inspected some new machinery.
(C) She is a member of the kitchen staff.
(D) She has been assigned to replace an instructor.

194. What is the purpose of the e-mail?

(A) To request assistance with a conflict
(B) To offer to perform an additional service
(C) To seek reimbursement for an educational expense
(D) To point out an error on a document

195. When will Ms. Villalobos most likely be present at a training workshop?

(A) April 8
(B) April 10
(C) April 15
(D) April 24

GO ON TO THE NEXT PAGE

Questions 196-200 refer to the following advertisement, Web page, and e-mail.

Madison Paint & Home Interior

End-of-Year Sale!

Throughout December, save big on select merchandise!

50% off all Coverelle wallpaper*
20% off all Breezemax ceiling fans
30% off all Padfoot shag carpeting*
15% off all Aquaflow plumbing fixtures

* Clearance Item. Restrictions may apply.

Madison Paint & Home Interior

Home | About Us | Locations | Order | Contact Us

Name: Omar Kali **E-Mail:** o.kali@okcontracting.com
Subject: Recent order **Customer ID:** BUS011294

Message: I am the owner of OK Contracting. We regularly purchase supplies from Madison for small projects. I recently placed an order for 4 Breezemax ceiling fans, 12 rolls of Coverelle wallpaper, 24 cans of Madison paint, 16 Ridgeflex curtain rods, and 2 Aquaflow faucets. This morning I noticed the advertisement for your year-end sale, during which certain merchandise I ordered will be substantially discounted. I would like to postpone the processing of my order until the sale begins, if possible, so I can get the price reduction.

To:	<o.kali@okcontracting.com>
From:	<service@mphi.com>
Date:	November 26
Subject:	Recent order

Dear Mr. Kali:

In reply to your inquiry, all online orders are processed on the date received. In fact, our records indicate that your merchandise has already been shipped out. However, as a business account holder, you are automatically entitled to a 25 percent discount on any

Madison brand products. Additionally, because you are a repeat customer, our head of customer service has decided to retroactively apply the end-of-year discount to any clearance items on your order.

A revised invoice reflecting the above changes will be sent by postal mail within three business days. Also enclosed will be a coupon valid for your next purchase. When placing your next online order, type in the promotional code printed on the coupon to receive 10 percent off.

Thank you for your continued patronage.

Sincerely,

Jane Murphy
Customer Service

196. What is indicated about Mr. Kali?

(A) He is a first-time customer of Madison.
(B) He is constructing a residential building.
(C) He purchased carpeting at a discount price.
(D) He placed his order prior to December.

197. Why did Mr. Kali send his message?

(A) The quantities he purchased were too large.
(B) He was shipped the wrong merchandise.
(C) An item that he ordered was defective.
(D) He wants to take advantage of a sale.

198. Why most likely did Mr. Kali receive a price reduction on paint?

(A) He visited a shop during a promotional event.
(B) He ordered it in a large quantity.
(C) He buys merchandise for business purposes.
(D) He registered for a special membership program.

199. Which items on Mr. Kali's recent order will be discounted?

(A) The Breezemax ceiling fans
(B) The Coverelle wallpaper
(C) The Ridgeflex curtain rods
(D) The Aquaflow faucets

200. According to the e-mail, how can a coupon be redeemed?

(A) By entering a code when ordering
(B) By presenting it during a store visit
(C) By mailing it to the manufacturer
(D) By purchasing a certain number of items

Stop! This is the end of the test. If you finish before time is called, you may go back to Parts 5, 6, and 7 and check your work.

完全模試　リスニング・セクション解答一覧

オンライン解説はこちら▶

●リスニング・セクション解答一覧　※横にしてご覧ください

LISTENING SECTION

Part 1 No.	ANSWER	Part 2 No.	ANSWER	No.	ANSWER	No.	ANSWER	Part 3 No.	ANSWER	No.	ANSWER	No.	ANSWER	Part 4 No.	ANSWER	No.	ANSWER	No.	ANSWER
1	B	11	C	21	C	31	C	41	A	51	D	61	A	71	C	81	B	91	B
2	D	12	B	22	A	32	D	42	B	52	B	62	B	72	B	82	A	92	A
3	C	13	C	23	A	33	C	43	A	53	A	63	A	73	C	83	C	93	D
4	D	14	C	24	B	34	C	44	D	54	B	64	C	74	C	84	B	94	A
5	A	15	A	25	A	35	C	45	A	55	C	65	C	75	D	85	B	95	A
6	C	16	B	26	B	36	D	46	B	56	A	66	A	76	D	86	A	96	A
7	C	17	B	27	A	37	C	47	D	57	A	67	B	77	D	87	B	97	B
8	A	18	C	28	C	38	B	48	A	58	A	68	D	78	C	88	D	98	D
9	C	19	C	29	C	39	D	49	C	59	C	69	C	79	B	89	B	99	A
10	B	20	B	30	B	40	C	50	D	60	D	70	B	80	D	90	B	100	D

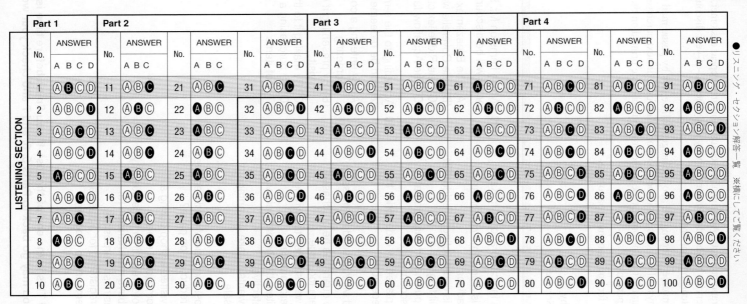

完全模試　リーディング・セクション解答一覧

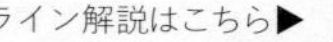

READING SECTION

Part 5: 101–130 / Part 6: 131–146 / Part 7: 147–200

No.	ANSWER	No.	ANSWER	No.	ANSWER	No.	ANSWER	No.	ANSWER	No.	ANSWER	No.	ANSWER	No.	ANSWER	No.	ANSWER	No.	ANSWER
101	D	111	D	121	B	131	D	141	D	151	C	161	B	171	B	181	D	191	B
102	C	112	B	122	A	132	C	142	C	152	A	162	C	172	C	182	C	192	C
103	A	113	B	123	B	133	B	143	C	153	C	163	B	173	D	183	D	193	C
104	C	114	C	124	B	134	D	144	B	154	C	164	B	174	D	184	B	194	A
105	C	115	D	125	D	135	C	145	C	155	C	165	C	175	C	185	A	195	A
106	C	116	A	126	A	136	B	146	A	156	D	166	D	176	A	186	B	196	D
107	B	117	D	127	D	137	C	147	D	157	B	167	A	177	A	187	D	197	D
108	A	118	A	128	A	138	D	148	B	158	C	168	A	178	B	188	B	198	C
109	B	119	D	129	B	139	C	149	D	159	A	169	C	179	C	189	C	199	B
110	A	120	D	130	D	140	C	150	B	160	B	170	C	180	D	190	B	200	A

増補改訂版
はじめての TOEIC® L&R テスト
全パート総合対策

[別冊]
● スコア急上昇 直前テクニック集&単語クイズ
● 完全模試 TEST

著者　塚田 幸光
発行人　天谷 修身
発行　株式会社 アスク出版
〒162-8558　東京都新宿区下宮比町 2-6
TEL：03-3267-6864　FAX：03-3267-6867
URL：https://www.ask-books.com/

ISBN 978-4-86639-434-3　Printed in Japan

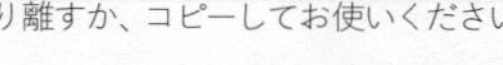
※切り離すか、コピーしてお使いください

完全模試　リスニング・セクション解答用紙

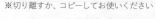

LISTENING SECTION

Part 1		Part 2						Part 3						Part 4					
No.	ANSWER A B C D	No.	ANSWER A B C	No.	ANSWER A B C	No.	ANSWER A B C D	No.	ANSWER A B C D	No.	ANSWER A B C D	No.	ANSWER A B C D	No.	ANSWER A B C D	No.	ANSWER A B C D	No.	ANSWER A B C D
1	ⒶⒷⒸⒹ	11	ⒶⒷⒸ	21	ⒶⒷⒸ	31	ⒶⒷⒸ	41	ⒶⒷⒸⒹ	51	ⒶⒷⒸⒹ	61	ⒶⒷⒸⒹ	71	ⒶⒷⒸⒹ	81	ⒶⒷⒸⒹ	91	ⒶⒷⒸⒹ
2	ⒶⒷⒸⒹ	12	ⒶⒷⒸ	22	ⒶⒷⒸ	32	ⒶⒷⒸⒹ	42	ⒶⒷⒸⒹ	52	ⒶⒷⒸⒹ	62	ⒶⒷⒸⒹ	72	ⒶⒷⒸⒹ	82	ⒶⒷⒸⒹ	92	ⒶⒷⒸⒹ
3	ⒶⒷⒸⒹ	13	ⒶⒷⒸ	23	ⒶⒷⒸ	33	ⒶⒷⒸⒹ	43	ⒶⒷⒸⒹ	53	ⒶⒷⒸⒹ	63	ⒶⒷⒸⒹ	73	ⒶⒷⒸⒹ	83	ⒶⒷⒸⒹ	93	ⒶⒷⒸⒹ
4	ⒶⒷⒸⒹ	14	ⒶⒷⒸ	24	ⒶⒷⒸ	34	ⒶⒷⒸⒹ	44	ⒶⒷⒸⒹ	54	ⒶⒷⒸⒹ	64	ⒶⒷⒸⒹ	74	ⒶⒷⒸⒹ	84	ⒶⒷⒸⒹ	94	ⒶⒷⒸⒹ
5	ⒶⒷⒸⒹ	15	ⒶⒷⒸ	25	ⒶⒷⒸ	35	ⒶⒷⒸⒹ	45	ⒶⒷⒸⒹ	55	ⒶⒷⒸⒹ	65	ⒶⒷⒸⒹ	75	ⒶⒷⒸⒹ	85	ⒶⒷⒸⒹ	95	ⒶⒷⒸⒹ
6	ⒶⒷⒸⒹ	16	ⒶⒷⒸ	26	ⒶⒷⒸ	36	ⒶⒷⒸⒹ	46	ⒶⒷⒸⒹ	56	ⒶⒷⒸⒹ	66	ⒶⒷⒸⒹ	76	ⒶⒷⒸⒹ	86	ⒶⒷⒸⒹ	96	ⒶⒷⒸⒹ
7	ⒶⒷⒸ	17	ⒶⒷⒸ	27	ⒶⒷⒸ	37	ⒶⒷⒸⒹ	47	ⒶⒷⒸⒹ	57	ⒶⒷⒸⒹ	67	ⒶⒷⒸⒹ	77	ⒶⒷⒸⒹ	87	ⒶⒷⒸⒹ	97	ⒶⒷⒸⒹ
8	ⒶⒷⒸ	18	ⒶⒷⒸ	28	ⒶⒷⒸ	38	ⒶⒷⒸⒹ	48	ⒶⒷⒸⒹ	58	ⒶⒷⒸⒹ	68	ⒶⒷⒸⒹ	78	ⒶⒷⒸⒹ	88	ⒶⒷⒸⒹ	98	ⒶⒷⒸⒹ
9	ⒶⒷⒸ	19	ⒶⒷⒸ	29	ⒶⒷⒸ	39	ⒶⒷⒸⒹ	49	ⒶⒷⒸⒹ	59	ⒶⒷⒸⒹ	69	ⒶⒷⒸⒹ	79	ⒶⒷⒸⒹ	89	ⒶⒷⒸⒹ	99	ⒶⒷⒸⒹ
10	ⒶⒷⒸ	20	ⒶⒷⒸ	30	ⒶⒷⒸ	40	ⒶⒷⒸⒹ	50	ⒶⒷⒸⒹ	60	ⒶⒷⒸⒹ	70	ⒶⒷⒸⒹ	80	ⒶⒷⒸⒹ	90	ⒶⒷⒸⒹ	100	ⒶⒷⒸⒹ

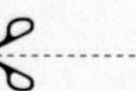

※切り離すか、コピーしてお使いください

完全模試　リーディング・セクション解答用紙

READING SECTION

Part 5						Part 6				Part 7									
No.	ANSWER A B C D	No.	ANSWER A B C D	No.	ANSWER A B C D	No.	ANSWER A B C D	No.	ANSWER A B C D	No.	ANSWER A B C D	No.	ANSWER A B C D	No.	ANSWER A B C D	No.	ANSWER A B C D	No.	ANSWER A B C D
101	ⒶⒷⒸⒹ	111	ⒶⒷⒸⒹ	121	ⒶⒷⒸⒹ	131	ⒶⒷⒸⒹ	141	ⒶⒷⒸⒹ	151	ⒶⒷⒸⒹ	161	ⒶⒷⒸⒹ	171	ⒶⒷⒸⒹ	181	ⒶⒷⒸⒹ	191	ⒶⒷⒸⒹ
102	ⒶⒷⒸⒹ	112	ⒶⒷⒸⒹ	122	ⒶⒷⒸⒹ	132	ⒶⒷⒸⒹ	142	ⒶⒷⒸⒹ	152	ⒶⒷⒸⒹ	162	ⒶⒷⒸⒹ	172	ⒶⒷⒸⒹ	182	ⒶⒷⒸⒹ	192	ⒶⒷⒸⒹ
103	ⒶⒷⒸⒹ	113	ⒶⒷⒸⒹ	123	ⒶⒷⒸⒹ	133	ⒶⒷⒸⒹ	143	ⒶⒷⒸⒹ	153	ⒶⒷⒸⒹ	163	ⒶⒷⒸⒹ	173	ⒶⒷⒸⒹ	183	ⒶⒷⒸⒹ	193	ⒶⒷⒸⒹ
104	ⒶⒷⒸⒹ	114	ⒶⒷⒸⒹ	124	ⒶⒷⒸⒹ	134	ⒶⒷⒸⒹ	144	ⒶⒷⒸⒹ	154	ⒶⒷⒸⒹ	164	ⒶⒷⒸⒹ	174	ⒶⒷⒸⒹ	184	ⒶⒷⒸⒹ	194	ⒶⒷⒸⒹ
105	ⒶⒷⒸⒹ	115	ⒶⒷⒸⒹ	125	ⒶⒷⒸⒹ	135	ⒶⒷⒸⒹ	145	ⒶⒷⒸⒹ	155	ⒶⒷⒸⒹ	165	ⒶⒷⒸⒹ	175	ⒶⒷⒸⒹ	185	ⒶⒷⒸⒹ	195	ⒶⒷⒸⒹ
106	ⒶⒷⒸⒹ	116	ⒶⒷⒸⒹ	126	ⒶⒷⒸⒹ	136	ⒶⒷⒸⒹ	146	ⒶⒷⒸⒹ	156	ⒶⒷⒸⒹ	166	ⒶⒷⒸⒹ	176	ⒶⒷⒸⒹ	186	ⒶⒷⒸⒹ	196	ⒶⒷⒸⒹ
107	ⒶⒷⒸⒹ	117	ⒶⒷⒸⒹ	127	ⒶⒷⒸⒹ	137	ⒶⒷⒸⒹ	147	ⒶⒷⒸⒹ	157	ⒶⒷⒸⒹ	167	ⒶⒷⒸⒹ	177	ⒶⒷⒸⒹ	187	ⒶⒷⒸⒹ	197	ⒶⒷⒸⒹ
108	ⒶⒷⒸⒹ	118	ⒶⒷⒸⒹ	128	ⒶⒷⒸⒹ	138	ⒶⒷⒸⒹ	148	ⒶⒷⒸⒹ	158	ⒶⒷⒸⒹ	168	ⒶⒷⒸⒹ	178	ⒶⒷⒸⒹ	188	ⒶⒷⒸⒹ	198	ⒶⒷⒸⒹ
109	ⒶⒷⒸⒹ	119	ⒶⒷⒸⒹ	129	ⒶⒷⒸⒹ	139	ⒶⒷⒸⒹ	149	ⒶⒷⒸⒹ	159	ⒶⒷⒸⒹ	169	ⒶⒷⒸⒹ	179	ⒶⒷⒸⒹ	189	ⒶⒷⒸⒹ	199	ⒶⒷⒸⒹ
110	ⒶⒷⒸⒹ	120	ⒶⒷⒸⒹ	130	ⒶⒷⒸⒹ	140	ⒶⒷⒸⒹ	150	ⒶⒷⒸⒹ	160	ⒶⒷⒸⒹ	170	ⒶⒷⒸⒹ	180	ⒶⒷⒸⒹ	190	ⒶⒷⒸⒹ	200	ⒶⒷⒸⒹ